LA VIDA Y EL VERBO DE
RUBEN DARIO

BERNARDINO DE PANTORBA

LA VIDA
Y EL VERBO DE
RUBEN DARIO

ENSAYO BIOGRAFICO Y CRITICO

COMPI
COMPAÑIA BIBLIOGRAFICA ESPAÑOLA, S. A.
Nieremberg, 14
MADRID

CON LAS LICENCIAS NECESARIAS

EDICIÓN DE LA OBRA

Imprenta: GRÁFICAS HALAR, S. L.
                   Andrés de la Cuerda, 4.-Madrid

Encuadernación: RAMOS
                   Ercilla, 5.-Madrid

Depósito Legal: M. 19423.—1966

PROEMIO

L hombre cuya vida se asoma a este libro y cuya labor literaria vamos a enfocar en él no llegó a cumplir los cincuenta años. Sobrepasó sus cuarenta y nueve sólo en pocos días. Como fue precoz haciendo versos y prosas, su obra —extensa— abarca tres decenios y medio: de 1880 a 1915.

Vivió treinta y cuatro años del siglo pasado y menos de dieciséis del nuestro. Al finalizar el XIX, tenía ya conquistado un nombre de no corta dimensión. Al morir, ese nombre había logrado vasta resonancia en el mundo de habla hispánica.

Poeta de alientos y acentos, más que renovadores, revolucionarios; muy personal en su manera de expresarse; audaz de palabras, imágenes y ritmos; insólito, incorrecto, antiacadémico en tantos de sus versos, afrancesado en muchos, claro está que esas audacias y originalidades chocaron abiertamente con la tradición poética de España, tan larga y prestigiosa, lo cual, originando críticas acerbas, censuras no mal intencionadas y, en el peor de los casos, mezquinas burlas y zurdos vituperios, valió no poco, aquí, para la difusión del nombre que nos llegaba de nuestra América. Incluso el mismo nombre, que no era nombre verdadero, sino seudónimo —raro, breve, eufónico— contribuyó también a la expresada fama.

La celebridad de Rubén Darío, firme ya en la década postrera de su vida, cuando, algo marchitas las viejas incomprensiones, no se le llamaba ya zumbona y despreciativamente "modernista", no ha cedido después de su muerte. Sigue viva y resonante. Así, hoy, al medio siglo del fallecimiento del poeta, se puede hablar de éste con la seguridad de hallar al punto nutrido público de curiosos, dispuestos a escucharnos, porque aún se escuchan admirativamente en la redondez de lo español los versos sonoros de aquel errante nicaragüense. Sin ninguna duda, es el poeta hispanoamericano de mayor rango, y está, alto, entre los altos de nuestra lengua.

En Nicaragua nació y allí murió, tras haber andado por tantos sitios. Murió por los días mismos en que la tremenda guerra europea, tapando con su barbarie los oídos de millones de hombres, los insensibilizaba para el quehacer y el disfrute deleitoso de la poesía. No eran días aquellos, ciertamente, ni para los poetas ni para los artistas. La borrachera del odio, que no abandona jamás a los hombres, se cernía sobre los campos y las ciudades próceres de Europa, ahogando los latidos nobles de los amigos de la Paz.

Recuérdese que, por entonces también, y víctima de aquella inaudita guerra, moría el admirable músico español Enrique Granados, precisamente nacido —singular coincidencia— en el mismo año que Rubén. 1867, la fecha del nacimiento de ambos. 1916, la de la muerte de los dos (1).

_____

(1) Rubén nació el 18 de enero; Granados, el 27 de julio. Rubén murió el 6 de febrero; Granados, el 24 de marzo. El primero cumplió, pues, los cuarenta y nueve años. Al segundo le faltaron

Errabundo, hemos llamado al poeta. Lo fue, verdaderamente. No tuvo residencia fija en ningún lugar, arriba de un quinquenio. En menos de treinta años pasó por casi treinta países: casi todos los de América y muchos de Europa. De haber vivido más tiempo, es seguro que se habría asomado a la inmensidad tentadora del Asia. Además de su país natal, conoció Chile, la Argentina, la República del Salvador, Guatemala, Panamá, Brasil, Méjico, Cuba, Colombia, Costa Rica, Perú, el Uruguay, los Estados Unidos... De lo europeo, España, Francia, Italia, Bélgica, Inglaterra, Alemania, Austria, Hungría, Portugal. En Africa, Marruecos.

Por algunas de esas naciones pasó casi como un vulgar turista: de prisa. En otras —Francia, España, la Argentina, Chile— llegó a instalarse con un cierto aire de permanencia y reposo, poniendo casa, como el buen burgués que no escribe poemas. Pero en ninguna echó largas raíces.

Hoy son incontables las personas que, haciendo turismo, en pocos años recorren más países que los veintitantos cuyos nombres hemos agrupado, formando el itinerario de los viajes de Rubén. Pero adviértase que los tiempos de éste se hallaban todavía muy distantes del apogeo turístico que ahora, facilitado por la actividad de las agencias de viajes y la rapidez de los transportes, conoce el mundo. Sépase también que en tales tiempos no funcionaba la aviación civil, con sus muchedumbres conducidas velozmente de un lugar a otro, y que eran, por consiguiente, forzosos para los viajeros el moderado correr del tren y el andar de los barcos sobre el ancho mar.

---

más de cuatro meses para cumplirlos. Más infortunado que el poeta, el músico, como es notorio, murió trágicamente, con su mujer, al hundirse, torpedeado por un submarino alemán, el barco en que viajaban.

(Sin olvidar el apestoso automóvil ni el lento y renquean-
te coche de caballos.) Añádase también el hecho, ya
apuntado, de que Rubén Darío no alcanzó los cincuenta
años de su edad. En nuestros días, con vida más prolongada y avión dispuesto, ¿a qué sitios del planeta no hubiera acudido aquel inquieto errabundo, enriqueciendo con
nuevas visiones e impresiones su vocabulario poético?

Rubén Darío entregó al público veinte libros; el primero, en 1885; el último, en 1915. Libros —repetimos—,
no folletos; libros independientes, con el sonoro "Rubén
Darío" en sus cubiertas. Siete de ellos, formados exclusivamente con versos. Son el pilar de su gloria. Hay otro,
el que abrió su nombre a la fama, en el que alternan el
verso y la prosa. Los restantes volúmenes, que suman doce
—nos referimos ahora únicamente a los publicados en
vida de él, a los que él publicó—, son de prosa; casi todos reúnen artículos y ensayos periodísticos.

Después de 1916 ha crecido considerablemente el número de los "libros de Rubén Darío"; se han hecho, por
varios editores, agavillando trabajos sueltos, de los muy
numerosos que su autor desparramó por revistas y diarios
de diversos países. De esas publicaciones, o, mejor, reedi-
ciones póstumas, ya que en su casi totalidad se limitan a
recoger y ofrecer en tomo lo antes publicado en la Prensa, algunas bien pudieron haberse evitado en honor al
poeta, porque nada añaden a su prestigio, y antes bien,
se lo merman.

Rubén Darío no vivió, no pudo vivir holgadamente de
su pluma. Los libros no le produjeron sino muy parva ga-
nancia; los hubo que sólo representaron para él simple
pérdida. Su labor de prosista en los periódicos, no siempre asidua —la destinada al gran diario bonaerense *La*

Nación fue la más sostenida—, estuvo también lejos, aunque no tanto, de constituir para su economía un medio de subsistencia seguro, permanente, confiado y de altura decorosa. Para cubrir con su trabajo el muchas veces inquietante déficit económico de su vida, viose obligado a buscar y a pretender empleos diplomáticos, cargos de tipo político. No le faltaron, porque en la América española de aquellos días solían los Gobiernos, felizmente, erigirse en protectores de sus desamparados poetas, ocupándolos en esos decorativos menesteres. Así, "protegido" por la nación a la que honraba con sus obras, Rubén llegó a ser en Europa ministro de Nicaragua y representante oficial de ésta en determinados casos: el más notorio, el de la conmemoración, en España, del cuarto centenario del descubrimiento de América. Algo, sólo algo sacó de esos nombramientos. Y decimos "sólo algo", porque la verdad es que no tuvo suerte con los tales empleos; en ocasiones fueron de muy corta duración; en ocasiones, exiguamente remunerados; en ocasiones, ni pagados siquiera: trampeados, en esa inmensa trampa de los organismos estatales, tan inútiles siempre para quienes no saben aprovecharse de ellos. Un ejemplo: cuando Rubén, enfermo, fatigado, atormentado y asqueado, murió, el Gobierno de su país natal, que se hallaba por entonces entregado a la voracidad del dólar, aún le adeudaba dinero, y no en pequeña suma.

Nada tan opuesto a un hombre "hábil", prudente, ahorrativo, precavido, "organizado" y bien administrado por las artes de la cautela, como el desgobernado hombre aquel, impetuoso, inquieto, indolente, iluso, novelero, mujeriego, errátil y, por añadidura, muy atado, desde muy joven, al "demonio del alcohol".

A este vicio indominable debió Rubén los malos tran-

ces de su salud, las quiebras frecuentes de su poderoso
cuerpo, lo maltrecho de sus pasos por las numerosas tierras que pisó; indudablemente contribuyó a acelerar su
muerte. Viajó por los países americanos y europeos con
una soltura y una desenvoltura que, en aquellos tiempos
de barcos y trenes, nos causa cierto pasmo. Estaba siempre en disposición para marcharse a cualquier parte. Nada
le importaba desarraigarse, por simple curiosidad o su-
puesta conveniencia del momento; desasirse de lo ya fa-
miliarizado, del hábito ya contraído; por gusto trotamun-
deaba, cambiaba alegremente de domicilio, de clima, de
gente, de costumbres, de lenguas.

Con su fardo de imágenes poéticas en el alma, su mirada incurablemente ilusionada, sus grandes manos estre-
mecidas por un deseo insaciable de carne de mujer, sus
gruesos labios madurecidos por el constante sonar de sus
versos, su garganta cuajada de palabras de poeta, su andar y su hablar casi sin sosiego..., así pasó Darío por tantos lugares del ancho y vario mapa, dejando en tantos el
recuerdo de su figura corpulenta, su tipo de mestizo, su
rotunda, chata, fea y aceitunada faz de americano tropical y el timbre de su voz, sin olvidar el acerado brillo de
sus ojos pequeños.

Ayudó mucho a su fama, que desde temprano empezó
a rodar por el orbe del idioma castellano, además, claro
es, del valor firme de su obra, "lo raro" de su obra, "lo
raro" de su figura y —como ya queda apuntado— también "lo raro" de su firma, "Rubén Darío", nombre hecho con la unión de dos sonoras palabras orientales de
cinco letras cada una, con las cinco vocales de nuestro
alfabeto sonando, cada una una sola vez, entre las tres
fuertes consonantes: R. b, n...

Ningún seudónimo más acertado que ése para caminar

con fruto por en medio de los distraídos lectores de la literatura española. Ninguno mejor para estamparse a los pies de unos renglones, atraer la atención de la multitud, fijarse en su memoria, repetirse multiplicadamente en el aire de la poesía.

Muchos versos hizo Rubén. Más de setecientas poesías, casi todas breves, brevísimas algunas (largas hizo muy pocas), es lo que nos legó su verbo.

Mayor aún es su cosecha de prosa. De mil quinientos pasan los artículos y cuentos que le debemos.

Espléndida prosa, en ocasiones, es la suya; original y sugestiva, a menudo; coloreada y musical, con frecuencia; pocas veces, superficial y anodina. Pero lo que dio a Rubén su vasto y rápido renombre no fue su prosa, con ser excelente, como queda dicho; fue su verso.

Fue en el verso donde aquel varón "raro" ganó la gloria que le concedieron tantos locuaces admiradores de sus bellas "rarezas"; la gloria, y también el dicterio y la mofa que levantó en muchos de sus lectores y críticos; la lucha fecunda, en fin, que su labor despertó.

Durante años, su nombre fue placeado incansablemente, como portaestandarte de la renovación poética que las letras hispánicas necesitaban y demandaban. Lo ensalzaron, principalmente —ello se explica—, los hispanoamericanos, los escritores del continente colombino. De las naciones latinas del continente birracial se elevaron voces entusiastas en loor del vate nicaragüense. La verdad exige decir que también —y realmente sin tardanza— voces en el mismo sentido laudatorio partieron del solar español. Por la historia, la sangre y la lengua, el recién aparecido poeta de América venía a ser un poeta de España. "A los nuevos poetas de las Españas" dedicó él, desde Madrid,

cuando era ya famoso, uno de sus mejores libros de versos. Capitaneando, desde España y América, a esos poetas, pasó la agitación de su vida. Por nuestro lo tenemos
nosotros, en justicia, como por suyo, en justicia, lo tienen
los americanos.

L A   V I D A

"La historia de una juventud llena de tristezas y
de desilusión, a pesar de las primaverales sonrisas;
la lucha por la existencia desde el comienzo, sin apoyo familiar ni ayuda de mano amiga; la sagrada y
terrible fiebre de la lira; el culto del entusiasmo y de
la sinceridad contra las añagazas y traiciones del
mundo, del demonio y de la carne; el poder dominante e invencible de los sentidos en una idiosincra-
sia calentada a sol de trópico en sangre mezclada de
español y chorotega; la simiente del catolicismo, con-
trapuesta a un tempestuoso instinto pagano, complicado con la necesidad psicofisiológica de estimulantes
modificadores del pensamiento, peligrosos combusti-
bles, supresores de perspectivas afligentes, pero que
ponen en riesgo la máquina cerebral y la vibrante
túnica de los nervios."

RUBÉN DARÍO, 1909.

1. PRIMEROS AÑOS.
EN NICARAGUA

L 3 de marzo de 1867, a los cuarenta y tantos días de haber nacido, bautizaban en la catedral de la ciudad nicaragüense de León a un niño al que en la pila le pusieron los nombres de Félix y Rubén.

Como su padre se llamaba Manuel García y su madre Rosa Sarmiento, Félix Rubén García Sarmiento eran los nombres y apellidos legales, según las leyes y costumbres españolas pasadas a Hispanoamérica, de quien haría famoso, haciendo versos, su seudónimo: "Rubén Darío."

El origen de este falso nombre, que borró triunfalmente los verdaderos (como todo seudónimo largamente sostenido debe hacer), se dirá después aquí.

El niño había nacido el 18 de enero, y no en León, sino en Metapa, que era entonces algo más o algo menos que un villorrio. En tiempos de los indios —tiempos no muy alejados de la fecha traída a estas líneas— se llamaba Chocoyos. No ha crecido mucho desde entonces. Hoy es un poblado de tierra caliente que pertenece al departamento de Matagalpa. Su único timbre de orgullo se encierra en estas cuatro palabras: "Aquí nació Rubén

Darío." Precisamente por ser su cuna, recibió Metapa, de
la nación, el título de "ciudad" el 14 de marzo de 1916;
uno más de los numerosos homenajes que los nicaragüenses tributaron a su paisano, a raíz de su muerte. Y
ahora, el nombre oficial de esa ciudad es "Ciudad Darío".

Los padres del bautizado aquel día, primos segundos
entre sí, unidos en simple matrimonio de conveniencia
el 16 de abril del año anterior, se habían separado definitivamente, tras graves disgustos, un mes antes de nacer el hijo (2). Por lo que éste, en el acto bautismal, no
tuvo al lado a su padre. Sólo asistieron la madre y un
grupo reducidísimo de personas ligadas a ella, por paren-
tesco o amistad. Apadrinó al neófito el general don Máximo Jerez, quien, no pudiendo asistir a la ceremonia,
hízose representar por un hijo suyo.

Pasó el niño los primeros meses de su vida junto a su
madre, y buena parte de ellos en una pobre y primitiva
casa de campo de San Marcos de Colón, pueblecillo de
la frontera de Honduras con Nicaragua, lugar monta-

---

(2) Huérfana de padre y madre —el padre había sido asesi-
nado en Chinandega, un día de holgorio, y la madre había muerto a los pocos meses de nacer su hija Rosa—, ésta, de soltera, vivía en León, con su tía doña Bernarda. Para no ser gravosa, se
había colocado en un almacén. Se enamoró de ella más de un
hombre. Dícese que fue Rita García, la hermana de Manuel, quien
planeó la unión de éste con la pobre huérfana, a fin de hacerle
"sentar la cabeza", apartándole de amoríos no limpios y tratos
tabernarios. Recién casada, Rosa vivió al lado de su prima Rita
y ayudaba en el comercio llevado por su marido. No tardó mucho
en convencerse de que Manuel no la quería, la maltrataba y la
humillaba; por lo que resolvió tornar a la casa de su tía. Vién-
dola embarazada, doña Bernarda la llevó a Metapa, donde tenía
una hermana, también con tienda; esperaba que los aires de ese
pueblecillo fueran más saludables para su sobrina que los de León.

ñoso y plácido. Dícese que acompañaba allí a Rosa un
estudiante llamado Juan Bautista Soriano, que estaba enamorado de ella. Cierto sería aquel amor, cuando, un tiempo después, la pobre mujer abandonada por su esposo
daba a luz una niña a la cual el tal Soriano reconocía
como suya.

"Una señora delgada, de vivos y brillantes ojos negros —¿negros?, no lo puedo afirmar—, blanca, de tupidos cabellos oscuros, alerta, risueña, bella: ésa era mi
madre." Así hablaría de su madre Rubén, años más tarde; palabras que, como casi todas las del poeta traídas a
este relato, se sacan de su Autobiografía, obra esencial
para nuestro tema, no obstante sus errores, por el propio
autor confesados.

De las faldas maternas fue llevado luego el niño a las
de una tía abuela, de la misma rama, residente en León:
doña Bernarda Sarmiento, esposa del coronel don Félix
Ramírez Madregil, hombre de noble y ardiente espíritu
liberal que, a las órdenes del citado general Jerez, for-
maba en las filas del partido unionista de Centro-América. El matrimonio, sin descendencia, prohijó al sobrino-
nieto. Pocos años después, don Félix enseñaba a su ahijado la ruda equitación campera, al par que le refería
sabrosos cuentos infantiles; y le hacía comer las ricas
manzanas de California, al par que le adiestraba en la
bebida del champaña francés; le inculcó, finalmente, las
ideas unionistas que él profesaba, tendencia política in-
mejorable, porque trataba de unir en una sola República
a las cinco republiquitas centroamericanas que desunidas
nacieron y no muy unidas continúan a la hora de ahora.
"Dios le haya dado al coronel un buen sitio en alguno
de sus paraísos", escribió, agradecido, Rubén, recordan-

do al hombre bueno a cuyo lado pasó lo más de su infancia.

Como hijo del coronel y de su esposa vivía el niño, y éste, en efecto, se creía y se llamaba hijo de ellos. "Félix Rubén Ramírez": así solía firmar. De su memoria, con el andar del tiempo, llegó casi a borrarse la imagen desgraciada de su madre.

Al cabo de unos años, viviendo todavía con sus tíos, Rubén vio de nuevo a Rosa Sarmiento, en casa de una vecina, quien, señalando a una señora muy triste, vestida de negro, allí presente, le dijo: "Esta es tu verdadera madre; se llama Rosa, y ha venido a verte, desde muy lejos." La dama, en silencio y llorando, abrazó y besó tiernamente a su hijo, le dejó unos modestos regalos y marchóse, llorando siempre, ante la extrañeza de quien nada podía aún comprender de aquella escena. No volvió el poeta a ver a su madre hasta pasados más de veinte años, siendo él ya un hombre célebre.

De su padre, el comerciante de tejidos Manuel García, o Manuel Darío, como él firmaba, Rubén habló poco y no con simpatía. Ya se ha dicho que vivía separado de su mujer, cuando el hijo nació. Criado éste con doña Bernarda y su marido, Manuel figuraba en lo que pudiéramos llamar "el registro familiar", no como su padre, sino como "su tío"; "el tío Manuel", sencillamente. Disponía de algún dinero y residía en casa de una hermana suya, Rita, muy religiosa, casada con don Pedro Alvarado, y adinerada también por virtud de lo que ya le había donado su dicho hermano, para que contrajera matrimonio. Este matrimonio poseía ingenios de caña de azúcar y cabezas de ganado.

De otras dos tías suyas habló Rubén brevemente en uno de los primeros capítulos de su Autobiografía: "Mi tía Josefa, vivaz, parlera, muy amante de la crinolina, medio tocada..., y mi tía Sara, casada con un norteamericano, muy hermosa, y cuya hija mayor, ¡oh, Eros!, un día, por sorpresa, en un aposento donde yo entrara descuidado, me dio la ilusión de una Anadiomena..."

He aquí ahora lo referente a su padre: "Mi verdadero padre, para mí, y tal como se me había enseñado, era el otro, el que me había criado desde los primeros años, el que había muerto, el coronel Ramírez. No sé por qué, siempre tuve un desapego, una vaga inquietud separadora con mi "tío Manuel". La voz de la sangre..., ¡qué flácida patraña romántica! La paternidad única es la costumbre del cariño y del cuidado. El que sufre, lucha y se desvela por un niño, aunque no lo haya engendrado, ése es su padre."

Más adelante: "Algunas veces llegué a visitar a don Manuel Darío en su tienda de ropa. Era un hombre no muy alto de cuerpo, algo jovial, muy aficionado a los galanteos, gustador de cerveza negra de Inglaterra. Hablaba mucho de política y esto le ocasionó, en cierto tiempo, varios desvaríos. Desde luego, aunque se mantuvo cariñoso conmigo, no con extremada amabilidad, nada me daba a entender que fuese mi padre. La verdad es que no vine a saber sino mucho más tarde que yo era hijo suyo."

En la década de 1870 iniciaba el niño sus estudios escolares. Oigámosle: "Fui algo niño prodigio. A los tres años sabía leer, según se me ha contado... Se me hacía ir a una escuela pública. Aún vive (1912) el buen maestro, que era entonces bastante joven, con fama de poeta: el licenciado Felipe Ibarra. Usaba, naturalmente, conforme con la pedagogía singular de entonces, la palmeta y, en casos especiales, la flagelación en las desnudas posaderas. Allí se enseñaba la cartilla, el Catón cristiano, las

"cuatro reglas", otras primarias nociones. Después tuve
otro maestro, que me inculcaba vagas nociones de arit-
mética, geografía, cosas de gramática, religión. Pero quien
primeramente me enseñó el alfabeto, mi primer maestro,
fue una mujer: doña Jacoba Tellería, quien estimulaba
mi aplicación con sabrosos pestiños, bizcotelas y alfajo-
res, que ella misma hacía... con manos de monja. La
maestra no me castigó sino una vez, en que me encon-
trara, ¡a esa edad, Dios mío!, en compañía de una precoz chicuela, iniciando, indoctos e imposibles Dafnis y
Cloe y, según el verso de Góngora,

> "las bellaquerías
> detrás de la puerta"...

Fueron los primeros libros que leyó Rubén el *Quijote,*
las *Mil y una noches,* la Biblia, los *Oficios* de Cicerón, la
Corina de Madame de Stäel y las obras de Moratín. Lecturas, como se ve, harto heterogéneas, hechas sin la menor disciplina, al azar de lo encontrado en la casa del
coronel Ramírez. No se cita entre ellas ninguna obra en
verso; pero que el niño leyó versos muy pronto, y muchos versos, no cabe negarlo.

De 1879 a 1881, entre sus doce y sus catorce años,
por tanto, el precoz mozalbete empieza a alcanzar en su
tierra natal nombre de poeta, publica sus primeros versos, recibe sus primeras sensaciones amorosas y se inicia
en el cultivo del periodismo. Los graves estudios de humanidades, hechos por entonces en un colegio de jesuitas, se repliegan ante la acometividad del incipiente vate.
Espiguemos palabras suyas:

"¿A qué edad escribí mis primeros versos? No lo recuerdo precisamente, pero ello fue harto temprano... [En
1875, puntualiza algún biógrafo, sin prueba suficiente.]

No he podido recordar ninguno..., pero sí sé que eran
versos brotados instintivamente. Yo nunca aprendí a hacer versos. Ello fue en mí orgánico, natural, nacido. Se
usaba entonces —y creo que aún persiste— la costumbre
de imprimir y repartir en los entierros "epitafios" en que
los deudos lamentan los fallecimientos, en verso por lo
general. Los que sabían mi rítmico don llegaban a encar-
garme que pusiese su duelo en estrofas.

"Iba a cumplir mis trece años y habían ya aparecido
mis primeros versos en un diario titulado *El Termómetro,*
que publicaba en la ciudad de Rivas el historiador y
hombre político José Dolores Gámez. No he olvidado la
primera estrofa de estos versos de primerizo, rimados en
ocasión de la muerte del padre de un amigo. Ellos serían
ruborizantes, si no los amparase la intención de la inocencia."

Y Rubén, seguramente ruborizándose, recuerda y escribe esta quisicosa:

> "¡Murió tu padre, es verdad!
> ¿Lo lloras? ¡Tienes razón!
> Pero ten resignación,
> que existe una eternidad
> do no hay penas...
> Y en un lecho de azucenas
> moran los justos, cantando
> sus venturanzas..."

(Rectifiquemos, entre paréntesis, antes de pasar adelante, al propio autor. Esa no es la primera estrofa de
ninguna de sus poesías. Es parte de la tercera estrofa de
doce versos de la composición titulada *Una lágrima,* dedicada a Victoriano Argüello, "en el trigésimo día de la
muerte de su padre, don Pedro Argüello", y publicada
en *El Termómetro,* el 26 de junio de 1880, ya con la firma de "Rubén Darío". Esa poesía y la inserta al día si-

guiente en *El Ensayo,* periódico de León, con el título
Desengaño y la firma de "Bruno Erdia", son las dos más
antiguas que de Rubén han llegado hasta nosotros. Publicáronse, no antes de cumplir su autor los trece años,
sino con esos trece ya bien cumplidos. "Bruno Erdia",
como podrá notarse, es un anagrama de "Rubén Darío";
otro anagrama usado por el poetilla, "Bernardo I. U.",
es aún menos ingenioso que el anterior.)

Nosotros no conocemos versos del poeta anteriores a
1880. De este año, además de las dos composiciones men-
cionadas, es la titulada *A ti,* que empieza:

> "Yo vi una ave
> que suave
> sus cantares
> a la orilla de los mares
> entonó..."

Eso de que a los trece años ya se escriba un *Desengaño,* una *Lágrima* y unos versos de amor a una mujer,
es de pura estirpe romántica.

Volvamos a lo autobiográfico:

"Otros versos míos se publicaron, y se me llamó en
mi República y en las cuatro de Centro-América "el poeta niño". Como era de razón, comencé a usar larga cabellera, a divagar más de lo preciso, a descuidar mis estudios de colegial, y en mi desastroso examen de mate-
máticas fui reprobado con innegable justicia. Como se ve,
era la iniciación de un nacido aeda. Y la alarma familiar
entró en mi casa."

Se nos dice que en 1881 Darío recogió versos y artículos suyos en un cuaderno que manos amigas guardaron en Nicaragua, cuando él salió de allí por vez primera.
Y se añade que, mucho tiempo después, famoso ya en

esas lides de la versificación, al volver a su tierra nativa, se complacía en hojear las páginas de aquel familiar cuaderno de su infancia (3).

No sólo el verso; la prosa fue también cultivada tempranamente por Félix Rubén. No alcanzaba sus catorce años cuando le llamaron para que escribiera artículos en *La Verdad,* periódico político que salía en León, fustigando sistemáticamente —como "órgano de la oposición" que era— al Gobierno de turno. El cual Gobierno, escamado, ordenó un día a la policía que se encarase con el adolescente folicularío y le hiciese entrar en vereda. Acusábase a Rubén de "vago" —acaso lo fuera, en efecto— y como a tal quisieron aplicarle alguna disposición gubernativa; pero el supuesto "vago" se libró de las "iras oficiales", por la oportuna intervención de un pedagogo liberal que le defendió con toda gallardía.

Por el mismo tiempo, más o menos, cayó en sus manos un tratado de masonería y, leyéndolo, quiso hacerse masón, como se había hecho poeta, convencido de lo bien que le sentaba a un poeta el ser masón. "Llegaron a serme familiares —dice— Hiram, el Templo, los caballeros Kadosh, el mandil, la escuadra, el compás, las baterías y toda la endiablada y simbólica liturgia de esos terribles ingenuos. Con esto adquirí cierto prestigio entre mis jóvenes amigos."

También por entonces —nos hallamos en 1881, en 1882...— compuso Rubén dos dramas, seguramente en verso, que fueron representados con éxito, al decir de algunos biógrafos. El autor no hace la menor referencia a ninguno de los dos; se cree que los destruiría. Sola-

---

(3) Nos dicen que este cuaderno pasó más tarde a Guatemala, donde lo obtuvo un estudiante nicaragüense que se lo llevó a Managua, tal vez con el propósito de publicarlo. El terremoto que en 1931 padeció esa ciudad hizo desaparecer el tal cuaderno.

mente se han conservado sus títulos: *Manuel Acuña*,
uno; *Cada oveja...*, el otro.

Cuando Félix Rubén García Sarmiento, apenas iniciada su trayectoria de poeta, que ya nunca abandonaría,
decidió firmar sus obras literarias con un seudónimo, tuvo
el gran acierto de formar uno añadiendo al segundo de
sus nombres de pila el que había llevado su tatarabuelo
paterno: Darío. Nos dice él que ese nombre llegó a usar-
se en su familia como apellido. Copiemos: "Según lo
que algunos ancianos de aquella ciudad de mi infancia
[refiérese a León] me han referido, un mi tatarabuelo tenía por nombre Darío. En la pequeña población cono-
cíale todo el mundo por Don Darío; a sus hijos e hijas,
por "los Daríos", "las Daríos". Fue así desapareciendo el
primer apellido, a punto de que mi bisabuela paterna firmaba ya "Rita Darío", y ello, convertido en patronímico,
llegó a adquirir valor legal, pues mi padre, que era comerciante, realizó todos sus negocios ya con el nombre
de "Manuel Darío", y en la catedral de León, en los cuadros donados por mi tía doña Rita Darío de Alvarado,
se ve escrito su nombre de esa manera."
El "Rubén Darío" está, pues, formado con términos
de la propia familia de quien lo adoptó. No acudió el
poeta al lejano Oriente, como muchos han creído, buscando nombres extraños —extraños, en el ámbito de la
Cristiandad— bajo los cuales poner, en busca de la fama,
sus versos. Ya sabemos que el Rubén es de origen he-
breo y el Darío persa, pero estaban ya en el seno familiar de unos nicaragüenses de mediados del ochocientos.

En cuanto al despertar de los sentimientos amorosos
del poeta, tampoco huelga traer a estos renglones pala-

bras de él mismo. ¿Palabras fieles a la verdad? No ase-
guraríamos tanto.

"A tal sazón llegó a vivir con nosotros, y a criarse
junto conmigo, una lejana prima, rubia, bastante bella, de
quien he hablado en mi cuento *Palomas blancas y garzas
morenas.* Ella fue quien despertara en mí los primeros
deseos sensuales. Por cierto que, muchos años después,
madre y posiblemente abuela, me hizo cargos: "¿Por
qué has dado a entender que llegamos a cosas de amor,
si eso no es verdad?" "¡Ay! —le contesté—. ¡Es cierto! Eso no es verdad, y lo siento" (4).

"... Con mi pobreza y todo, solía ganarme las mejores
sonrisas de las muchachas, por el asunto de los versos.
¡Fidelina, Rafaela, Julia, Mercedes, Narcisa, María, Victoria, Gertrudis! Recuerdos, recuerdos suaves...

"Ya tenía yo escritos muchos versos de amor y ya
había sufrido, apasionado precoz, más de un dolor y una
desilusión, a causa de nuestra inevitable y divina enemi-
ga; pero nunca había sentido una erótica llama igual a
la que despertó en mis sentidos e imaginación de niño
una apenas púber saltimbanqui norteamericana que daba
saltos prodigiosos en un circo ambulante. No he olvidado
su nombre: Hortensia Buislay.

"Como no siempre conseguía lo necesario para penetrar en el circo, me hice amigo de los músicos y entraba
a veces, ya con un gran rollo de papeles, ya con la caja
de un violín; pero mi gloria mayor fue conocer al paya-
so, a quien hice repetidos ruegos para ser admitido en la

---

(4) Esa prima, Inés de nombre, se casó con un inglés o norteamericano llamado Davis. El año 1910 vivía en La Habana y, al
saber, por la Prensa, que su primo había llegado a la capital de
Cuba, donde estuvo unos días enfermo, fue a visitarle. Y de entonces data el breve diálogo que el poeta recogió en su Autobiografía.

farándula. Mi inutilidad fue reconocida. Así, pues, tuve
que resignarme a ver partir a la tentadora que me había
presentado la más hermosa visión de inocente voluptuosidad en mis tiempos de fogosa primavera."

En otro lugar de su Autobiografía leemos: "Mi imaginación y mi sentido poético se encantaban en casa con
la visión de las turgentes formas de mi prima, que aún
usaba el traje corto, y con la cigarrera Manuela, que ma-
nipulando sus tabacos me contaba cuentos...

"Mas la vida pasaba. La pubertad transformaba mi
cuerpo y mi espíritu. Se acentuaban mis melancolías...
Ciertamente, yo sentía como una invisible mano que me
empujaba a lo desconocido. Se despertaron los vibrantes, divinos e irresistibles deseos. Brotó en mí el amor
triunfante, y fui un muchacho con ojeras, con sueños y
que se iba a confesar todos los sábados."

En el otoño de 1881 murió el padrino de Rubén, aquel
general Máximo Jerez, de tan relevante actuación en la
política nicaragüense. No podía permanecer en silencio,
ante la desgracia de la patria, el numen adolescente de
su ahijado. Trece décimas compuso éste sobre el luctuoso
suceso y las recitó, con voz de profunda resonancia, en
la velada de duelo que organizó el partido liberal en la
ciudad de León, el día 13 de noviembre. Tres meses antes había también recitado versos, al inaugurarse el Ateneo leonés.

Muy poco después de esta fecha comienzan los viajes
del poeta. El primero, a fines de ese año, de León a Managua, la capital de la nación; el segundo, a la República de El Salvador; el tercero, otra vez a Managua; el
cuarto —ya mucho más importante—, a Chile.

Veamos algo de lo correspondiente a la biografía de

Rubén con anterioridad a este último viaje, para el cual
se abrirá nuevo capítulo.

En Managua, la primera vez que pisa su suelo, es el
jovencísimo vate muy bien acogido por un grupo de diputados y políticos del partido liberal; tratan éstos, con
muy buen sentido, de que el niño precoz reciba del Gobierno la protección suficiente para que no se malogren
sus envidiables dotes poéticas. Su nombre se generaliza
en seguida; se le señala como "un ser raro"; le buscan
las muchachas para que en álbumes y abanicos les ponga versos.

Es entonces cuando sucede lo que con expresiva gracia nos cuenta él mismo: "Era presidente del Congreso
un anciano granadino, calvo, conservador, rico y religioso, llamado don Pedro Joaquín Chamorro. Yo estaba protegido por miembros del Congreso pertenecientes al partido liberal, y es claro que en mis poesías ardía el más
violento, desenfadado y crudo liberalismo. Entre otras
cosas se publicó cierto malhadado soneto que acababa
así:

> "El Papa rompe con furor su tiara
> sobre el trono del regio Vaticano..."

"Presentaron los diputados amigos una moción al Congreso para que yo fuese enviado a Europa, a educarme
por cuenta de la nación. El decreto, con algunas enmien-
das, fue sometido a la aprobación del presidente. En esos
días se dio una fiesta en el palacio presidencial, a la cual
fui invitado, como un número curioso, para alegrar con
mis versos los oídos de los asistentes. Llego y, tras las
músicas de la banda militar, se me pide que recite. Ex-
traje de mi bolsillo una larga serie de décimas, todas ellas
rojas de radicalismo antirreligioso, detonantes, posiblemente ateas; causaron un efecto de todos los diablos. Al

concluir, entre escasos aplausos de mis amigos, oí los
murmullos de los graves senadores y vi moverse desola-
damente la cabeza del presidente Chamorro. Este me
llamó y, poniéndome la mano en un hombro, me dijo:
"Hijo mío, si así escribes ahora contra la religión de tus
padres y de tu patria, ¿qué será si te vas a Europa a
aprender cosas peores?"

Como consecuencia lógica, la disposición del Congreso queda anulada. El "niño revolucionario", de momento, no sale de su país (5).

Para que se consuele, recibe un empleo en la Biblioteca Nacional de Managua, y aquí reside, durante varios
meses, relacionándose con "lo mejor", intelectualmente
hablando, de la ciudad —el historiador Lorenzo Montú-
far, el orador cubano Antonio Zambrana, el doctor Leonard y Bertholet, el poeta Antonio Aragón— y entregado
a larguísimas, incansables sesiones de lectura. Sus palabras: "Entre todas las cosas que leí, *¡horrendo referens!,*

---

(5) El proyecto de decreto que los diputados liberales, amigos del joven poeta, llevaron al Congreso decía: "Se faculta al
Gobierno para enviar a España, por cuenta de la Nación, al inteligente joven Rubén Darío, a fin de que obtenga una educación
que corresponda a las elevadas dotes intelectuales que ya revela."
El proyecto se informó favorablemente por el diputado don Manuel Cuadra; pero, "a la hora de la verdad", quedó reducido a
este otro: "El Gobierno hará colocar por cuenta de la Nación al
inteligente joven pobre don Rubén Darío en el plantel de enseñanza que estime más conveniente para completar su educación."
La cosa cambiaba mucho... Los valedores del "inteligente joven"
sufrieron una viva contrariedad. Por entonces un amigo de Rubén lo llevó a Granada, próximo al lago de Nicaragua, para que
olvidase, en un baño de Naturaleza, la desilusión que acababa de
sufrir. En dicha ciudad habitaba don Enrique Guzmán, crítico
literario de campanillas, muy prestigioso en Centroamérica. Presen-
táronle al joven. Guzmán escribe: "Con una carta y acompañado
de un joven Salinas, se me presenta el novel vate Rubén Darío, a
quien llaman *el poeta niño.* Parece simpático; aún no he podido
juzgar de su inteligencia."

fueron todas las introducciones de la Biblioteca de Autores Españoles de Rivadeneyra, y las principales obras de
casi todos los clásicos de nuestra lengua." Y añade: "De
allí viene que, cosa que sorprendiera a muchos de los que
conscientemente me han atacado, yo sea en verdad un
buen conocedor de letras castizas, como cualquiera puede
verlo en mis primeras producciones publicadas..., como ya
lo hizo notar don Juan Valera... Ha sido deliberadamente
que después, con el deseo de rejuvenecer, flexibilizar el
idioma, he empleado maneras y construcciones de otras
lenguas, giros y vocablos exóticos y no puramente españoles."

Poco después de cumplir sus catorce años, Rubén, que
está enamorado, como se enamoran los poetas, de una
"adolescente de ojos verdes", pálida piel de canela, cabello castaño y talle de junco, risueña, fresca, parlera, dice
un día solemnemente a sus amigos: "Me caso." Contés-
tanle ellos con un borbotón de risa. Y al punto se con-
fabulan para impedir la insensatez anunciada por el casi
infantil aspirante a marido. ¿Cómo? De un modo senci-
llo y lógico: dándole dinero para que se marche lejos
—por ejemplo, a la República del Salvador—, en busca
de la gloria y la fortuna. Con esta doble aspiración ideal
podrá olvidar seguramente los ímpetus del amor, que, al
fin, el amor es enfermedad juvenil de curación segura.

RUBEN DARIO.
Retrato dibujado por Bernardino de Pantorba.

RUBEN DARIO, A COMIENZOS DE NUESTRO SIGLO.
Retrato publicado en la segunda edición de *Los raros* (1905).

2. EN EL SALVADOR

EGUN parece —no está el punto del todo aclarado—, dura poco más de un año (todo el 83, desde luego) la permanencia de Rubén entre los salvadoreños. También éstos acogen efusivamente al mozo de los versos. El Presidente de la República, que es un doctor amigo de las letras, casado, además, con dama nicaragüense, el doctor Rafael Zaldívar, le dispensa igualmente afectuoso trato, si bien éste, más tarde, queda mermado y al fin roto, sin posible compostura. En el capítulo XII de su Autobiografía habla Rubén de su estancia en El Salvador. Allí sufre la fiebre de la viruela que, por fortuna, no deja en su rostro las feas señales que suelen marcar su paso. Allí también —escribe uno de sus biógrafos— "inicia el vivir bohemio y de perenne holganza que ya no abandonará jamás". Un poco exagerado nos parece eso de la "holganza perenne"....

Lo que no puede omitirse, al tratar de los días que Rubén pasa en El Salvador, por ser, sin duda, un punto que ejerce gran influencia, a partir de entonces, en el curso de su obra, es la amistad que traba el poeta con un colega salvadoreño: Francisco Gavidia. Gavidia des-

3

pliega ante su compañero la música de la poesía francesa,
que él conoce bien, y el fausto ornamental de Víctor
Hugo, su favorito. Por su conducto, el nicaragüense es-
tablece sus primeros contactos con las armonías y los
ritmos de los modernos poetas franceses. Gavidia le re-
cita, con su no mal acento, versos y más versos; algo de
ello comprende su amigo y auditor, y espera comprender
más cuando perfeccione el conocimiento del idioma que
tanto le atrae. Años andando, se familiariza con el
francés, lo lee y saborea; pero es lo cierto que jamás
llega a hablarlo correctamente.

El escritor chileno Francisco Contreras, buen amigo y
excelente biógrafo de Darío, a quien más de una vez habrá que citar en nuestras páginas, escribe, al rozar el
tema tratado ahora: "En horas de comunión artística,
Gavidia le comunicó a Rubén su designio de adaptar al
alejandrino español la cesura movible que este verso tiene en francés, y ambos realizaron tan feliz idea atinada-
mente. El viaje a la República del Salvador había hecho
conocer a Rubén, con la vida de bohemia, el demonio del
alcohol, que desde entonces le atormentaría; pero le había revelado también, con las confidencias de Gavidia, la
idea de la reforma lírica, que debía caracterizar su obra
y asegurarle la inmortalidad."

En 1883, año del centenario bolivariano, en toda América celebrado con la máxima brillantez, compuso Rubén
una oda en silvas ensalzando la figura de Bolívar. La leyó
en la velada que, con carácter nacional, diose en San Salvador el 24 de julio de ese año.

3. OTRA VEZ EN NICARAGUA

E vuelta en su patria, en 1884, Rubén Darío se acerca al Presidente de ella, que lo es a la sazón el general don Joaquín Zabala —el consabido general de tantas presidencias de Repúblicas hispanoamericanas—, y obtiene de su protector un cargo en la secretaría del Gobierno, con sueldo no mezquino.

Torna el poeta a sus ejercicios de pluma; escribe versos y publica artículos en periódicos semioficiales, rehuyendo cuanto puede el trabajo de índole política. Y, según confesión propia, torna también a sus amoríos con "la garza morena".

Sustituye en 1885 al general Zabala, como Presidente de Nicaragua, el doctor Cárdenas. (A un general conservador, un doctor liberal.) En su secretaría privada sirve también Darío. Ese doctor —otro amigo, al parecer, de la literatura— es quien, ya corriendo la segunda mitad del citado año, resuelve costear la edición del primer libro de su secretario. Noble gesto de mecenazgo que, aunque modesto, debe subrayarse. El funcionario del Gobierno persiste en lo que, por encima de toda otra ocupación más o menos prosaica, bien puede considerarse "su ofi-

cio". Continúa lanzando sus versos al aire tropical, y no
sin eco, como les ocurre a otros poetas, en los oídos de
sus compatricios, porque, con ser muchos sus versos, son
más copiosos aún sus lectores. Tan loable perseverancia
—pensarán tal vez quienes le conocen— merece llevarse
al libro; que se recojan en un tomo de cierta "apariencia" algunas de las mejores poesías de ese joven, quizá
llamado a conquistar nombre y laurel, y honra, con ello,
para su patria. Así podrán librarse de la vida fugacísima
de los periodiquitos, por cuyas columnas transitan, a veces, en medio de los sucesos políticos, esas tiradas de
octosílabos y endecasílabos y esos sonsonetes de consonantes y asonantes...

Se le pide, pues, al poeta que, para llevarlo a la imprenta, seleccione lo que estime mejor de cuanto tiene ya
escrito. Radiante de júbilo, como puede suponerse, el
poeta consume horas y horas en leer, corregir, comparar
y escoger, dentro de su obra, aquello que, a su juicio,
merezca pasar a las páginas del proyectado y anunciado
libro. No son muchas las composiciones que, al fin, quedan separadas; no muchas en número —catorce—; pero,
siendo bastante largas casi todas, bien podrá hacerse con
ellas un volumen digno de tal nombre.

Nos fijaremos en este primer libro de Rubén Darío
cuando, más adelante, tratemos especialmente de su producción literaria, de su verbo. Ahora dígase tan sólo que
estaba impreso en el otoño del 85, tirado en la Tipografía
Nacional de Managua, y con este doble título: *Primeras
notas. Epístolas y poemas.*

Ya lanzada la obra, su autor ve y "comprende la necesidad" de situarse en un ambiente más amplio y cultivado, buscando de tal modo un futuro más halagador
para sus poesías. Aproxímase a sus diecinueve años, edad
preciosa, en la que toda ala de poeta tiende a los anchos

horizontes; no se pliega en lo recogido del rincón casero. Salir de la pequeña Nicaragua; dirigirse a un país americano grande, de mayor porvenir. Esto se clava en el pensamiento del mozo lírico, con sentido, antes que lírico, práctico.

Llega a tiempo el hombre que orienta, impulsa y anima. Es don Juan José Cañas, viejo general y poeta salvadoreño que reside en Managua, conoce a Rubén y siente amor por Chile, donde ha vivido desempeñando un cargo diplomático. "Chile es el país adonde debes irte, muchacho." Tal es el consejo firme y desinteresado del amigo que presenta las razones de su experiencia. Y, ante la objeción, expuesta por Rubén ingenuamente, de su falta de medios para tan largo viaje, Cañas acentúa, inquebrantable, sin vuelta de hoja: "Debes irte allí y, si careces de dinero, vete a nado, aunque te ahogues en la travesía."

Como todo lo que debe suceder, sucede, y la marcha del poeta está ya trazada por su destino, como ineludible, Cañas y otros varios amigos facilitan el viaje con fondos, recomendaciones, cartas de presentación y augurios de fortuna. En 1886 queda todo preparado, bien armado y pespunteado, casi con el baúl a punto de salida.

Según el biógrafo Contreras, "Rubén Darío resolvió de improviso ausentarse nuevamente de su patria, a causa de violenta ruptura con la novia o, como él mismo ha dicho, "de la mayor desilusión que puede sentir un hombre enamorado". Añade el biógrafo que "pensó partir a los Estados Unidos".

Oigamos ahora al protagonista: "En ese tiempo vino la guerra que, por la unión de las cinco Repúblicas de Centro América, declarara el presidente de Guatemala, Rufino Barrios. Yo anduve entre proclamas, discursos y fusilerías." Y el día señalado para la partida —fines de mayo— un terremoto conmovió aquel pedazo de tierra

tropical. "Estando yo de visita en una casa —prosigue
Rubén—, oí un gran ruido y sentí palpitar la tierra bajo
mis pies; instintivamente tomé en brazos a una niñita
que estaba cerca de mí, hija del dueño de la casa, y salí
a la calle; segundos después la pared caía sobre el lugar
en que estábamos. Retumbaba el Momotombo, enorme
volcán huguesco; llovía cenizas. Se oscureció el sol, de
modo que a las dos de la tarde se andaba por las calles
con linternas. Las gentes rezaban; había un temor y una
impresión medioevales. Así me fui al puerto [de Corin-
to], como entre una bruma. Tomé el vapor, un vapor
alemán... Entré en mi camarote; me dormí. Era yo el
único pasajero. Desperté horas después y fui sobre cubierta. A lo lejos quedaban las costas de mi tierra. Se
veía sobre el país una nube negra. Me entró una gran
tristeza..."

Era el día 5 de junio (6).

---

(6) A la novia le había escrito, con fecha 12 de mayo: "Ulti-
ma carta que te escribo. Pronto tomaré el vapor para un país muy
lejano, de donde no sé si volveré... Te conocí tal vez por desgracia mía; mucho te quise, mucho te quiero. Nuestros caracteres
son muy opuestos y, no obstante lo que te he amado, se hace preciso que todo nuestro amor concluya. Pongo a Dios por testigo:
el primer beso de amor que yo he dado en mi vida ha sido a ti..."

4. EN CHILE

UBEN Darío llegó a Chile el 24 de junio del 86. Salió de Chile el 9 de febrero del 89. Vivió, pues, entre los chilenos algo más de treinta meses. Sus veinte años allí los cumplió; hallándose en Santiago.

La estancia del nicaragüense en la nación andina, que era entonces una de las más prósperas y adelantadas de nuestra América, comprende una etapa interesantísima de su vida. Siempre él habló de ella con vivo afecto y dulce nostalgia, animando, a veces, el recuerdo de aquellos días de su juventud con lo encendido y lírico de su prosa.

Dos ciudades, las dos principales, se repartieron su tiempo: Valparaíso, el puerto donde desembarcó, y Santiago, la capital de la República. Residió primero en Valparaíso; luego, en Santiago; tornó a Valparaíso después; de allí regresó a su patria. No volvió más a aquel país.

Unas palabras suyas —no de su Autobiografía—, escritas poco antes de salir de Chile, reflejan algo de las impresiones que en Santiago recibió. Pueden transcribirse.

"Santiago, en la América latina, es la ciudad sober-

bia. Si Lima es la gracia, Santiago es la fuerza. El pueblo
chileno es orgulloso, y Santiago, ciudad aristocrática.
Quiere aparecer vestida de democracia, pero en su guar-
darropa conserva su traje heráldico y pomposo. Baila la
cueca, pero también la pavana y el minué. Tiene condes
y marqueses desde el tiempo de la colonia, que aparen-
tan ver con poco aprecio sus pergaminos... Su lujo es
cegador. Toda dama santiaguina tiene algo de princesa.
Santiago juega a la bolsa, come y bebe bien, monta a la
alta escuela y a veces hace versos en sus horas perdidas.
Tiene un teatro de fama en el mundo: el Municipal, y
una catedral fea. No obstante, Santiago es ciudad religiosa. La alta sociedad es difícil conocerla a fondo; es
seria y absolutamente aristocrática. Ha habido viajeros
más o menos yanquis o franceses que, para salir del paso
en sus memorias, han inventado, respecto a la sociedad
chilena que no han conocido, unas cuantas paparruchas
y mentiras. Santiago disgustó a Sara Bernhardt y encantó
a la Ristori. Santiago gusta de lo exótico y en la novedad
siente de cerca a París. La dama santiaguina es garbosa,
blanca y de mirada real. Cuando habla, parece que concede una merced. A pie anda poco. Va a misa vestida de
negro, envuelta en un manto que hace, por el contraste,
más bello y atrayente el alabastro de su rostro, en que
resalta, sangre viva, la rosa roja de los labios..."

En Chile no escaseaban los escritores. Nombres más
o menos notorios eran estos diez: Eduardo de la Barra,
Pedro Balmaceda, Manuel Rodríguez Mendoza, Luis
Orrego, Eduardo Poirier, Narciso Tondreau, Pedro No-
lasco Préndez, Vicente Grez, Alfredo Irarrazábal y Pedro
León Medina.

Casi todos éstos, por no decir todos, acogieron con
viva cordialidad, sin envidiosas reservas, a aquel desco-

nocido, o apenas conocido escritor que llegaba de su Managua tropical, con su cuerpo flaco, su cabello largo, sus ojeras, su "jacquecito", sus "pantaloncitos estrechos que él creía elegantísimos", sus "problemáticos zapatos" y, sobre todo, su "valija indescriptible" por lo muy reducido de su espacio y el muchísimo papel —ropa, poca— metido en él.

Por otros chilenos fue recibido el nicaragüense sin la menor muestra de simpatía, con indiferencia, acaso con burla. Explica el chileno Contreras: "Su fama no había llegado a Chile, y su carácter tímido y huraño, su figura extraña, su indumentaria descuidada no eran aparentes para imponerlo pronto." Pero, como contrapartida a la actitud recelosa de algunos, los nombres antes citados, que eran, en realidad, los de más valía, tuvieron para el huésped abundantes pruebas de estimación, y en ciertos casos llegaron a ser sus admiradores sinceros.

Balmaceda, Rodríguez Mendoza y los dos Eduardos (la Barra y Poirier) estuvieron pronto en el grupo de sus íntimos. De los cuatro habló el compañero, llevando su reciprocidad al terreno de lo afectuoso. Del primero, que firmaba sus trabajos literarios con el seudónimo de *A. de Gilbert,* hizo y publicó un trabajo biográfico (se verá en su sitio); con el último, que fue el primero a quien trató (al llegar a Valparaíso, con carta de presentación del señor Cañas), colaboró en una novela (también a su hora se verá), y del penúltimo recibió algo así como el "espaldarazo", al frente del primer libro suyo que ganó fama: el pronto famoso *Azul,* editado en 1888.

A los no muchos días de desembarcar en el puerto chileno, y después de haber aparecido su firma en un diario importante de allí —*El Mercurio*—, comprendió el poeta, o se lo aconsejaron sus amigos, que, para abrir-

se camino, era mejor establecerse en la capital, y a Santiago marchó con aquella presteza que para cambiar de
sitio le caracterizó siempre.

"Por recomendación", como todo principiante que
se estime, Rubén no tardó en ingresar, con modesto empleo de repórter, en la redacción de un diario de Santiago, *La Epoca,* cuyo director, D. Eduardo Mac Clure,
le concedió, además, domicilio en el propio edificio del
periódico, si bien el tal "domicilio" no pasara de ser una
pequeñísima y harto pobre habitación.

"Desde ese momento me incorporé a la joven intelectualidad de Santiago", escribe él, muy ufano. Y agrega: "Se puede decir que la *élite* juvenil santiaguina se
reunía en aquella redacción, por donde pasaban graves y
directivos personajes." Los tales personajes quedan también mencionados en las páginas de Darío: don Pedro
Montt, don Agustín Edwards, don Augusto Orrego y
el doctor Federico Puga.

Líneas más adelante leemos: "La impresión que guardo de Santiago, en aquel tiempo, se reduciría a lo siguiente: vivir de arenques y cerveza en una casa alemana, para poder vestirme elegantemente, como correspondía a mis amistades aristocráticas. Terror del cólera,
que se presentó en la capital. Tardes maravillosas en el
Cerro de Santa Lucía. Crepúsculos inolvidables en el
lago del Parque Cousiño. Horas nocturnas con buenos
amigos..."

Mucho halagó al poeta, como se comprenderá, el haber conocido por entonces al presidente de Chile, don
José Manuel Balmaceda, de quien recibió, con otras cor-
tesías, una invitación para sentarse a su mesa. De la
mano del citado Pedro, hijo del alto mandatario, llegó a
la presencia de éste. Por aquellos días, la familia Balmaceda gestionó y obtuvo para él un empleo, probable-

mente no mal rentado, en la aduana del puerto de Valparaíso. Con una sola palabra, ¡anomalía!, y escrita así, entre signos de admiración, comentaba Rubén la obtención de aquel destino burocrático. Pero entonces, como antes y como luego, el poeta tenía que pretender y aceptar tales "anomalías" para poder vivir decorosamente. Que, si su prosa de escritor le daba muy poco, el verso le daba menos. No tardó Rubén en conquistar su ancha fama de poeta; primero, en la América de nuestra habla; seguidamente, en el solar del habla de Castilla; pero el dinero que pudo ir merecidamente unido a tanta fama siempre fue, en su caso, insuficiente y, en ocasiones, invisible. El poeta, celebrado, celebradísimo, no veía que le llegaran, con la admiración de sus contemporáneos, los medios económicos necesarios para no perecer en medio de tanta armonía rimada como prodigaba por los papeles (7).

Ya en Valparaíso, hubo también que buscar para el escritor una ocupación en la Prensa de la localidad. Por influencias del buen amigo Eduardo de la Barra, hombre en aquella ciudad muy bien relacionado, Darío entró a formar parte de la redacción de *El Heraldo,* diario político y comercial, pero, según confesión suya, "por escribir demasiado bien" fue separado del cargo, cuando apenas llevaba un mes en él. Sólo llegó a publicar allí seis crónicas.

Mediando el año 1887, Pedro Balmaceda escribía a Rubén, desde Santiago, animándole para que concurriera al "Certamen Varela", abierto en la capital de Chile por aquellos días, para premiar composiciones literarias

---

(7) Afirma Contreras que, cuando Pedro Balmaceda consiguió en la Aduana de Valparaíso el empleo para el pobre poeta, éste se encontraba en la mayor miseria, acogido al techo de su buen amigo Pedro León Medina.

dentro de diversos temas. Uno de éstos solicitaba un *Canto a las glorias militares de Chile;* las "glorias" eran las obtenidas, pocos años antes, en la guerra de esa nación con el Perú y Bolivia, países abatidos entonces por las armas chilenas. La carta de Balmaceda, fechada en junio, comunicaba que el plazo para la admisión de los originales concluía el 1 de agosto, y daba a Rubén esta cariñosa orden: "Trabaja y obtendrás el premio, un premio en dinero, que es la gran poesía de los pobres..." Sirvió el tal concurso para acicatear la actividad de la pluma rubeniana. En menos de dos meses preparó el poeta, con el dicho destino, no ya el "Canto" en que poder lucir su trompa épica, sino también un grupo de rimas para presentarlas a otro de los temas del certamen, que las pedía "del género sugestivo o insinuante de que es tipo el poeta español Bécquer".

Conocemos biografías de Rubén Darío en las cuales se afirma que éste, con su *Canto a las glorias de Chile,* alcanzó el primer premio en el concurso para el que lo escribió. No es verdad. El premio fue dividido y lo obtuvieron, por partes iguales, él y Pedro Nolasco Préndez: trescientos pesos cada uno. Las Rimas no recibieron premio en metálico; sólo una "mención honorífica". En ese tema concedióse el premio a Eduardo de la Barra.

De bastante más importancia que esos premios era, para Rubén, lo que él deseaba y pretendía a fines de 1888, cuando ya había publicado el tercero de sus libros, el titulado *Azul.* Lo pretendido por entonces, y logrado a principios del 89 —también por interceder en favor suyo el mencionado Barra—, fue un puesto de corresponsal del gran diario argentino *La Nación,* diario que, fundado por el insigne Bartolomé Mitre, disfrutaba de arraigado prestigio en toda Sudamérica. Sabíase además que pagaba sin tacañería sus colaboraciones literarias. Movió Eduardo de la Barra ciertos hilos de influencia cerca de Mitre, y el resultado no pudo ser más venturoso : Rubén Darío, liróforo necesitado de medios de vida y de una extensa tribuna donde poder trabajar en beneficio de su nombre, quedó incorporado al número de los corresponsales del prestigioso rotativo. Sin dilación comenzó sus tareas. El 3 de febrero de 1889 fechaba en Valparaíso el primero de sus artículos para *La Nación,* que días después veía la luz, siendo aquélla la vez primera que al público bonaerense se asomaba el seudónimo de quien pronto tendría en Buenos Aires cuanto su orgullo de publicista pudiera apetecer: lectores, amigos, admiradores y seguidores.

Fue tema del artículo la llegada al puerto chileno de un crucero brasileño en el que viajaba un príncipe; tema, como puede verse, baladí; pero Rubén lo trató de un modo personal, no exento de elegancia dentro de un estilo más literario que periodístico, más inclinado a la imagen poética que a la seca noticia informativa. En 1889 —repetimos— empezó esa colaboración del poeta; más de veinticinco años duró; en ciertos lapsos de tiempo, no con asiduidad; en otros, de manera sostenida. Cuando tratemos de la producción periodística del autor nicaragüense puntualizaremos algunos datos sobre este aspecto verdaderamente interesante de su personalidad.

Poco después de iniciada la corresponsalía de *La Nación,* Rubén Darío tornó a su patria. A principios de marzo ya se encontraba en ella. A Chile había llevado, en su maleta, un solo ejemplar de su único libro hasta entonces publicado (ejemplar que regaló a Eduardo de la Barra; él se quedó ya para siempre sin ninguno). De Chile salió, enriquecido su corpus lírico con los títulos de las obras que ya hemos señalado. Volvía a Nicaragua tan pobre como de allí había salido, sin otro caudal que el de sus nuevos versos, sus experiencias, gratas o agridulces, vividas en el acogedor suelo chileno, y unos recuerdos amables engarzados en los nombres de los varios amigos fieles que allí dejaba (*).

(*) Para todo lo relacionado con la estancia del poeta en Chile, es muy útil la consulta del libro de Raúl Silva Castro *Rubén Darío a los veinte años*.

ICARAGUA, El Salvador, Guatemala, Costa Rica. En estos cuatro pequeños países centroamericanos vivió Rubén Darío, con más apuros que holguras, el tiempo transcurrido desde marzo de 1889, fecha de su regreso a la patria, hasta mediados de 1892, en que realizó su primer viaje a Europa; dicho con precisión: a España.

Estando en Chile, había caído en algunos "hondos amoríos"; él lo declara así. Otros amoríos tan profundos como breves eran los que le esperaban en su ciudad de León; devaneos de erotismo, más o menos represados; complicaciones sentimentales que se sucedían, como en todo varón enamoradizo, sin que ninguna quebrase el feliz celibato del mozo. Con todo, para defender su soltería, un tanto comprometida ya, varios amigos, como hicieran otros, años antes (según vimos), decidieron *facturar* al poeta otra vez para El Salvador. Pero en aquella ocasión, El Salvador no sirvió para "salvarle", porque el fogoso Rubén quedó allí prendido en los encantos de una muchacha huérfana de padre: una hija de don Alvaro Contreras, orador hondureño que "combatió las tiranías y sufrió persecuciones" y, naturalmente, había muerto pobre. La huérfana vivía con su hermana y su madre. Más

hábil que sus antecesoras en la vida amorosa del poeta,
o más enamorado el poeta de ella que de las dichas antecesoras, lo cierto es que la pareja llegó dulcemente al
himeneo.

Rubén había conocido en Nicaragua a las dos hijas de
Contreras, cuando los tres —ellas y él— vivían sus días
infantiles. En 1889, atraído por "la inteligencia, sutileza
y superiores dotes" (lo dice él así) de la que había de
ser pronto su mujer, dio en frecuentar la casa de la viuda.

Consecuencia: el 22 de junio de 1890 celebrábase en
San Salvador el casamiento por lo civil de Rubén Darío
con Rafaela Contreras. Ese mismo día, por la noche, el
general Carlos Ezeta se sublevaba contra el general don
Francisco Menéndez, Presidente de la República, quien
falleció en el acto, al verse traicionado, de un ataque
cardíaco.

Dirigía Rubén, desde hacía poco tiempo —precisamente por encargo del Presidente muerto, su benefactor—,
el diario *La Unión,* órgano de los unionistas centroamericanos, cuyos principios sostenía Menéndez con entusiasmo. El súbito cambio de Gobierno indujo al recién
casado a salir del país, rumbo a Guatemala, sin haber
podido casarse por la Iglesia.

Llegó a Guatemala a fines de junio, en barco. Por tales días se agudizaba violentamente la tirantez de relaciones entre Guatemala y El Salvador, a causa de lo sucedido. Llamado por el general Barillas, Presidente guatemalteco, que había mantenido estrecha amistad con su
colega el salvadoreño, para saber la verdad de cuanto
había pasado, el vate nicaragüense manifestó briosamen-
te ante él: "Al general Menéndez le ha dado muerte la
ingratitud, la infamia del general Ezeta, su protegido.
Este ha cometido, se puede decir, un verdadero parrici-
dio." La narración de aquellos sucesos la hizo Rubén des-

CARICATURA DE RUBEN DARIO.

Original de Juan Alonso, gran dibujante español radicado en Buenos Aires.

RETRATO DE ROSA SARMIENTO.

Madre de Rubén.
Dibujo inédito.

pués en una crónica titulada *Historia negra,* que publicó *La Nación,* de Buenos Aires.

Declarada entre ambos pequeños países la guerra, ésta duró poco. Ni que decir tiene que el tal Ezeta se erigió en Presidente de El Salvador, con el mango entero de la sartén en sus dos manos.

Quien había sido en San Salvador director de *La Unión* pasó en Guatemala a dirigir otro diario también de carácter semioficial: *El Correo de la Tarde.* Llevado de sus aficiones, mucho más literarias que políticas, aunque por campos de la política anduviera, hizo Rubén del tal diario "una especie de cotidiana revista literaria", rodeándose en ella de muchachos dados a las letras. Uno de ellos alcanzó en Europa, años más tarde, vasta nombradía como cronista: Enrique Gómez Carrillo.

En Guatemala, siete meses después de celebrado su matrimonio civil con Rafaela Contreras, el poeta se casó "con su mujer" por lo religioso. ¿Fue por entonces, y allí, en suelo guatemalteco, cuando Rubén Darío manifestó su inclinación, ya invencible, indominable (como probó el tiempo), a la bebida? Por lo menos, comprobado está que allí, más de una y de diez veces, se dedicó a "ingurgitar heroicamente vasos de alcohol... ya poseído del demonio de las botellas"; la expresión es suya. Merécenos, pues, toda garantía.

Suspendida la publicación de *El Correo de la Tarde,* el director cesante se trasladó de Guatemala a Costa Rica y se instaló en la capital, San José, donde el 12 de noviembre de 1891 su esposa le dio un hijo.

"En San José —palabras del poeta— pasé una vida grata, aunque de lucha. La madre de mi esposa era de origen costarriqueño y tenía allí alguna familia. San José es una ciudad encantadora entre las de la América Cen-

tral. Sus mujeres son las más lindas de todas las de las
cinco Repúblicas. Su sociedad, una de las más europei-
zadas y norteamericanizadas. Colaboré en varios periódicos, uno de ellos dirigido por el poeta Pío Víquez, otro
por el cojo Quirós..." Allí vio un día al negro cubano
Antonio Maceo, pronto famoso. Tuvo, como en Chile,
algunos buenos amigos.

Ya nacido su hijo, Rubén pasó en Costa Rica por una
situación económica extremadamente apretada, en las
lindes de lo angustioso. Ello le forzó a tornar a Guatemala, buscando el modo de arreglar aquella situación
insostenible. Un periódico costarricense despedía al poeta
con unas palabras de campanuda retórica: "Mengua nos
parece para Costa Rica que no hayamos podido sujetar
aquí con lazo de oro las alas de ese pájaro maravilloso."

En esto —rayo de luz, como en la vida nos viene tantas veces, de repente, rasgando nieblas— recibió el atribulado, telegráficamente, del Gobierno de su país (era
entonces Presidente el doctor Roberto Sacasa), la buena
nueva de haber sido incluido en la delegación que Nicaragua enviaba a España, para asistir, como tantas otras
naciones hispanoamericanas, a los actos que aquí habían
de celebrarse, en conmemoración del cuarto centenario
del descubrimiento de América. La delegación era corta;
formábanla tres personas: el poeta, don Fulgencio Ma-
yorga, ex ministro, y don Ramón Espínola, propietario;
las letras, la política y el capitalismo.

Contentísimo, Rubén escribió a su mujer, que había
quedado con el niño en Costa Rica, dándole la gran noticia y anunciándole que marchaba a Panamá rápidamente, para embarcarse con rumbo a España.

Después de una travesía feliz, durante la cual conoció
y trató Rubén a delegados de otros países, embarcados
con el mismo destino, llegó el trasatlántico a Santander.

6. PRIMER VIAJE A ESPAÑA

ORRIA aún el seco y ardiente verano de 1892 cuando Rubén Darío entraba en Madrid. Tomó hospedaje en el Hotel de las Cuatro Naciones (calle del Arenal), el mismo donde residía, soltero (lo fue siempre), el muy erudito Marcelino Menéndez Pelayo (quizá todavía pronto para ponerle el "don", aunque pudiera exigirlo lo grave de su trabajo de investigador de la historia literaria). Tenía Marcelino poco más de treinta y cinco años; veinticinco cumplidos, el corpulento cantor que de nuestra América llegaba al hotel.

Vémosle ya plantado en medio de aquella corte española de la Regencia, en la que dos partidos políticos, y no más de dos, se repartían pacíficamente, y en el fondo muy amigablemente, el mando, la influencia, las prebendas y sinecuras, los discursos del Parlamento, las responsabilidades del Gobierno y las ubres del presupuesto. Todo, en bien de todos, porque la patria daba para todos los bien avenidos con ella, los conformistas y los ventajistas de la "cosa pública".

América, casi en su totalidad, estaba ya desgajada del tronco hispánico, separada de lo español en espíritu e ideas, pero unida a nosotros, *todavía,* por la lengua, las costumbres y los defectos. Especialmente, nuestros defectos políticos habían encontrado anchísima proliferación en la vastedad de la América española, la que los nativos de allí denominan, y denominarán siempre, "América latina", antes que por amor a la lejanía del Lacio, por resentimiento y animadversión a la cercanía de lo español.

Los políticos hispanoamericanos, ciertamente, nada tenían que envidiar, en cuanto a caprichosos, volubles, violentos, airados y cacicones, a los que nosotros usábamos. Muy malos los de esta banda atlántica, no eran mejores, peores sí, los de la orilla opuesta. Defectos de los padres que, al transmitirse a los hijos, muchas veces se agrandan.

Precisamente por aquella década postrera del siglo xix, los países que se habían emancipado, con mayor o menor heroísmo, de la odiada metrópoli, no nos brindaban muchos ejemplos de cordura democrática, de respeto a sus propias leyes ni de paciencia para esperar la madurez de la hora del triunfo. El triunfo se le arrebataba al contrario, por lo general, con arengas inflamadas de vacío patriotismo, y fusiles cargados de balas, cuando no con los bien afilados cuchillos camperos. A esto llamaban por allá "la revolución"; en algunos casos, los países parecían vivir en revolución permanente.

Meses antes de la llegada de Rubén Darío a España, aquel noble presidente de Chile con quien él había comido, viéndose derrotado por la correspondiente "revolución", había salido de ella suicidándose. Otros casos recientes de violencia ya los llevaba el poeta en su recuerdo, cuando se paseaba, tranquilo y risueño, por las calles matritenses o cuando, en salones próceres de la villa coronada, era recibido amablemente, más que por

representar a su país en las fiestas colombinas que a la
sazón se celebraban, por traer de la joven América jóvenes acentos de poesía; por ser poeta, y no, en realidad, por el cargo diplomático que de momento ostentaba.

Trató Rubén en Madrid a buena parte de la parte
más conocida de la intelectualidad española; saludó a
muchos de nuestros principales escritores. Los personajes que él cita en su Autobiografía son catorce: Menéndez Pelayo, Castelar, Emilia Pardo Bazán, Núñez de Arce,
Campoamor, don Juan Valera, el doctor Verdes Monte-
negro, el Conde de las Navas, el Duque de Almenara
Alta, Zorrilla, Narciso Campillo, Cánovas, Miguel de
los Santos Alvarez y Canalejas (8).

Fue emocionante para Darío su encuentro —en un
hotel de la Puerta del Sol— con el anciano Zorrilla. Le
satisfizo mucho conocer a otro escritor más viejo aún:
Miguel de los Santos Alvarez, el íntimo amigo de Es-
pronceda. Le agradó sobremanera el "mucho afecto" que
le mostró Núñez de Arce, quien "hizo todo lo posible"
por retener en España al nicaragüense. Concurrió a varias de las recepciones que daba en su casa la señora
Pardo Bazán. Entabló con Menéndez Pelayo, el de "las
cosas sabias", "larga y cordial amistad". Conoció mucho
a Cánovas del Castillo, "el vigoroso viejo que era la
mayor potencia política de España". Visitó más de una
vez a don Emilio Castelar, quien dio un almuerzo pan-
tagruélico en su honor. Trató a don Ramón de Campoamor, "animado y ocurrente anciano". Asistió, muy complacido, a las reuniones de don Juan Valera, el alto crítico que, pocos años antes, había dado a conocer su nom-

---

(8) Es indudable que también conoció a otros —a Salvador
Rueda, por ejemplo—, pero sus nombres no aparecen en las páginas que ahora recorremos.

bre en la Prensa española, publicando no menos de dos
largos artículos sobre su pequeño volumen *Azul...*

No carecerá de interés para nuestros lectores la lectura de algo de lo que escribió Rubén Darío sobre algunos de esos ilustres españoles, a los veinte años de ha-
berlos conocido, al hilo ya de sus cansados recuerdos.

CASTELAR: "La primera vez que llegué a casa del gran
hombre iba con la emoción que Heine sintió al llegar a
la casa de Goethe. Cierto que la figura de Castelar tenía,
sobre todo para nosotros, los hispanoamericanos, propor-
ciones gigantescas, y yo creía, al visitarle, entrar en la
morada de un semidiós. El orador ilustre me recibió muy
sencilla y afablemente en su casa de la calle de Serrano...
Tuve ocasión de oír a Castelar en sus discursos. Le oí
en Toledo y le oí en Madrid. En verdad, era una voz de
la Naturaleza, era un fenómeno singular, como el de los
grandes tenores o los grandes ejecutantes. Su oratoria
tenía del prodigio, del milagro; y creo difícil, sobre todo
ahora que la apreciación sobre la oratoria ha cambiado
tanto, que se repita dicho fenómeno... Castelar era en
ese tiempo, sin duda alguna, la más alta figura de España, y su nombre estaba rodeado de la más completa
gloria."

CAMPOAMOR: "Se quejó el poeta de las *Doloras* y de
los *Pequeños poemas,* de ciertos críticos. "No quieren
que los chicos me imiten", decía. Conservaba entre sus
papeles, y me hizo que la leyera, una décima sobre él
que yo había publicado en Santiago de Chile y que le
había complacido mucho. Era un amable y jovial filósofo... Ese risueño moralista era en ocasiones como un
gaitero de Gijón. Muchas veces sonreía, mostrando la
humedad brillante de una lágrima."

VALERA: "Uno de mis mejores amigos... Ya estaba
retirado de su vida diplomática; pero su casa era la del

más selecto espíritu español de su tiempo; la del "te-
sorero de la lengua castellana", como le ha llamado el
Conde de las Navas, una de las más finas amistades que
conservo desde entonces. Don Juan Valera me dedicó
una noche, en la cual leí versos..."

CAMPILLO: "Era catedrático y hombre aferrado a sus
tradicionales principios; tuvo por mí simpatías, a pesar
de mis demostraciones revolucionarias. Era conversador
de arranques y ocurrencias graciosísimas, y contaba con
especial donaire cuentos picantes y verdes."

ZORRILLA: "Tenía un gran lobanillo o protuberancia
a un lado de la cabeza. Su indumentaria era modesta;
pero en los ojos le relampagueaba el espíritu genial. Sin
sentarse, habló con Palma de varias cosas. Este me presentó a él, y yo me sentí profundamente conmovido. Era
don José Zorrilla, "el que mató a Don Pedro y el que
salvó a Don Juan...". Vivía en la pobreza, mientras sus
editores se habían llenado de millones con sus obras.
Odiaba su famoso *Tenorio*... Poco tiempo después, la
viuda tenía que empeñar una de las coronas que se ofren-
daran al mayor de los líricos de España... Después
que Castelar había pedido para él una pensión a las
Cortes, pensión que no se consiguió, a pesar de la elo-
cuencia del Crisóstomo, que habló de quien era propietario del cielo azul, "en donde no hay nada que comer"...

EMILIA PARDO BAZÁN: "Daba fiestas frecuentes en honor de las delegaciones hispanoamericanas que llegaban
a las fiestas del centenario colombino. Sabidos son el
gran talento y la verbosidad de la infatigable escritora.
Las noches de esas fiestas llegaban los orfeones de Gali-
cia, a cantar alboradas bajo sus balcones. La señora Pardo Bazán todavía no había sido titulada por el Rey; pero
estaba en la fuerza de su fama y de su producción. Su
salón era frecuentado por gente de la nobleza, de la po-

lítica y de las letras, y no había extranjero de valer que
no fuese invitado por ella."

CÁNOVAS: "Hacía poco que se había casado con doña
Joaquina de Osma, bella, inteligente y voluptuosa dama,
de origen peruano. Mucho se había hablado de ese matrimonio, por la diferencia de edad; pero es el caso que
Cánovas estaba locamente enamorado de su mujer, y su
mujer le correspondía con creces... La conversación de
Cánovas, como saben todos los que le trataron de cerca,
era llena de brío y de gracia, con su peculiar ceceo andaluz. Su mujer no le iba en zaga como conversadora,
lista y pronta para la 'risposta'; y pude presenciar, en
una de las comidas a que asistiera en el opulento palacio
de la Huerta, en la Guindalera, una justa de ingenios
en que tomaban parte Cánovas, Joaquina, Castelar y el
general Riva Palacio."

CANALEJAS: "Un joven orador de barba negra, que
conquistaba a los auditorios con su palabra cálida y flu-
yente..."

En fin, que lo pasó bien el poeta de América en el
Madrid de aquellos días, en medio de su ilustre gente
de letras.

7. OTRA VEZ EN AMERICA

CABAMOS de ver que fue 1892 el año del primer viaje de Rubén Darío a España, con estancia de varias semanas en Madrid. 1893 fue el de su primer viaje a Francia, con estancia también breve, más breve aún, en París.

Entre la salida de la capital española y la llegada a la francesa no transcurrió ni la mitad de un año: noviembre del 92 a marzo del 93. En esos pocos meses hay que colocar los pasos del poeta en Nicaragua, con una asomada fugaz a Colombia (tan fugaz como trascendental, por lo que en ella consiguió) y unos días de paso en Nueva York, donde tomó el barco, rumbo a Francia.

Todo rápido, "todo al vuelo", como dice la *dolora* campoamorina con expresión que el propio Rubén usó como título de uno de sus libros. Durante tan corto tiempo, tres episodios de carácter familiar —uno triste, los otros no alegres— se sucedieron en la vida de Rubén: su viudedad, el encuentro con su madre y su segundo matrimonio.

Contemos todo ello según ha llegado a nuestro conocimiento, sin más pormenores que los imprescindibles.

Terminada su misión en España, Rubén se embarcó
en Santander, con dirección a América Central. Antes de
llegar a su país, aprovechando una escala del buque en
el puerto colombiano de Cartagena de Indias, saltó a tierra y dedicó las muy pocas horas de que pudo disponer
a hacerle una visita al doctor Rafael Núñez, publicista,
poeta y ex presidente de Colombia, "una de las más
grandes figuras —habla Rubén— de ese foco de superiores intelectos que es ese país". El nicaragüense ha referido la visita con algún detalle.

"Me recibió con gravedad afable. Me dijo cosas gratas; me habló de literatura y de mi viaje a España, y
luego me preguntó: "¿Piensa usted quedarse en Nicaragua?" "De ninguna manera —le contesté—, porque el
medio no me es propicio." "Es verdad —me dijo—. No
es posible que usted permanezca allí. Su espíritu se aho-
garía en ese ambiente. Tendría usted que dedicarse a
mezquinas políticas; abandonaría seguramente su obra
literaria, y la pérdida no sería para usted solo, sino para
nuestras letras. ¿Querría usted ir a Europa?" Yo le ma-
nifesté que eso sería mi sueño dorado; y al mismo tiempo expresé mis ansias por conocer Buenos Aires. "Puesto que usted lo quiere —agregó—, yo escribiré a Bogotá,
al presidente señor Caro, para que se le nombre a usted
cónsul general en Buenos Aires, pues cabalmente la persona que hoy ocupa ese puesto va a retirarse de la capital argentina. Vaya usted a su país a dar cuenta de su
misión, y espere las noticias que se le comunicarán opor-
tunamente." No hay que decir que yo me llené de esperanzas y de alegrías."

Poco habían de durarle esas alegrías esperanzadas.
Antes de acabar el año, llegaba Rubén a Nicaragua, y
al par que se dispuso, como era de rigor, a informar a

su Gobierno del desempeño de la misión oficial que se
le había encomendado, quiso gestionar el cobro de unos
sueldos que aún se le debían. Hallándose en León, recibió un telegrama de San Salvador, en el cual anunciá-
banle veladamente la muerte de Rafaela. El parto había
dejado muy débil y caída a la pobre Rafaelita, ya en-
fermiza de suyo. Buscando el abrigo de su hermana mayor, Julia, que vivía, casada, en El Salvador, la enferma,
con su hijito, se había trasladado allí, desde Costa Rica,
mientras su marido se hallaba en España.

Al tiempo que éste mantenía con el doctor Núñez el
agradable diálogo en parte transcrito, y soñaba con llevarle pronto la buena nueva a su mujer, ésta, agraván-
dose, se aproximaba a la muerte. Julia Contreras y Ricardo Trigueros, su esposo, manifestaron al viudo su
deseo de atender al huerfanito —niño de trece meses— y
cuidar de su crianza y educación con todo cariño; propósito nobilísimo al cual no opuso Rubén la menor objeción, convencido, como lo estaba, de que siempre es-
taría su hijo mejor cuidado con sus tíos, personas de
muy holgada posición, que al lado de un hombre viudo,
errante, desatado, sin dinero, amigo del alcohol y entregado a la locura peligrosa de los versos.

Precisamente fue el alcohol el que acudió entonces
para consolar su conmovida viudez. Volvamos a las páginas de la Autobiografía.

"Pasé ocho días sin saber nada de mí, pues en tal
emergencia recurrí a las abrumadoras nepentas de las
bebidas alcohólicas. Uno de esos días abrí los ojos y me
encontré con dos señoras que me asistían; eran mi madre y una hermana mía, a quienes se puede decir que
conocía por primera vez, pues mis anteriores recuerdos
maternales estaban como borrados. Cuando me repuse,
fue preciso partir para la capital, para hablar con el pre-

sidente, doctor Sacasa, y ver si me abonaban mis haberes."

Ciertamente, hacía años que Rubén nada sabía de su madre; de ella lo ignoraba todo. ¿Qué razón encontrarle a esta injusta, injustísima indiferencia filial? En su existencia de mujer abandonada y madre no atendida, Rosa Sarmiento había seguido el curso de su destino. Desde 1888 era viuda. Enredada en relaciones amorosas con el hondureño Soriano, de ellas procedía su hija Francisca, la misma que su hermanastro conoció en la ocasión ahora recordada.

No llevaba tres meses de viudo, cuando Darío contrajo nuevo enlace. Nombre de la novia: Rosario Emelina Murillo. Lugar y fecha de la boda: Managua, 8 de marzo de 1893.

Los contrayentes se conocían de años antes. Con todo, las relaciones de los dos fueron rodeadas de cierto misterio, y aún hoy no se nos ha revelado todavía nada que pueda dejar despejado el punto. Recuérdese que Rubén, en su Autobiografía, al ocuparse de este segundo casamiento suyo, escribe: "El caso más novelesco y fatal de mi vida, pero al cual no puedo referirme en estas memorias, por muy poderosos motivos. Es una página dolorosa de violencia y engaño que ha impedido la formación de un hogar por más de veinte años; vive aún quien, como yo, ha sufrido las consecuencias de un familiar paso irreflexivo, y no quiero aumentar con la menor referencia una larga pena. El diplomático y escritor mejicano Federico Gamboa tiene escrita esa página romántica y amarga, y la conserva inédita, porque yo no quise que la publicase en uno de sus libros de recuerdos. Es precisa, pues, aquí esta laguna en la narración de mi vida."

Para complemento de tales palabras, pueden traerse aquí igualmente las de Contreras, hombre bien enterado, por razones de amistad, de los episodios amorosos de Darío. "De aquella intriga salió casado con aquella niña de los ojos verdes que lo trajera loco en su adolescencia, y de quien se apartara ofendido. Darío califica tal intriga de "familiar paso irreflexivo", por lo cual hay que creer que el causante fue una persona de la familia, esto es, el hermano de la niña. Sin duda, todo hombre tiene el derecho y el deber de velar por la felicidad de sus hermanas; pero Rubén Darío estaba resuelto a casarse con Rosario en 1886, y si no lo hizo y partió a Chile, fue "a causa de la mayor desilusión que pueda sentir un hombre enamorado".

Celebrado el matrimonio, la pareja salió de Managua, rumbo a Panamá. ¿Viaje de novios, o discreta huida?... Lo cierto es que fueron poquísimos los días que los recién casados permanecieron juntos. Allí recibió Rubén su nombramiento —ya anunciado por el doctor Núñez— de cónsul general de Colombia en Buenos Aires. Era, por tanto, forzoso marchar a la República Argentina, deseo vivo del poeta; pero éste, buscando la manera de realizar entonces otro de sus grandes deseos, más vivo aún —el de conocer París—, encontró la coyuntura de satisfacerlo, al "meter" ese segundo viaje hábilmente en medio del itinerario trazado. No pasaría, pues, de Panamá a Buenos Aires directamente. El itinerario quedó así: de Panamá a Nueva York; de aquí, a París; de París, a la capital rioplatense. Tiempo empleado en todo ello: medio año escaso.

Fue el 93 uno de los años "movidos" en la existencia de nuestro poeta. Durante él estuvo en tres grandes capitales: la norteamericana, la francesa y la argentina; en las tres, solo. Cuando partió de Panamá hacia el Norte

de América, su esposa, ya embarazada, regresó a Nicaragua. Ella dijo más tarde que habían ido juntos a Cartagena de Indias, para agradecer al doctor Núñez el empleo conseguido, y solicitar el adelanto de algunos sueldos; pero que, no habiéndose logrado sino una cantidad
modesta en concepto de anticipo, y no alcanzando éste
a costear los viajes de los dos, tuvieron que resignarse
ante la necesidad de la separación, si bien con la promesa, por parte del esposo, de enviar a su cónyuge medios
para que pudiera luego reunirse con él.

Nada de esto parece ajustarse a la verdad; por lo
menos, a la que conocemos. Rubén afirmó lo contrario:
haber obtenido "una buena suma de sueldos adelanta-
dos"; y no consta en sitio alguno que hubiera hecho remesas de dinero a Rosario; probablemente no las hubo.
Ella vivió, a partir de entonces, separada totalmente de
su marido. Ni en aquel año ni en los veintidós que le siguieron hubo la apetecida unión. ¿Motivos que susten-
taron aquel verdadero divorcio? Los ignoramos. Que el
matrimonio no podía congeniar, parece evidente. Años
más tarde, veremos de nuevo a la señora de Rubén Darío; aparecerá fugazmente por nuestras páginas. Y volverá a aparecer en los días postreros de la vida del gran
poeta, al lado del moribundo, cuando toda la Prensa de
habla española fijaba su atención en la ciudad nicaragüense, donde el famoso nicaragüense agonizaba...

El hijo de Rubén y Rosario nacería en diciembre del 93,
hallándose su padre instalado en Buenos Aires. Murió
a poco de nacer. Había sido bautizado con los mismos
dos nombres del otro hijo, el de Rafaela: Rubén Darío.

De la breve estancia de Rubén en Nueva York, lo
destacado —y lo que él destaca en sus memorias— fue
su contacto con la numerosa colonia cubana que allí se

movía en torno a la figura de José Martí, el hombre culminante del movimiento sostenido por los cubanos para
librar a su patria de la dominación española. Pocos años
le quedaban ya a ésta de vigencia.

Rubén se hospedó en un hotel español; a poco recibió la visita de un cubano joven muy conversador, Gonzalo de Quesada, quien le comunicó el propósito que tenían sus compatriotas, ya enterados de su llegada, de
obsequiarle con un banquete. No pudo asistir a él José
Martí, entregado en tales momentos a "lo más arduo de
su labor revolucionaria"; pero, como manifestase interés por conocer al poeta, el poeta, aprovechando la cir-
cunstancia de un mitin que los cubanos daban a la sazón, con la intervención de Martí, acudió a oír la palabra del apóstol de la emancipación. "El gran combatiente" —como Rubén le llama— era hombre de pequeña
estatura; parecía tener luz en el rostro. Abrazó al corpulento rapsoda y, con su voz al par que dominadora,
dulce, le dijo, emocionado, una sola palabra: "¡Hijo!"
Martí, también poeta, comprendía mejor que nadie la
fuerza persuasiva que, para todo movimiento político,
tiene siempre la poesía.

Habló Rubén no pocas veces de Martí, al que sólo
vio en aquella ocasión (9). Trazando su autobiografía
(1912), estampó estas líneas: "Yo admiraba altamente
el vigor de aquel escritor único, a quien había conocido
por aquellas formidables y líricas correspondencias que
enviaba a diarios hispanoamericanos, como *La Opinión
Nacional,* de Caracas, *El Partido Liberal,* de Méjico, y,
sobre todo, *La Nación,* de Buenos Aires. Escribía una

---

(9) Le dedicó un extenso trabajo titulado *José Martí, poeta,*
que se publicó en varios números de *La Nación,* de Buenos Aires.
Antes había incluido su semblanza en el libro *Los raros.* Habló
también de él en su Autobiografía, como a continuación vemos.

prosa profusa, llena de vitalidad y de color, de plasticidad y de música. Se transparentaba el cultivo de los clásicos españoles y el conocimiento de todas las literaturas antiguas y modernas; y, sobre todo, el espíritu de un
alto y maravilloso poeta... Nunca he encontrado, ni en
Castelar mismo, un conversador tan admirable. Era armonioso y familiar, dotado de una prodigiosa memoria,
y ágil y pronto para la cita, para la reminiscencia, para
el dato, para la imagen. Pasé con él momentos inolvidables; luego me despedí. El tenía que partir esa misma
noche para Tampa, con objeto de arreglar no sé qué preciosas disposiciones de organización. No le volví a ver
más."

Martí fue fusilado por las tropas españolas el 19 de
mayo del 95, teniendo cuarenta y dos años. Rubén vivía
entonces en Buenos Aires. Fácil es imaginarnos la tremenda impresión que recibió ante la noticia. La ejecución de Martí constituyó una de las páginas negras del
colonialismo español. Obstinarse en mantener aquella colonia, cuando hacía ya tantos años que se había indepen-
dizado toda nuestra América, no se explica sino acudiendo a razones turbias, de cerril intransigencia o de
apego excesivo a los negocios suculentos que habían
montado allí, según su costumbre, nuestras autoridades
militares.

En aquella asamblea en que Rubén oyó el discurso
de Martí, quiso éste que el poeta amigo se sentara en la
presidencia, donde había otras personas. Accedió el invitado a tan honrosa distinción, aunque pensando —así
lo confiesa— "en lo que diría el Gobierno colombiano,
de su cónsul general, sentado en público en una mesa
directiva revolucionaria antiespañola".

Al día siguiente del banquete con que los cubanos le

agasajaron, Rubén, acompañado de Quesada, visitó las famosísimas cataratas del Niágara. No recibió ante la maravilla la impresión que él se había imaginado. Con todo, se sintió "conmovido" delante de ese prodigio de la Naturaleza.

8. PRIMER VIAJE A PARIS

RES capítulos de su Autobiografía —el XXXII, el XXXIII y el XXXIV— dedica Rubén Darío a las pocas semanas que permaneció en París, en aquel su primer viaje a la ciudad que él más amó, "la capital de las capitales", como la llamaba.

En Madrid, meses antes, había establecido contacto con no pocos literatos. Los nombres de catorce, los recogidos en la citada Autobiografía, los dimos aquí ya. En París fueron menos entonces los conocidos por Rubén. Dando de lado a Gómez Carrillo, amigo suyo desde la estancia de ambos en Guatemala, y al chileno Julio Bañados, también amigo antiguo, los nombres que se registran en las páginas que ahora manejamos son seis: cuatro franceses —Paul Verlaine, Charles Morice, Maurice Duplessis y Aurelien Scholl—, un griego-francés, Jean Moreas, y Alejandro Sawa, español que vivía por aquel tiempo su bohemia no dorada en el ámbito del Barrio Latino, formando parte, como Carrillo, del círculo de *La Plume*.

Mucho gustó el nicaragüense, el un tanto ingenuo nicaragüense, de la literatura francesa de aquellos días;

mucho leyó y admiró a los escritores galos que por entonces trabajaban, y no fue pequeña ni leve la influencia que de algunos de ellos recibió. ¿Correspondieron los franceses a aquella elevada estimación del hispanoamericano, en forma perceptible? Los franceses no han sido nunca, en punto a tales correspondencias, como los españoles; la amistad abierta que éstos suelen ofrecer a los recién llegados, jamás se ha visto en los intelectuales franceses, perfectamente engreídos en las alturas, reales o ficticias, de una superioridad que para ellos siempre es innegable.

Rubén Darío dijo: "He sido poco aficionado a tratarme con esos *cher-maîtres* franceses, pues algunos que he entrevisto me han parecido insoportables de *pose* y terribles de ignorancia de todo lo extranjero, principalmente en lo referente a intelectualidad."

Por su parte, Contreras remachaba, tratando de lo mismo: "Rubén no encontró en París, naturalmente, las facilidades que en Madrid para penetrar en el mundo literario. Y eso que la generación simbolista, entre la cual había varios "metecos", era, sin embargo, mucho más acogedora para con los extranjeros que la anterior de naturalistas y parnasianos."

Uno de los mejores capítulos de la Autobiografía de Rubén es el primero de los tres antes indicados; es también uno de los más "rubenianos". Véase.

"Yo soñaba con París, desde niño, a punto de que cuando hacía mis oraciones, rogaba a Dios que no me dejase morir sin conocer París. París era para mí como un paraíso en donde se respirase la esencia de la felicidad sobre la tierra. Era la Ciudad del Arte, de la Belleza y de la Gloria; y, sobre todo, era la capital del Amor, el reino del Ensueño... Cuando en la estación de Saint-Lazare pisé tierra parisiense, creí hallar suelo sagrado.

Me hospedé en un hotel español, que por cierto ya no
existe. Se hallaba situado cerca de la Bolsa y se llamaba
pomposamente Grand Hotel de la Bourse et des Ambas-
sadeurs... Yo deposité en la caja, desde mi llegada, unos
cuantos largos y prometedores rollos de brillantes y áu-
reas águilas americanas de veinte dólares. Desde el día
siguiente tenía carruaje a todas horas en la puerta, y comencé mi conquista de París.

"Apenas hablaba una que otra palabra de francés.
Fui a buscar a Enrique Gómez Carrillo, que trabajaba
entonces empleado en la casa del librero Garnier. Carrillo, muy contento de mi llegada, apenas pudo acom-
pañarme, por sus ocupaciones; pero me presentó a un
español que tenía el tipo de un gallardo mozo, al mismo
tiempo que muy marcada semejanza de rostro con Alfonso Daudet. Llevaba en París la vida del país de Bohemia y tenía por querida a una verdadera marquesa de
España. Era escritor de gran talento y vivía siempre en
su sueño. Como yo, usaba y abusaba de los alcoholes;
y fue mi iniciador en las correrías nocturnas del Barrio
Latino. Era mi pobre amigo, muerto no hace mucho tiempo, Alejandro Sawa. Algunas veces me acompañaba también Carrillo, y con uno y otro conocí a poetas y escritores de París, a quienes había amado desde lejos.

"Uno de mis grandes deseos era poder hablar con
Verlaine. Cierta noche, en el café D'Harcourt, encontra-
mos al Fauno, rodeado de equívocos acólitos. Estaba igual
al simulacro en que ha perpetuado su figura el arte maravilloso de Carrière. Se conocía que había bebido harto.
Respondía de cuando en cuando a las preguntas que le
hacían sus acompañantes, golpeando intermitentemente
el mármol de la mesa. Nos acercamos con Sawa; me
presentó: 'Poeta americano, admirador, etcétera.' Yo
murmuré en mal francés toda la devoción que me fue

posible y concluí con la palabra "gloria"... Quién sabe
qué habría pasado aquella tarde al desventurado maestro; el caso es que, volviéndose a mí, y sin cesar de golpear la mesa, me dijo en voz baja y pectoral: *La gloire...!*
La gloire...! Merde, merde, encore...! Creí prudente re-
tirarme y esperar para verle de nuevo una ocasión más
propicia. Esto no lo pude lograr nunca, porque las noches que volví a encontrarle se hallaba más o menos en
el mismo estado; y aquello, en verdad, era triste, doloroso, grotesco y trágico."

Lo era, ciertamente. No había forma de tratar con
aquel impenitente beodo. No fue el único que Rubén conoció en los cafés parisienses, donde "la demoníaca agua
verde del ajenjo" atraía a tantos hombres de pluma. Verlaine se hallaba entonces muy próximo a sus cincuenta
años: tres más vivió, enfermo, pobre, envejecido, agotado. El alcohol no le perdonaba. Cuando murió, su gran
admirador el nicaragüense, que residía en Buenos Aires,
iba a publicar un libro de versos; tuvo tiempo de incluir
en él su "responso" al maestro alcoholizado:
"Padre y maestro mágico, liróforo celeste..."
Jean Moreas y su discípulo Duplessis fueron, al parecer, los dos poetas de Francia a quienes Rubén trató,
por aquellos días, con mayor asiduidad. Del primero no
tardó en escribir un estudio fervoroso —como lo hizo
también de Verlaine—, incluidos ambos en su libro *Los*
raros.
Aquellos sus primeros días de París —la ciudad donde
luego había de vivir tantos otros— los pasó muy bien
Rubén Darío, alegremente bien. El poeta tenía dinero
fresco y, como lo tenía, lo gastaba; fue lo que hizo siempre, cuando lo tuvo.
Si de la comida, como buen bebedor, no se ocupaba

mucho, la bebida jamás la descuidaba. Eran tiempos
aquellos —*belle époque*— en que bastaban pocos francos para pasar jubilosa o melancólicamente, del estado
normal y firme del hombre, a ese tambaleante y fanta-
sioso estado que crea la abundancia de las libaciones.

También la espuela erótica seguía empujando el andar
de aquel varón del trópico. Encargábanse las francesas
de embrujarle con miradas y sonrisas, como preludio de
las consiguientes complacencias.

Uno de los biógrafos del poeta, que con él convivió
en París, afirma que hasta "una hetaira de coturno, conocida por el nombre famoso de Marion Delorme", paseaba por los cafés del Bois de Boulogne, del brazo de
aquel extraño y cetrino americano de los versos pronun-
ciados en lengua de fuerte acento.

9. EN BUENOS AIRES

L señor Cónsul General de Colombia en la Argentina no tenía mucho que hacer en Buenos Aires, porque las dos Repúblicas sudamericanas carecían entonces casi del todo de relaciones comerciales, y ciudadanos colombianos apenas había allí. Permitió ello al señor cónsul un ancho y gustoso vagar por sus zonas queridas: las letras, la poesía, el periodismo; acentuadamente, la lucha juvenil por la renovación poética. Esta renovación, apuntada en Chile, tomó cuerpo en Buenos Aires, donde Rubén dio a conocer sus primeras composiciones realmente "avanzadas", de vanguardia y choque.

Como ingresos, además de lo que le correspondía por aquel cargo que debía exclusivamente a la gentileza del doctor Núñez, quien, deseando favorecerle, bien sabía que con él, si le daba pocos medios, no le quitaba mucho tiempo, tenía el poeta-cónsul los debidos a su labor en *La Nación*. Este diario, desde que su colaborador se había incorporado a la vida literaria de Buenos Aires, le dispensaba atenciones numerosas y elogios sinceros. Puede asegurarse que Rubén Darío fue muy bien recibido en todas partes. Los escritores jóvenes, particularmente —lo

cual se comprende—, le prodigaron fervorosas adhesio-
nes. Veíase en él al más notorio y prestigioso de los plumíferos renovadores. Siempre la juventud ha sido pro-
pensa a dejarse conducir por quienes portan, con mayor
o menor sinceridad, pero con el suficiente "ruido", proclamas estéticas conducentes al descrédito de lo ya san-
cionado y a la exaltación de "lo nuevo" y, si se quiere,
para decirlo con expresión muy del gusto de Rubén, "lo
raro". Lo raro que había en lo nuevo era precisamente
aquello por lo que más se afanaba el inquieto poeta nicaragüense.

La estancia más prolongada que éste tuvo en una ciudad, casi sin moverse de ella, fue aquella de Buenos Aires. Sobrepasó el quinquenio; "la más larga parada que
hizo en su vida errante", como, en involuntario alejandrino, dijo uno de sus biógrafos.

Procedente de París, llegó el poeta a la capital argentina a mediados de 1893. Salió de allí en diciembre de
1898. (El 3 embarcó para España.) Durante todo ese
tiempo, sin dejar de divertirse, sin abandonar su nada
virtuosa vida nocturna, que tanto le agradaba, con sus
tertulias de amigos, sus comilonas copiosamente hume-
decidas —pretexto el comer para el beber— y sus amoríos de fácil curso, frecuentó de manera brillante el ambiente literario. Fueron numerosos los escritores argentinos con quienes se relacionó; si con unos no pasó del
superficial conocimiento, con otros entabló buena amistad.

Naturalmente que no le faltó la ojeriza de otros. No
todo había de ser coro de plácemes en torno suyo. Rubén
tuvo detractores de su obra en todo lugar y tiempo. En
América, al principio de su carrera y al final de ella.
Como en España. Si bien aquí y allá, la corriente de los
años estuvo abiertamente en su favor. Por lo general, si
esa obra, en sus comienzos, suscitó más ataques que acep-

taciones, y en sus comedios fue más discutida que ensalzada, ya en sus postrimerías, impuesto el nombre del autor contra los vientos y las mareas de la crítica adversa, y crecido el favorable impulso de los admiradores, puede decirse que a su gloria no le quedó duda en el consenso del público solvente.

Se aproximan al medio centenar los nombres de los escritores —argentinos casi todos, claro es—, que aparecen en los catorce capítulos que en sus memorias autobiográficas se dedican a aquel lapso de tiempo pasado en el ámbito porteño. Con su elogio al margen, leemos estos nombres: Rafael Obligado, el poeta que primero acudió a saludarle, recién instalado Rubén en el hotel; Juan José García Velloso, "maestro sapiente y sensible"; Julio Piquet, secretario de la redacción de *La Nación,* "experto catador de elixires intelectuales, escritor de sutiles pensares y gentilezas de estilo"; el "ya glorioso" Joaquín V. González; el doctor Calixto Oyuela, "talento de cepa castiza que seguía la corriente de las tradiciones clásicas"; el chileno Alberto del Solar, "distinguido en la producción de novelas, obras dramáticas, ensayos y aun poesías"; Federico Gamboa, "animador de la conversación con oportunas anécdotas, chispeantes arranques y un buen humor contagioso e inalterable"; Domingo Martinto y Francisco Soto, "poetas y personas de distinción y afabilidad"; el doctor Ernesto Quesada, "letrado erudito, escritor bien nutrido y abundante, de un saber cosmopolita y poliglota"; Aníbal Latino (seudónimo de José Ceppi), "hombre al parecer un tanto adusto, pero dotado de actividad, de resistencia y de inmejorables condiciones para el puesto que desempeñaba" (la subdirección de *La Nación);* Roberto J. Payró, "trabajador insigne, cerebro comprendedor e imaginador que, sin abandonar las tareas periodísticas, ha podido producir

obras de aliento en el teatro y en la novela"; el malogrado Julián Martel (seudónimo de José Miró), "cuya
única obra auguraba una rica y aquilatada producción
futura"; Eduardo L. Holemberg, "espíritu singular, lleno
de tan variadas luces, y de quien emanaba una generosidad corriente, simpática y un contagio de alegría"; Alberto Ghiraldo, "bizarro poeta, entonces casi un efebo,
pero ya encendido de cosas libertarias"; Manuel Arge-
rich, "cariñoso dandy"; Charles Soussens, "excelente
aeda suizo, fiel a sus principios de nocturnidad"; José
Ingenieros, "hoy psiquiatra eminente"; Diego Fernández
Espiro, "el mosquetero de los sonantes sonetos"; Antonino Lamberti, "encantador veterano, a quien los ma-
nes de Anacreonte bendicen y a quien las Gracias y las
Musas han sido siempre propicias y halagadoras"; Charles Vale, "un inglés criollo incomparable"; Mariano de
Vedia, "escritor de bríos y gracias"; Carlos Vega Belgrano, "el generoso y culto"; Miguelito Ocampo, "hombre de corazón bueno, de natural ingenio, a quien se debe
el primer ensayo de zarzuela cómica argentina, y que
hubiese quizá dejado una producción más copiosa e importante, si la peor de las bohemias no le arrebata primero la voluntad y después la salud y la vida"; el uruguayo Armando Vasseur, "joven poeta de audacia y fantasía, que ha producido libros muy plausibles"; Eugenio
Díaz Romero, "el melodioso y elegante lírico de dorados
cabellos"; Carlos Roxlo, "poeta de trato suave y delicado y futuro vigoroso combatiente de las luchas políticas"; Christian Roeber, "tipo romántico y legendario";
el general Mansilla, "narrador de amenos sucesos y agudas ocurrencias y felices frases, con ese poder de conversador ágil y oportuno que se ha reconocido en todas partes"; Leopoldo Lugones, "audaz, joven, fuerte y fiero,
como un cachorro de hecatónquero que viniera de una

montaña sagrada..."; el doctor Francisco Sicardi, "novelista y poeta originalísimo, cuya obra extraordinaria y
desigual tiene cosas tan grandes que pasan los límites de la
simple literatura"...

No son ésos los únicos nombres que figuran en las
páginas de Rubén que ahora recorremos.

Gran desparramador de alabanzas en letra impresa
(tampoco, dígase la verdad, las escatimó en el seno de lo
privado), Rubén Darío tuvo para todos los que entonces
se le acercaron, conducidos por la fama del vate, y para
aquellos a los que se acercó él, buscando reciprocidad
amistosa, sus buenas palabras de saludo gentil. Entre
quienes recibieron de su pluma amables adjetivos había
de todo: notables hombres de letras, como algunos de
los ya citados, y aficionados mediocres, como algunos
de los que también se citan; profesionales de reconocida
valía (los menos) y vulgares grafomanos (los más). Unos
y otros ayudaron no poco al crecimiento de la celebridad
de Rubén, que, si nació en su tierra, y se abrió al porvenir en Chile, y obtuvo en España calor de simpatía,
fue en la Argentina donde se cimentó sólidamente.

Como quedó apuntado, Rubén cumplió en Chile sus
veinte años; en Buenos Aires cumplió sus treinta. A sus
cuarenta llegó, muy delicado ya de salud, en suelo de
España, según a su tiempo veremos.

Mucho más que la labor literaria desarrollada en Chile, importa la que dio a conocer en la Argentina. Se hablará de todo esto, con detenimiento mayor, en otras
páginas de nuestro libro.

Trayendo a un párrafo lo principal de cuanto concier-
ne a la biografía de Darío en aquellos cinco años de su
permanencia en Buenos Aires, tenemos lo siguiente: su
empleo de cónsul de Colombia y la pérdida del mismo,

al suprimirse, ya fallecido el doctor Núñez, el consulado
colombiano; colaboraciones en tres diarios bonaerenses:
además de *La Nación, La Tribuna* y *El Tiempo;* nuevo
empleo burocrático —éste en las oficinas de Correos y
Telégrafos—, por no poder sostenerse el escritor con los
frutos de su pluma; fundación, con el poeta boliviano
Ricardo Jaimes Freire, de *La Revista de América;* lectura
de versos e intervenciones varias en el recién creado
Ateneo literario y artístico; breves asomadas a la Isla
de Martín García y a Bahía Blanca; descansos frente a
"la Pampa inmensa y poética, el incomparable océano de
tierra"... Y lo principal, lo permanente: publicación de
sus dos primeros libros de real categoría.

Como vemos, Rubén Darío se manifestaba en diversos frentes.

Refiriéndose a sus primeros meses de estancia en Buenos Aires, decía: "Pasaba mi vida escribiendo artículos
para *La Nación* y versos que fueron más tarde mis *Prosas profanas,* y buscando por las noches el peligroso encanto de los paraísos artificiales. Me quedaba todavía en
el Banco Español del Río de La Plata algún resto de mis
águilas americanas; pero éstas volaron pronto, por el peregrino sistema que yo tenía de manejar fondos. Me acompañaba un extraordinario secretario francés, que me encontré no sé dónde y que me sedujo, hablándome de
sus aventuras en Indochina. Considerad que me contaba:
'Una vez, en Saigón...', o bien: 'Aquella tarde, en Singa-
pur...', o bien: 'Entonces me contestó mi amigo el Ma-
radjad...' ¡No solamente le hice mi secretario, sino que
él llevaba en el bolsillo mi libro de cheques! Felizmente,
cuando volaron todas las águilas, voló él también, con su
larga nariz, su infaltable sombrero de copa y su largo
levitón..."

Perdido el cargo de cónsul, "me quedé sujeto a lo

que ganaba en *La Nación* —prosigue el poeta—, y luego a un buen sueldo que, por inspiración providencial, me señaló en *La Tribuna* su director, mi buen amigo Mariano de Vedia. Mi obligación era escribir todos los días una nota, larga o corta, en prosa o verso, para el periódico. Después me invitó a colaborar en su diario *El Tiempo* Carlos Vega Belgrano...".

Leemos más adelante: "Como el producto de mi labor periodística y literaria no me fuese suficiente para vivir, avino que el doctor Carlos Carles, que era director general de Correos y Telégrafos, me nombró su secretario particular. Yo cumplía cronométricamente con mis obligaciones, las cuales eran contestar una cantidad innumerable de cartas de recomendación que llegaban de todas partes de la República, y luego recibir a un ejército de solicitantes de empleos..."

Sobre la citada *Revista de América*: "Fundamos esa revista, órgano de nuestra naciente revolución intelectual, y que tuvo, como era de esperarse, vida precaria, por la escasez de nuestros fondos, la falta de suscripciones y, sobre todo, porque a los pocos números, un administrador italiano de cuerpo bajito, redonda cabeza y calva y maneras untuosas, se escapó, llevándose los pocos dineros que habíamos podido recoger."

Sobre el grupo del Ateneo: "Esta asociación, que produjo un considerable movimiento de ideas en Buenos Aires, estaba dirigida por reconocidos capitanes de la literatura, la ciencia y el arte... Fomentaban las letras clásicas y las nacionales, y los más jóvenes alborotábamos la atmósfera con proclamaciones de libertad mental."

"Yo hacía todo el daño que me era posible al dogmatismo hispano, al anquilosamiento académico, a la tradición hermosillesca, a lo seudo-clásico, a lo seudo-romántico, a lo seudo-realista y naturalista, y ponía a mis

'raros' de Francia, de Italia, de Inglaterra, de Rusia, de
Escandinavia, de Bélgica y aun de Holanda y Portugal,
sobre mi cabeza. Mis compañeros me seguían y me se-
cundaban con denuedo. Exagerábamos, como era natural,
la nota."

10. DE NUEVO EN ESPAÑA

OMO es harto notorio, 1898 fue el año en que España, tras una guerra insensata, perdió la última tierra que le quedaba de su inmenso, fabuloso imperio de Ultramar.

Como los países hermanos de América, Cuba tuvo también el lógico deseo y la natural aspiración de lograr su independencia. Zurda respuesta la de la corona española, pretendiendo, contra todo derecho, sostener allí su dominio, cuando todos los otros territorios americanos se habían desgajado ya del tronco materno.

Los yanquis, colocándose desde el primer momento en apoyo de los cubanos y multiplicando luego ese apoyo, terminaron por dar la cara y provocar la guerra en la que España quedó resueltamente vencida. Como consecuencia de aquella derrota, surgió entre nosotros un movimiento intelectual de franca repulsa a los métodos políticos de la monarquía. Los gobernantes españoles, los de la Regencia, no procedieron realmente ni con tino ni con agudeza. Vieron a los patriotas de Cuba como si fueran unos forajidos, y como a tales los trataron, es decir, los maltrataron. Muy lejos de comprender su noble actitud, pusieron frente a ellos la fuerza siempre odiada de las

armas. Desde los comienzos de la rebelión pudo verse
claramente de quiénes sería, a la postre, la victoria. (Pi
y Margall, por ejemplo, lo vio y lo dijo; pero la excelsa
figura de Pi y Margall estaba muy por encima de aquella
confabulación de políticos de corta vista que gobernaba el
país...) Sólo la tupidez de aquellos gobernantes nuestros,
sostenida por la retórica patriotera que tantas veces, en
España, ha encubierto bajos y mercaderiles propósitos,
no acertó a percibir en los horizontes de la ancha empresa libertadora sino las consabidas ofensas al "honor nacional", al "pundonor militar" y demás latiguillos.

En fin, se produjo la marcial caída final del imperialismo español, que estaba bien caído, en la América española, y fue lo peor para nosotros que el violento cambio, antes que a los cubanos, favoreció a los voraces intereses de la nación norteamericana.

Rodada la trascendental noticia, como pólvora, por
todo el vasto continente, levantó en él encendidas palabras de aliento y ayuda para el nuevo país que, no sin
la abierta generosidad de su sangre, ascendía al plano
digno de su libertad; libertad, ciertamente, y desgraciadamente, mediatizada por la intervención yanqui; pero,
con todo, aire de libertad duramente conquistado y perspectivas de un futuro menos sombrío.

La dirección del rotativo bonaerense en el que venía
trabajando Rubén Darío tuvo entonces el feliz acuerdo
de enviar a éste a España, para que pudiese recoger y
transmitir sus impresiones de la realidad de la vida
hispánica, en la hora de su "desastre". Dícese que
fue el propio Rubén quien, teniendo conocimiento del
propósito del diario, se ofreció inmediatamente para realizar aquel trabajo. No vendría a España, viniendo él, una
pluma antiespañola —¡tantas se movían a la sazón por
las columnas de la Prensa sudamericana!—, sino la plu-

ma de un hombre que siempre amó estas "tierras solares", y tuvo en su poesía altos acentos para cantar a la vieja nación de gloriosa historia.

Precisamente en el primero de los artículos que escribió, con ocasión de su nuevo viaje a España, afirmaba esto: "De nuevo en marcha y hacia el país maternal que el alma americana —americano-española— ha de saludar siempre con respeto, ha de querer con cariño hondo. Porque, si ya no es la antigua poderosa, la dominadora imperial, amarla el doble; y si está herida, tender a ella mucho más."

Las torpezas de España fueron grandes —todos los grandes países las han tenido—, y aquella de la guerra de Cuba, ganada en justicia por los cubanos, por los que, después de varios años de tremenda lucha, habían merecido ganarla, fue una de las menos disculpables. Pero su condenación no tenía por qué dar al olvido, injustamente, la magna obra de la conquista y colonización en la que España había consumido mucho de su espíritu, su fuerza, su energía y su genio civilizador, durante la corriente de cuatro siglos.

En 1892, como ya vimos, estuvo Rubén Darío entre nosotros. Fue él uno de los hispanoamericanos que, con representación oficial, asistieron a los actos conmemorativos del cuarto centenario del Descubrimiento.

También se cumplían cuatrocientos años, en el 98, del tercer viaje de Cristóbal Colón. En agosto de 1498 —recordémoslo—, casi a los seis años justos del descubrimiento de América, descubría Colón la "tierra firme" del continente. Hasta entonces sólo había visto "islas".

Pues bien, casi a punto de cumplirse las cuatro centurias de esa gloriosa fecha, se derrumbaba el poderío hispánico en Cuba, cerca de todo aquello que, por la auda-

cia genial de Colón, había quedado incorporado a la
corona de España.

Embarcó Rubén Darío en Buenos Aires el 3 de diciembre. Navegaba, rumbo a Barcelona, cuando, una semana después, firmábase en París el tratado de paz entre
la vencedora nación norteamericana y la vencida nación
española. Duras condiciones las que en ese tratado im-
puso el vencedor. Por él, España veíase obligada a reconocer la independencia total de Cuba y a retirar de allí
rápidamente todas sus fuerzas. Renunciaba igualmente a
sus posesiones del archipiélago filipino. Las Islas Filipinas pasaban a poder de los yanquis, pese a su proclamación de independencia hecha por Emilio Aguinaldo. Se
daba libertad también a Puerto Rico.

Rubén llegó a Barcelona a fines de diciembre. Todavía vibraba en muchos españoles el recuerdo del manifiesto al país lanzado, a mediados de noviembre, por la
ardorosa voz y la vigorosa mano de Joaquín Costa, señalando la urgente necesidad de una "revolución desde
el Poder" que salvara a España. El manifiesto del "León
de Graus" clamaba: "Todo lo que era progreso, riqueza
y contento de la vida, todo lo que era aumento de bienestar, de vigor, de población, de cultura, de aproxima-
ción a Europa, de porvenir en la historia del mundo, lo
hemos disipado, ¡locos y criminales!, en pólvora y humo;
durante cuatro años de guerra, se ha estado tragando un
canal de riego cada semana, un camino cada diez, diez
escuelas en una hora, en media semana los cuarenta y
cuatro pueblos creados por Olavide y Aranda en los va-
lles de Sierra Morena..."

Después de pasar en Barcelona unos días, se trasladó
el corresponsal de *La Nación* a Madrid. "Con el año entré

en Madrid": así empieza la primera de sus crónicas madrileñas, fechada el 4 de enero. El día primero de año
está fechado el artículo dedicado a Barcelona.

Sigamos unos momentos al cronista, en sus pasos y
palabras.

De lo escrito en Barcelona es esto: "Riente, alegre,
bulliciosa, moderna, quizá un tanto afrancesada, y por
lo tanto graciosa, llena de elegancia, Barcelona sostiene
lo que dice y dice que habría hecho mucho más de lo que
hoy nos asombra y nos encanta, si se lo hubiese permi-
tido la tutela gubernativa, pues no puede abrir una plaza si no va la licencia de la Corte, y de la Corte van los
ingenieros y los arquitectos y los empleados, a agriar más
la levadura; y así, a pasos, a pasos cortos, han adelan-
tado, se han puesto los catalanes a la cabeza. ¿Qué habría hecho Cataluña autónoma, esta gran Cataluña cuya
faz maravillosa he creído contemplar bajo el azul, ya a la
orilla de su bravo mar, ya en momentos crepusculares y
apacibles, sobre los juegos de agua de su paseo favorito,
en donde un simulacro divino rige armoniosamente una
cuadriga de oro? Sano y robusto es este pueblo desde los
siglos antiguos. Sus hijos son naturales y simples, llenos
de la vivaz sangre que les da su tierra fecunda; sus mujeres, de firmes pechos opulentos, de ojos magníficos, de
ricas cabelleras, de flancos potentes; el paisaje campes-
tre, la costa, la luz, todo es de una excelencia homérica...
Los talleres se pueblan, bullen; abejean en ellos las ge-
neraciones. Por las calles van la salud y la gallardía; y
la fama de grandes pies que tienen las catalanas, no tengo
tiempo de certificarla, pues la euritmia del edificio me
aleja del examen de su base. La ciudad se agita... El
obrero sabe leer; discute; habla de la R. S., o sea, si
gustáis, Revolución Social; otro mira más rojo y parte
derecho a la anarquía. No muestran temor ni empacho

en cantar canciones anárquicas en sus reuniones, y sus oradores no tienen que envidiar nada a sus congéneres de París o de Italia. Ya recordaréis que se ha llegado aquí a la acción, y memorias sonoras y sangrientas hay de terribles atentados. Y eso que en la fortaleza de Montjuich parece que la Inquisición renovó en los interrogatorios, no hace mucho tiempo, los procedimientos torquemadescos de los viejos procesos religiosos."

Del mismo artículo es lo que sigue: "El nombre de Rusiñol me conduce de modo necesario a hablaros del movimiento intelectual que ha seguido paralelamente al movimiento político y social. Esa evolución que se ha manifestado en el mundo en estos últimos años, y que constituye lo que se dice propiamente el pensamiento *moderno* o nuevo, ha tenido aquí su aparición y su triunfo más que en ningún otro punto de la Península, más que en Madrid mismo; y, aunque se tache a los promotores de ese movimiento, de industrialistas, catalanistas o egoístas, es el caso que ellos, permaneciendo catalanes, son universales.

"Rusiñol es un altísimo espíritu, pintor, escritor, escultor, cuya vida ideológica es de lo más interesante y hermoso, y cuya existencia personal es en extremo simpática y digna de estudio. Su leonardismo rodea de una aureola gratamente visible su nombre y su obra. Es rico, fervoroso de arte, humano, profundamente humano. Es un traductor admirable de la Naturaleza, cuyos mudos discursos interpreta y comenta en una prosa exquisita o potente, en cuentos o poemas de gracia y fuerza en que florece un singular diamante de individualidad. En este movimiento, como sucede en todas partes, los que se han quedado atrás, o callan o apenas son oídos. Balaguer es ya del pasado, con su pesado fárrago; el padre Verdaguer apenas logra llamar la atención con su último

libro de Jesús; vive al reflejo de *La Atlántida,* al rumor
de *Canigó.* Guimerá, que trabaja al sol de hoy, va a Madrid a hacer diplomacia literaria, y los madrileños, que
son *malignos,* le dicen que conocen su juego y que hay
en el autor de *Tierra baja* un regionalista de más de la
marca..."

Muy pocos días después de escrito lo que antecede,
ya en la villa y corte de las Españas, la prosa de Rubén
cambia de tono.

"Con el año entré en Madrid; después de algunos de
ausencia, vuelvo a ver el 'castillo famoso'. Poco es el cambio, al primer vistazo... Al llegar, advertí el mismo ambiente ciudadano de siempre; Madrid es invariable en su
espíritu, hoy como ayer, y aquellas caricaturas verbales
con que don Francisco de Quevedo significaba a las gentes madrileñas serían, con corta diferencia, aplicables en
esta sazón. Desde luego, el buen humor tradicional de
nuestros abuelos se denuncia inamovible por todas partes. El país da la bienvenida. Estamos en lo pleno del
invierno, y el sol halaga benévolo en un azul de lujo. En
la corte anda esparcido uno de los milagros: los mendi-
gos me asaltan bajo cien aspectos... Los cafés llenos de
humo rebosan de desocupados; entre hermosos tipos de
hombres y mujeres, las getas de Cilla, los monigotes de
Xaudaró se presentan a cada instante. Sagasta Olímpico
está enfermo; Castelar está enfermo; España, ya sabéis
en qué estado de salud se encuentra, y todo el mundo,
con el mundo al hombro, o en el bolsillo, se divierte:
¡Viva mi España!

"Pocos días han pasado desde que en París se firmó
el tratado humillante en que la mandíbula del yanqui quedó por el momento satisfecha, después del bocado estupendo; pues aquí podría decirse que la caída no tuviera

resonancia. Usada como una vieja "perra chica" está la
frase de Shakespeare sobre el olor de Dinamarca... Hay
en la atmósfera una exhalación de organismo descom-
puesto. He buscado en el horizonte español las cimas que
dejara no hace mucho tiempo, en todas las manifestaciones del alma nacional; Cánovas, muerto; Ruiz Zorrilla, muerto; Castelar, desilusionado y enfermo; Valera,
ciego; Campoamor, mudo; Menéndez Pelayo... No está,
por cierto, España para literaturas, amputada, doliente,
vencida; pero los políticos del día parece que para nada
se diesen cuenta del menoscabo sufrido, y agotan sus
energías en chicanas interiores, en batallas de grupos
aislados, en asuntos parciales de partidos, sin preocupar-
se de la suerte común, sin buscar el remedio al daño general, a las heridas en carne de la nación. No se sabe lo
que puede venir... Entre tanto, van llegando a los puer-
tos de la patria los infelices soldados de Cuba y Filipinas.
Quiénes a morir, como uno que —parece caso escrito en
la Biblia— fue a su pueblo natal, ya moribundo, y como
era de noche, sus padres no le abrieron su casa, por no
reconocerle la voz, y al día siguiente le encontraron junto al quicio, muerto. Otros no alcanzan la tierra y son
echados al mar, y los que llegan, andan a semejanza de
sombras; parecen, por cara y cuerpo, cadáveres. Y el
madroño está florido y a su sombra se ríe y se bebe y
se canta, y el oso danza sus pasos cerca de la casa de
Trimalción."

Continúa Rubén en esa interesante crónica:

"El mal vino de arriba. No dejaron semillas los árboles robustos del gran cardenal, del fuerte duque, de los
viejos caballeros férreos que hicieron mantenerse firme
en las sienes de España la diadema de ciudades. Los es-
tadistas de hoy, los directores de la vida del reino, pierden las conquistas pasadas, dejan arrebatarse los territo-

rios por miles de kilómetros y los súbditos por millones. Ellos son los que han encanijado al León simbólico de antes; ellos, los que han influido en el estado de indigencia moral en que el espíritu público se encuentra; los que han preparado, por desidia o malicia, el terreno falso de los negocios coloniales, por lo cual no podía venir en el momento de la rapiña anglosajona, sino la más inequívoca y formidable *debacle*. Unos a otros se echan la culpa, mas ella es de todos. Ahora es el tiempo de buscar soluciones, de ver cómo se pone al país siquiera en una progresiva convalecencia; pero todo hasta hoy no pasa de la palabrería sonora propia de la raza, y cada cual profetiza, discurre y arregla el país a su manera."

¿Y las Letras? "En lo intelectual, he dicho ya que las figuras que antes se imponían están decaídas, o a punto de desaparecer; y en la generación que se levanta, fuera de un soplo que se siente venir de fuera y que entra por la ventana que se han atrevido a abrir en el castillo feudal unos pocos valerosos, no hay sino la literatura de mesa de café, la mordida al compañero, el anhelo de la peseta del teatro por horas, o de la colaboración en tales o cuales hojas que pagan regularmente; una producción enclenque y falsa, desconocimiento del progreso mental del mundo, iconoclasticismo infundado o ingenuidad increíble, subsistente fe en viejos y deshechos fetiches. Gracias a que escritores señaladísimos hacen lo que pueden para transfundir una sangre nueva, exponiéndose al fracaso..."

En otro de sus artículos madrileños tocó Rubén el tema de nuestra decadencia.

"Mientras España fue caballeresca y romántica, siempre tuvo la visión del celeste caballero Santiago. Esta triste flacidez, esta postración y esta indiferencia por la suerte de la patria marcan una época en que el españo-

lismo tradicional se ha desconocido o se ha arrinconado,
como una armadura vieja. Los *politiciens* y los fariseos
de todo pelaje e hígado prostituyeron la grande alma española. Y aun la religión, que ha perdido hasta su vieja
fiereza inquisitorial en la tierra fogosa de los autos de fe,
se convirtió en una de las ventosas cartaginesas que han
ido poco a poco trayendo la anemia al corazón de la patria, y si por el sable sin ideales se perdieron las Antillas, por el hisopo sin ideales y sin fe se perdieron las
Filipinas. Y el honor, ¿por qué se perdió? Creo que el
fuerte vasco Unamuno, a raíz de la catástrofe, gritó en un
periódico de Madrid, de modo que fue bien escuchado
su grito, *¡Muera Don Quijote!* Es un concepto, a mi entender, injusto. Don Quijote no debe ni puede morir;
en sus avatares cambia de aspecto, pero es el que trae la
sal de la gloria, el oro del ideal, el alma del mundo. Un
tiempo se llamó el Cid, y aun muerto ganó batallas. Otro,
Cristóbal Colón, y su Dulcinea fue la América. Cuando
esto se purifique —¿será por el hierro y el fuego?—, quizá reaparezca, en un futuro Renacimiento, con nuevas
armas, con ideales nuevos, y entonces los hombres volverán a oír, Dios lo quiera, entre las columnas de Hércules, rugir al mar, con sangre renovada y pura, el viejo y
simbólico León de los iberos."

   Rubén permaneció en España —sin salir de Madrid
probablemente— durante todo el año 1899 y los tres primeros meses del siguiente. Sus artículos fechados en Madrid son treinta y cinco; el más antiguo, del 1 de enero
del 99; el último, del 7 de abril de 1900.
   Esos quince meses no fueron perdidos por el poeta.
Hizo éste en tal tiempo vida social y vida literaria, visitas y correrías, introduciéndose allí donde veía temas
para sus artículos, que es ésa la misión que cuadra a quie-

nes del periodismo viven. No descuidó tertulias, ni lecturas, ni espectáculos. Además de sus trabajos periodísticos, escribió versos, y no pocos, algunos de los cuales se publicaron por entonces en la Prensa de Madrid. En Madrid se extendió, aun con la oposición de muchos, aquella fama de Rubén que ya se había abierto en el otoño del 92. Fueron más que los de antes los escritores españoles a quienes, en el 99, trató el nicaragüense. Numerosos de ellos desfilan por las crónicas remitidas a *La Nación* v luego recogidas en libro.

11. F R A N C I S C A

N fecha no precisada —probablemente a mediados de la primavera de dicho año— complicóse el poeta su existencia sentimental, al trabar conocimiento con Francisca Sánchez del Pozo. Era Francisca una joven provinciana, de la vieja Castilla, garrida como una moza del Arcipreste de Hita, al decir de quienes por aquellos días la vieron. Menor de edad, hija de un guarda de la madrileña Casa de Campo, distaba mucho, como se comprenderá, de poseer el espíritu cultivado que a la mujer de un escritor le correspondía. Dicho en seguida: era analfabeta. A Rubén, que había tenido contacto con mujeres de distintas esferas sociales, le gustó Francisca; ella no tardó en acceder a las complacencias que se le pedían. Mas, siendo mujer honrada, cabe suponer su lucha interior, la sostenida con sus deseos, antes de la entrega total al hombre que, por estar casado, no podía hacerla su esposa, pero que, de hallarse libre, seguramente tampoco la hubiera conducido al matrimonio.

Durante unos quince años, Francisca Sánchez fue la amante solícita del poeta; cuatro hijos tuvo de él; el primero, una niña, que nació en 1900 y vivió sólo nueve meses; varones dos, y entre ellos otra niña, malograda también. Al primer varón, nacido en 1903, le llamaba su padre "Phocas"; al segundo, nacido en 1907, "Güicho". El pobre "Phocas" murió siendo muy niño. Su hermano Rubén Darío Sánchez llegó a hombre, heredó al padre, a quien sobrevivió más de treinta años, se casó, tuvo hijos y falleció en 1948.

Con Francisca vivió Rubén en Madrid y en París; en su compañía hizo algunos viajes cortos.

Testigos oculares de aquellas relaciones amorosas no las apreciaron de una misma manera; pero no parece caber duda de que la mujer fue con el poeta sumisa y dulce y, en no pocas ocasiones, realmente abnegada. No suele ser tarea fácil soportar a un escritor famoso; no lo es, desde luego, aguantar las incoherencias y torpezas de un bebedor consuetudinario; supóngase lo que sería para una mujer sencilla, no contaminada con las arbitrariedades del esnobismo, el vivir sujeta a un poeta beodo. La intimidad con un varón así se hace pesada, amarga, inquieta.

En su Autobiografía, Rubén no cita ni una sola vez a quien era la madre de sus hijos españoles. En cambio, le dedicó unos versos de sentida dulzura, que a su hora recogeremos.

Francisco Contreras sí dice algo de ella. "Era una joven humilde y sin letras, pero bonita y honesta. Durante los años restantes de Rubén Darío, ella sería esa compañera tierna y abnegada que da las rosas y guarda para sí las espinas." Más adelante: "Cautivado por su delicadeza, Amado Nervo la bautizó con el nombre de "la princesa Paca", con el que los amigos de Rubén la reconocerían durante algún tiempo." Más adelante: "Su vida, al lado de la buena Francisca Sánchez, era ahora (en París,

en 1901) más segura, más íntima, si no más ordenada."
Y más adelante aún: "Nuestro poeta no se sentía feliz
en su hogar improvisado. Su compañera era buena; pero,
sin instrucción, no sentía el menor interés por las letras.
Y en vez de constituirse en su educador, de alzarla a su
nivel mental, él se obstinaba en reproches injustos y en
vanas lamentaciones acerca de la incomprensión que le
rodeaba. Fue su triste cantilena hasta el fin de sus
días" (*).

(*) El libro reciente de Carmen Conde *Acompañando a Francisca Sánchez* brinda numerosas noticias sobre aquella que fue
"la verdadera mujer de Darío", a quien sobrevivió cerca de medio
siglo. A ella debemos la conservación —se verá más tarde— de
los fondos que hoy constituyen el archivo del poeta, establecido,
desde 1956, en Madrid.

ECHABA Rubén Darío, el 20 de abril de 1900, el primero de sus artículos para *La Nación,* escritos en París. Le había encomendado la dirección del periódico que se trasladara allí, para trazar unos comentarios sobre el Certamen Internacional que ese mismo mes se había inaugurado en la capital de Francia.

Darío dejó en España a Francisca y emprendió el viaje con el entusiasmo que, conocido su gran amor a París, podemos imaginar. Comenzó su nueva serie de crónicas con estas palabras: "En el momento en que escribo, la vasta Feria está ya abierta... La ola repetida de este mar humano ha invadido las calles de esa ciudad fantástica que, florecida de torres, de cúpulas de oro, de flechas, erige su hermosura dentro de la gran ciudad."

Doce o catorce artículos forman ese grupo de "impresiones parisienses" enviadas por el corresponsal al diario de Buenos Aires. Se ha dicho el día de la primera. La última está fechada el 8 de enero del año 1901.

Pero hay otras crónicas, de las hechas por entonces, que el poeta separó de las anteriores y reunió bajo este título: *Diario de Italia.* Son las escritas en varias ciudades italianas; ciudades recorridas, con un amigo, en el otoño de 1900 (septiembre, octubre, alguna en noviembre). Fueron cinco: Turín, Génova, Pisa, Roma y Nápoles. (Estuvo también el viajero en Venecia, pero nada vemos escrito entonces allí.)

Fruto de su pluma en aquel su primer viaje a Italia (otro hizo, tres años después) fueron las anotaciones, por lo general breves y muy a menudo diarias (de donde el título dado a la serie), que luego se agregaron a los aludidos artículos de París para formar el libro *Peregrinaciones*.

En lo escrito sobre Italia leemos algunos párrafos preciosos.

Ligeras muestras.

En Turín, al llegar: "Del hervor de la Exposición de París, bajo aquel cielo tan triste que sirve de palio a tanta alegría, paso a esta jira en la tierra de gloria que sonríe bajo el domo azul del más puro y complaciente cielo. Estoy en Italia, y mis labios murmuran una oración semejante en fervor a la que formulara la mente serena y libre del armonioso Renán ante la Acrópolis. Pues Italia ha sido para mi espíritu una innata adoración; así, en su mismo nombre hay tanto de luz y de melodía, que, eufónica y platónicamente, paréceme que, si la lira no se llamase lira, podría llamarse Italia. Bien se reconoce aquí la antigua huella apolónica."

En Génova: "Hermoso de toda hermosura el panorama de la ciudad, recostada sobre su vasto anfiteatro, dorada por el sol que se pone. Es una tarde azul acariciada de fuego. Las alturas se destacan como labradas sobre el cielo. En el Righi comienzan a encenderse vivas luces. El cristal marino refleja la ciudad y la luz celeste que declina. Hay una dulzura pacífica e íntima que llama al silencio y al recuerdo..."

En el cementerio genovés: "Buenas gentes que poseen los suficientes escudos se hacen fabricar un papá de bronce, una mamá de mármol y se colocan ellas mismas en actitud dolorosa. Y así, el cincel o la fundición perpetúan máscaras codiciosas, faces de enfermos, *bonshommes* satisfechos, imágenes de gordos rentistas o de secos traficantes. Ello da al contemplador *parte da riso e parte da vergogna,* como dice el Magnífico en su *Beoni.* Todo eso va aumentado con las largas leyendas en forma monumental, con todos los circunloquios y énfasis que son de ley en este país de la retórica latina."

En Roma: "Una palabra vibra en vuestro interior: Renacimiento. Desde el San Pedro negro hasta las estatuas con camisa, los ángeles equívocos, las virtudes y figuras simbólicas que labraron artistas paganos para papas paganizantes, todo habla de ese tiempo admirable en que los dioses pretendieron hacer un pacto con Jesucristo. De allí empezó la fe a desfallecer, el alma a disminuir sus vuelos ascéticos."

En Nápoles: "Nada recuerda aquí el madero del Nazareno, nada su religión de angustia; este sol, que en pleno otoño tuesta las rosas de Poestum, es el mismo sol jovial que doraba la frente de Séneca. La bahía de Nápoles, suavemente encorvada y palpitante, como una seda azul sobre un inmenso regazo, canta aún el *cum placidum ventis staret mare,* en su perpetuo idilio con los islotes de Sirenusa, coros de las rubias oceánides"... Se comprende aquí la resistencia al cristianismo, la taimada protesta del meridional epicúreo y jovial a una ley de tristeza y de mortificación; un Dios nuevo *¿a quoi bon,* si los viejos no han dejado de ser buenos? ¿Vale este doliente hombre coronado de espinas por aquellos radiantes silenos coronados de parra? ¿A qué pensar en las delicias de una gloria cuyo precio es la oblación y el mar-

tirio, cuando llegan hasta nosotros los alientos aromati-
zados de Misena, de Cumas, de Prócida, de Ischia? ¿Por
ventura ese cielo que promete el Crucificado será más
azul que el cielo del Mediodía? ¿Las delicias de ese Em-
píreo nuevo igualarán al beso que, al incendiarse las púrpuras de la tarde, pone el pescador en la boca de la pálida
pescadora? ¿Los ángeles tienen acaso los inmensos ojos
luminosos de estas mujeres doctoras del amor? ¡La tortura, el martirio! ¿Para qué, si la vida está llena de sol,
si huelen tan bien las flores de los naranjos, y el oscuro
vino tiene aún el secreto de las risas de los dioses?...
Nápoles está por Zeus, contra el Cristo."

Rubén, en Turín, presenció la entrada del duque de
los Abruzzos, que regresaba de su expedición al Polo;
en Pisa visitó la Cartuja y le hizo la habitual reverencia
a los cuatro ilustres monumentos pisanos; en Roma fue
recibido, con varios peregrinos argentinos, por el Papa
León XIII; vio al vanidoso D'Annunzio por la calle, "con
el aire de un Alcibíades clubman, seguro de su efecto", y
trabó conocimiento personal con otro vanidoso insoportable: el colombiano Vargas Vila. En Nápoles visitó al
crítico de arte Vittorio Pica y, por supuesto, se asomó a
Pompeya.

Mediado noviembre de 1900, hallábase en París de
nuevo. En la primavera siguiente realizó otro viaje rápido: esta vez, a Bélgica e Inglaterra. Londres, Bruselas,
Brujas. Luego, Dunkerque. Ya en verano, pasó a Dieppe,
con Francisca y el escritor argentino Manuel Ugarte.

El resto del año transcurrió para el poeta en París.
Pocas noticias hallamos, referentes a ese tiempo, en las
páginas autobiográficas que recorremos.

13. ANDALUCIA. ITALIA

AMBIEN fue 1902 año de andanzas. A fines de él, buscando el sol y la salud que necesitaba, sale de Francia Rubén y se encamina al Levante español. Tras una breve estada en Barcelona (la segunda, en el curso de sus viajes), pasa a Málaga; de aquí, a Granada; luego baja a Sevilla; sube a Córdoba; desciende a Gibraltar; entra en Tánger. Todo, en tiempo invernal, cuando los parisienses sufren bajo la intensidad de su húmedo frío. Andalucía recibe al poeta del trópico americano con su luz templada, sus flores de olor, su ambiente plácido, la dulce y blanda simpatía de su gente verbosa.

Todas esas ciudades desfilan, en no pocas líneas, por la prosa animada, coloreada, abrillantada del hombre enfermizo que la escribe para sus lectores argentinos.

El recorrido lo hace Darío yendo solo. Francisca, embarazada, se refugia en la muy modesta casa que tienen sus padres en el pueblo.

Terminado ese baño de sol meridional —andaluz y marroquí—, nueva estancia en Madrid, y de esta capital, al cabo de no muchos días, otra vez a la de Francia.

En 1903 continúan la inquietud y la sed viajera del escritor, su deseo vivo de captar sensaciones diversas, de hundir sus miradas en paisajes distintos, de entregarse, plenamente, a la curiosidad que le espolea por conocer gentes y ciudades, voces y costumbres. Remoza con su andar sin cansancio sus ideas; rectifica sus errores; enriquece su mundo de imágenes.

Al año en que ahora estamos pertenecen nuevos viajes a las tierras belgas e italianas y las primeras asomadas al centro de Europa: Alemania, Austria, Hungría.

En mayo recorre Rubén el célebre campo de batalla de Waterloo; pasa a Colonia; por el Rin, llega a Maguncia y a Francfort; entra en Hamburgo; después, en Berlín; se dirige a Viena; de allí, a Budapest; desciende a Venecia; baja más y visita Florencia.

Uno de sus mejores libros de prosa, el titulado *Tierras solares* —salió en Madrid, en 1904—, recoge esos artículos de viaje escritos en los dos años anteriores; los breves que se refieren a las tierras centroeuropeas (no ya "solares") aparecen en la segunda parte del volumen, bajo este rubro: "De tierras solares a tierras de bruma."

Dicho queda que es una de las mejores obras del autor. Nuevas palabras de cortesía afectuosa dedicadas a Barcelona: "Después de algunos años vuelvo a Barcelona, tierra buena. En otra ocasión os he dicho mis impresiones de este país grato y amable, en donde la laboriosidad es virtud común, y el orgullo innato, y el sustento de las tradiciones defensa contra debilitamientos y decadencias... La bondad de este cielo entra principalmente por los ojos y los poros, abiertos al cálido cariño del inmenso y maravilloso diamante de vida que nos hace la merced de existir."

"...esta Barcelona modernísima, hermana en trabajo de la potente Bilbao, afortunadas hormigas ambas que no han mirado nunca con buen mirar a la cortesana cigarra de Castilla..., la Barcelona de las rojas barretinas y de las compañías de vapores, la Barcelona de Rusiñol y de Gual, y la de las copiosas fábricas y los nutridos almacenes; la que hace oro, labra hierro, cultiva flores y se fecunda a sí misma, entre los montes altos, silenciosos, y las inmensas aguas que hablan."

Refiriéndose a Málaga: "Escribo a la orilla del mar, sobre una terraza adonde llega el ruido de la espuma. A pesar de la estación, está alegre y claro el día, y el cielo limpio, y el aire acariciador. Esta es la dulce Málaga, llamada la Bella, de donde son las famosas pasas, las famosas mujeres y el vino preferido para la consagración. Es justamente una parte de la 'tierra de María Santísima', con dos partes de la tierra de Mahoma... Hay en verdad mucho de lo típico en los barrios singulares, como el Perchel, la Trinidad y la escalonada Alcazaba; mas la ciudad no os ofrecerá mucho que satisfaga a vuestra imaginación, sobre todo si imagináis a la francesa, y no buscáis sino pandereta, navaja, mantón y calañés."

Sobre Granada: "He venido a visitar el viejo paraíso moro. He venido por un ferrocarril osado, bizarría de ingenieros, hecho entre las entrañas de montes de piedra dura. He visto inmensas rocas tajadas; he pasado sobre puentes entre la boca de un túnel y la de otro; abajo, en el abismo, corre el agua sonora. Así el progreso moderno conduce al antiguo ensueño."

Sevilla: "Aunque es invierno, he hallado rosas en Sevilla. El cielo ha estado puro y francamente hospitalario... La Giralda se ha destacado en espléndido campo de azur. Luego, las mujeres sevillanas, entrevistas por las rejas que hay a la entrada de los patios marmóreos y floridos, dan razón a la fama. He visto, pues, maravilla."

Tánger: "La ciudad se presenta sobre el celeste fondo; la ciudad blanca, muy blanca, tatuada de minaretes verdes. Confieso que es para mí de un singular placer esta llegada a un lugar que se compadece con mis lecturas y ensueños orientales, a pesar de que sé que es una ciudad profanada por la invasión europea, adonde la civilización ha llevado, con escasos bienes, muchos de sus daños habituales."

Venecia: "La primera vez me enamoré de Venecia con locura; hoy creo que estoy siempre enamorado de ella, pero haría un matrimonio de conveniencia... No porque la juzgue muerta, como Maurice Barrés, porque Anadiomena no muere, sino por las malas frecuentaciones y relaciones que ha tenido; no por su decadencia, sino por su profanación. Profanación del peor vicio cosmopolita que viene a flotar en góndola, para dar color local a sus caprichos; del ridículo literario de todas partes, que escoge como decoración de insensatez estos lugares divinizados por la poesía y consagrados por la historia; del dinero anglosajón y alemán, que vulgariza los palacios y las costumbres; del turismo carneril, que invade con sus tropillas todo rincón de meditaciones, todo recinto de arte, todo santuario de recuerdo. Esto se ha convertido, ¡oh, desgracia!, en la ciudad de Snobs, en Snobópolis."

Florencia: "Si sois artistas, esta ciudad es para largas permanencias, para venir a pintar un gran cuadro, vivir una bella vida, escribir un gran libro..., aunque fuese uno más en la inmensa bibliografía inspirada por la vieja urbe florida de los lirios y de las rosas."

Las últimas palabras del cronista puestas a sus pasos por Italia entran en seis renglones. Encima de ellos escribe: "Italoterapia." Y seguidamente: "El mejor sis-

tema de curación para la fatiga de las inmensas capitales, para el hastío del tumulto, para la pereza cerebral,
para la desolante neurastenia que os hace ver tan sólo
el lado débil y oscuro de vuestra vida : este sol, estas
gentes, estos recuerdos, esta poesía, estas piedras viejas."

14. PARIS. MADRID. ASTURIAS

L año 1905, Rubén Darío reparte su vida entre París y Madrid. A Madrid viene en
marzo; el día 28 lee versos suyos en el
Ateneo. Esos versos formarían parte del
mejor de sus libros: el titulado *Cantos de
vida y esperanza*, que él entrega a una imprenta madrileña y que sale meses después. El verano lo pasa en
Asturias. Allí le hace una visita *Azorín*.

Juan Antonio Cabezas, asturiano y biógrafo del poeta,
escribe, al llegar a este punto: "En el mes de agosto llega
a Asturias. Un tren de juguete lo lleva entre maizales que
aprietan sus orillas de verdor contra las ventanas. Va
desde Oviedo a San Esteban de Pravia. Vive en La Arena. Alquila para él solo un chalet que abre sus balcones
al mar Cantábrico y a los estuarios del río Nalón, claros
espejos de agua que tienen toda la profundidad del cielo.

"Rubén, el gran devorador de bellezas geográficas,
habla de su entusiasmo por los paisajes astures. En La
Arena hace cosas un poco extrañas, que pronto lo ro-
dean de una leyenda lugareña. Cada día hace traer de
Oviedo una barra de hielo, para preparar su cóctel con
media docena de vinos, jarabes y licores exóticos. Aque-

llas bebidas, de las que él se enorgullece ante sus amigos, diciendo: "Estos son mis mejores versos." Enseña versos y regala pesetas a los rapaces de La Arena. Y por las noches se baña completamente desnudo, a la luz de la luna... La leyenda del poeta llena de curiosidad morbosa las imaginaciones de las mujeres veraneantes de La Arena: esposas de "indianos" atormentadas por la neurosis..."

15. RIO DE JANEIRO. BUENOS AIRES. MALLORCA

ESDE que en diciembre de 1898 había salido de la Argentina, camino de España, hasta que, ya mediado el año 1906, partió de París, rumbo a Río de Janeiro, Rubén Darío no había pisado tierra americana. Fueron ocho años escasos los que duró su ausencia del continente patrio.

A Río de Janeiro marchó con misión diplomática; habíasele nombrado secretario de la delegación de Nicaragua en la Conferencia Panamericana convocada para aquellos días en la capital del Brasil. Dícese que él se perecía por las cosas brillantes de la diplomacia, pero ni en América ni en Europa —es lo cierto— se le otorgó nunca la categoría social que le hubiera lisonjeado. Era su obra de escritor y, sobre todo, eran sus versos, tan gustados por millares de lectores, el pedestal de su renombre y la base de la muy alta consideración que se le guardaba en cuantos lugares recorría. En los países sudamericanos hallaba siempre "el grupo", más o menos nutrido, nunca precario, de los admiradores entusiastas. Por aquellos años, como en los años de la mocedad de Darío, los nativos del Centro y el Sur de América dábanse mucho al verso, eran muy sensibles a la música de la poesía. Escribiendo poesías, no se ganaba allí dinero, por descontado; tampoco, en España; pero se adquirían las mieles de la fama y el prestigio. "A falta de plata..."

La intelectualidad brasileña, para la que Rubén no era ningún desconocido, se portó entonces como le correspondía; visita de poeta de América tan renombrado pedía el sonoro homenaje. No faltó. El dicho homenaje dejó de concretarse en un determinado acto público, para expandirse en numerosas atenciones de vario orden.

Por desgracia, un nuevo bache en su salud no permitió a Rubén disfrutar de cuanto planeaban sus admiradores de lengua portuguesa. Decidió acogerse al cálido ambiente de su amado Buenos Aires. Aquí, donde el número de sus amigos era mucho mayor que en las otras ciudades americanas, fue recibido con la efusión que se esperaba, tras la prolongada ausencia. Durante los años de su estancia en Europa, no había perdido él, gracias a las columnas de *La Nación,* su contacto frecuente con el público argentino. Sus crónicas de España, de Francia, de Italia, de todos los países por donde, en esos ocho años, viajó, publicadas en el citado gran diario, le habían proporcionado enorme cantidad de lectores y —huelga decirlo— panegiristas de su labor. No era ya sólo el poeta el ensalzado; éralo también el prosista de rico estilo, el articulista fino, agudo, penetrante y siempre tocado de baño de poesía.

Quiso *La Nación* reunir en torno a su insigne colaborador a cuantos deseaban no diferir el testimonio de su adhesión a aquella magnífica obra periodística, y se logró en un suntuoso banquete. Las libaciones dieron salida a la verbosidad, y ésta se abrió en líricos brindis, esos brindis retumbantes a que tan inclinados se sienten los hombres de letras nacidos en la América hispánica.

Dentro del año por el que vamos —1906— regresó Rubén a París, donde su cargo de cónsul de Nicaragua le esperaba. Tras unos pocos meses allí, otra vez la salud, doblándosele en caída inquietante, le hizo buscar defensas contra el frío parisino. Rubén pensó en Mallorca. La tentadora placidez, la luz de nácar, el mar templado de azules y esmeraldas, el aire suave, los pinos, los almendros, las flores, el silencio, la paz..., ¿cómo no rendirse al encanto que la isla maravillosa le brindaba para su cura de reposo, para el alivio de sus nervios rotos ya por el curso agitado y febril de sus pasos, en aquellas postrimerías del año 6?

Palma de Mallorca ofreció a Rubén Darío generosa hospitalidad. Allí vivió él en mansión acogedora, con jardín de espléndida fragancia. Le acompañó unos días Francisca. Quedáronse con él María y Güicho.

Habla el poeta, recordando sus gratísimos días mallorquines: "Visité las poblaciones interiores; conocí la casa del archiduque Luis Salvador, en alturas llenas de vegetación de paraíso, ante un mar homérico; pasé frente a la cueva en que oró Raimundo Lulio, el ermitaño y caballero que llevaba en su espíritu la suma del Universo. Encontré las huellas de dos peregrinos del amor, llamémosles así: Chopin y George Sand, y hallé documentos curiosos sobre la vida de la inspirada y cálida hembra de letras y su nocturno y tísico amante. Vi el piano que hacía llorar íntima y quejumbrosamente el más lunático y melancólico de los pianistas, y recordé las páginas de *Spiridion.*"

No es posible, al llegar a este punto, olvidar una de las poesías realmente singulares, por su giro de novedad y su lírica gracia moderna (mejor que gracia, diríamos humorismo) que escribió Rubén. Nos referimos, como saben los enterados, a la titulada *Epístola a la señora de*

Leopoldo Lugones. Al pie de ella leemos: "Anvers. Buenos Aires. París. Palma de Mallorca. MCMVI." De su lectura se desprende, no que la poesía, como algunos han supuesto, fuera escrita a lo largo de unos meses, en esas cuatro ciudades, sino que las cuatro van pasando sucesivamente por los versos, al referir el poeta algunos de sus pasos por ellas. La *Epístola* es una relación en versos de catorce sílabas —no siempre bien medidos—; el poeta va refiriendo algo de lo que vio y de lo que le pasó desde que llegó a Río de Janeiro, hasta que quedó dulcemente instalado en Palma. Se dio a conocer la poesía en *Los Lunes de El Imparcial.* Figuró luego en *El canto errante.*

> Mas, al calor de ese Brasil maravilloso,
> tan fecundo, tan grande, tan rico, tan hermoso,
> a pesar de Tijuca y del cielo opulento,
> a pesar de ese foco vivaz de pensamiento,
> a pesar de Nabuco, embajador, y de
> los delegados panamericanos que
> hicieron lo posible por hacer cosas buenas,
> saboreé lo ácido del saco de mis penas;
> quiero decir que me enfermé. La neurastenia
> es un don que me vino con mi obra primigenia.
> ¡Y he vivido tan mal, y tan bien, cómo y tanto!
> ¡Y tan buen comedor guardo bajo mi manto!
> ¡Y tan buen bebedor tengo bajo mi capa!
> ¡Y he gustado bocados de cardenal y papa...!
> Y he exprimido la ubre cerebral tantas veces,
> que estoy grave. Esto es, mucho ruido y pocas nueces,
> según dicen doctores de una sapiencia suma.
> Mis dolencias se van en ilusión y espuma.
> Me recetan que no haga nada ni piense nada;
> que me retire al campo, a ver la madrugada
> con las alondras y con Garcilaso y con
> el sport. ¡Bravo! Bien. Muy bien. ¿Y *La Nación?*
> ¿Y mi trabajo diario y preciso y fatal?
> ¿No se sabe que soy cónsul, como Stendhal?
> Es preciso que el médico que eso recete dé

también libro de cheques para el Credit Lyonnais,
y envíe un automóvil devorador del viento,
en el cual se pasee mi egregio aburrimiento,
harto de profilaxis, de ciencia y de verdad.

III

En fin, convaleciente, llegué a nuestra ciudad
de Buenos Aires, no sin haber escuchado
a míster Root a bordo del *Charleston* sagrado.
Mas mi convalecencia duró poco. ¿Qué digo?
Mi emoción, mi entusiasmo y mi recuerdo amigo,
y el banquete de *La Nación,* que fue estupendo,
y mis viejas siringas con su pánico estruendo,
y ese fervor porteño, ese perpetuo arder,
y el milagro de gracia que brota en la mujer
argentina, y mis ansias de gozar de esa tierra,
me pusieron de nuevo con mis nervios en guerra.

Y me volví a París. Me volví al enemigo
terrible, centro de la neurosis, ombligo
de la locura, foco de todo *surmenage,*
donde hago buenamente mi papel de *sauvage,*
encerrado en mi celda de la *rue Marivaux,*
confiando sólo en mí y resguardando el yo.
¡Y si lo resguardara, señora!... ¡Si no fuera
lo que llaman los parisienses una *pera!*
A mi rincón me llegan a buscar las intrigas,
las pequeñas miserias, las traiciones amigas
y las ingratitudes. Mi maldita visión
sentimental del mundo me aprieta el corazón,
y así cualquier tunante me explotará a su gusto.
Soy así. Se me puede burlar con calma. Es justo.
Por eso los astutos, los listos dicen que
no conozco el valor del dinero. ¡Lo sé!
Que ando, nefelibata, por las nubes... Entiendo.
Que no soy hombre práctico en la vida... ¡Estupendo!
Sí, lo confieso: soy inútil. No trabajo
por arrancar a otro su pitanza; no bajo
a hacer la vida sórdida de ciertos previsores.

Yo no ahorro ni en seda, ni en champaña, ni en flores.
No combino sutiles pequeñeces, ni quiero
quitarle de la boca su pan al compañero.
Me complace en los cuellos blancos ver los diamantes.
Gusto de gentes de maneras elegantes
y de finas palabras y de nobles ideas.
Las gentes sin higiene ni urbanidad, de feas
trazas, avaros, torpes, o malignos y rudos,
mantienen, lo confieso, mis entusiasmos mudos.

No conozco el valor del oro... ¿Saben esos
que tal dicen, lo amargo del jugo de mis sesos,
del sudor de mi alma, de mi sangre y mi tinta,
del pensamiento en obra y de la idea encinta?
¿He nacido yo acaso hijo de millonario?
¿He tenido yo Cirineo en mi Calvario?..."

Ya refiriéndose a Mallorca, el poeta continúa:

"Hay un mar tan azul como el Partenopeo;
y el azul celestial, vasto como un deseo,
su techo cristalino bruñe con sol de oro.
Aquí todo es alegre, fino, sano y sonoro.
Barcas de pescadores sobre la mar tranquila
descubro desde la terraza de mi *villa*
que se alza entre las flores de su jardín fragante,
con un monte detrás y con la mar delante.

La isla es florida y llena de encanto en todas partes.
Hay un aire propicio para todas las artes.
En Pollensa ha pintado Santiago Rusiñol
cosas de flor de luz y de seda de sol.

¿Por qué mi vida errante no me trajo a estas sanas
costas antes de que las prematuras canas
de alma y cabeza hicieran de mí la mezcolanza
formada de tristeza, de vida y esperanza?
¡Oh, qué buen mallorquín me sentiría ahora!
¡Oh, cómo gustaría sal de mar, miel de aurora,
al sentir como en un caracol en mi cráneo
el divino y eterno rumor mediterráneo!"

16. EL VIAJE TRIUNFAL
A LA PATRIA

E la luminosa calma de Mallorca, donde repuso su cuerpo y su espíritu —sus dos enfermos—, volvió Rubén Darío al ajetreo de sus andanzas. Antes de ello, en París, tuvo que sortear cierta confabulación tendida contra él por su esposa. Lo anómalo de la situación familiar del poeta —casado, separado de su mujer, sin separación legalizada, y amancebado con Francisca Sánchez, quien, pronto, y en París, el 2 de octubre, le daría el cuarto y último de sus hijos— se prestaba, por supuesto, a desagradables sorpresas. Lo cierto es que, por aquel tiempo, Rosario Murillo, a la que nadie podría tachar de "impaciente" —llevaba unos catorce años alejada de su marido, y en apariencia, resignada con aquella situación—, presentóse en París, decidida a que su marido hiciera con ella vida de matrimonio. Su decisión era firmísima; la impulsaba esa energía que dan a veces los celos a la mujer sosegada, cuando hay por en medio una insatisfecha raíz de amor. Y acaso también la espoleaba el anuncio de aquel nuevo hijo de Rubén. La ley estaba de su parte. Dábanle también la razón el ministro de Nicaragua en Francia, don Crisanto Medina —"diplomático de pocas luces, pero de mucho mundo"— y algunos funcionarios de la Legación y del Consulado, entre ellos el mejicano Julio Sedano. A quien Rosario tenía en contra, resueltamente, era a su propio esposo. Con motivo de tal desavenencia hubo entre los cónyuges diálogos irritados y aun palabras de amenazas proferidas por la señora. Esto preocupó mucho a Rubén —así lo afirman testigos del caso—, y durante no pocos días lo mantuvo en permanente sobresalto.

El señor Medina, por otra parte, no sentía hacia el cónsul de su país la más leve simpatía y no le guardaba, en consecuencia, la menor consideración. En diversas ocasiones lo puso de manifiesto, sin dejar lugar a dudas. Por ejemplo, cuando, por aquellos días, el Gobierno nicaragüense designó a Rubén y a Vargas Vila para que mediasen en un enojoso litigio sostenido, por cuestión de límites, entre Nicaragua y Honduras. Era nuestro rey, Alfonso XIII, quien había de actuar como árbitro de la cuestión. Y dícese que el señor Medina, siendo el jefe de la comisión de límites en aquel asunto, no hizo ningún caso ni de Darío ni de su compañero, el escritor colombiano, que a la sazón era cónsul de Nicaragua en Madrid.

Al decir de algunos amigos suyos, fue feliz la idea que concibió entonces Rubén, para desprenderse de la inquietud y la zozobra que la presencia de su mujer en París le estaba ocasionando, así como de las intrigas y desapacibilidades del citado ministro. Lo que se le ocurrió, sencillamente, fue marcharse a Nicaragua, procurando rodear ese viaje de una resonancia triunfal. La celebridad del poeta, evidente, y su prolongada ausencia del suelo patrio facilitaban, claro es, aquel propósito, si por unos censuradores tachado de vanidoso, por otros comentadores menos apasionados calificado de necesario y conveniente.

De París salió Rubén a fines de octubre del año 7, ya nacido su hijo. Embarcó en Cherburgo. El 23 de noviembre desembarcaba en el puerto de Corinto, tras una escala en Nueva York. Hizo el viaje en el vapor francés *Provence;* travesía desagradable, por el estado del Océano. En Corinto, y luego en León, y luego en Managua —cedamos la palabra a un biógrafo del viajero—, "hizo entradas triunfales. La muchedumbre llenaba las calles adornadas con palmas y laureles; las campanas y los vítores hacían temblar el cielo. En Managua, la multitud, delirante de entusiasmo, tomó al poeta en peso, y éste avanzó así entre palmas de cocotero que, plantadas a lo largo de la calle, parecían también saludarle. El Gobierno lo declaró huésped de honor por todo el tiempo de su permanencia...".

Era a la sazón Presidente del país el general don José Santos Zelaya, general, agricultor y, por añadidura, dictador de tipo liberal, aunque estos dos conceptos de liberalismo y dictadura no casen a gusto. Zelaya tuvo siempre al poeta en estimación muy alta, y el poeta le correspondió con este merecido elogio, en su Autobiografía: "Zelaya mantenía en un puño aquella tierra difícil. Diecisiete años estuvo en el poder y no pudo levantar cabeza la revolución conservadora, dominada, pero siempre piafante. El Presidente era hombre de fortuna, militar y agricultor; mas no se crea que fuese la reproducción de tanto tirano y tiranuelo de machete como ha producido la América española. Zelaya fue enviado por su padre, desde muy joven, a Europa; se educó en Inglaterra y Francia; sus principales estudios los hizo en el Colegio Hoche, de Versalles; peleó en las filas de Rufino Barrios, cuando este Presidente de Guatemala in-

tentó realizar la unión de Centro América por la fuerza,
tentativa que le costó la vida. Durante su presidencia, Zelaya hizo progresar el país; no hay duda alguna. Se ro-
deó de hombres inteligentes, pero que, como sucede en
muchas partes de nuestro continente, hacían demasiada
política y muy poca administración... Esos hombres se
enriquecieron o aumentaron sus caudales en el tiempo
de su actuación política. Otros *ad láteres* hicieron lo mismo; la situación económica en el país se agravó, y las
malquerencias y desprestigios de los que rodeaban al
Jefe del Estado recayeron también contra él. Esto lo ob-
servé a mi paso."

Unos meses estuvo Rubén en Nicaragua, recibiendo
agasajos y homenajes, invitaciones y alabanzas en todas
partes. Manifestaciones populares en su honor, veladas
literarias y musicales, banquetes copiosos. Nada faltó
para dejarle al poeta su vanidad (si la tenía) ampliamente
satisfecha. Decía él: "Para hacerme olvidar antiguas ig-
norancias e indiferencias, fui recibido como ningún profeta lo ha sido en su tierra."

Como un remanso de suave nostalgia en la agitación
de aquellos días fue la visita que hizo el triunfador a la
vieja casona leonesa, donde, al lado de doña Bernarda
Sarmiento, había transcurrido su infancia. Doña Bernarda vivía aún, ya viejísima, casi centenaria, y sintió la
emoción inenarrable de estrechar en sus brazos a quien
era como su hijo; su hijo, en la realidad de las emocio-
nes. Junto a sí tenía, hecho un hombretón, al niño que
ella había criado. Hombre famoso, de quien todos ha-
blaban en muchos sitios del mundo, era el que, después
de tantos años, llegaba al lugar por donde había corrido,
donde había aprendido las letras, donde había empezado
a escribir "coplas".

¿Era aquello, el homenaje de sus compatriotas, des-

arrollado retóricamente, y aquello otro, tan emotivo y
hondo, más íntimo, más noble, más puro, de volver al
trozo de tierra de su niñez, de sus primeros pasos, de
sus sueños iniciales; era sólo aquello lo que, en verdad,
había impulsado a Rubén para hacer su viaje? Lo era,
pero no como impulso único. Otras cosas más prácticas
buscaba el poeta en Nicaragua; una de ellas la obtuvo;
otra, no.

Esta segunda le amargó, como se comprenderá, las
horas felices y las profundas satisfacciones de que se veía
rodeado en su patria. Se trataba de conseguir el divorcio
de su matrimonio con Rosario Murillo. Legalizaría así su
situación, conquistaría la tranquilidad que tanto, en este
punto, necesitaba, y no para casarse con la mujer española que le había dado ya hijos, sino "para formar un
hogar con alguna dama que le aportase los medios económicos de que él, como sabemos, carecía". Esto que va
aquí entrecomillado —expresión no muy simpática en labios de un poeta— fue lo que el propio Rubén solía decir
a sus amigos.

Pero el objetivo no fue logrado. Siguiendo a su marido,
como quien sigue a un delincuente, y para ella lo era, la
incansable Rosario había hecho también "su viaje a Nicaragua", y allí en Managua se presentó, bien armada
de sus razones, dispuesta a deshacer cuanto contra ella
se tramara en aquel asunto del que era protagonista y
víctima.

Varios amigos oficiosos de Darío, para complacerle
en su deseo, llevaron al Congreso nicaragüense una adi-
ción a la ley del divorcio allí vigente, a fin de que éste
pudiera otorgarse cuando entre los cónyuges hubiese mediado una separación larga, aunque otro fundamento no
existiese. Y llegó a tomarse en consideración "el caso
Rubén Darío". Pero la astuta esposa —añade aquí un

biógrafo— frustró tales manejos, haciendo declarar al
poeta, por sorpresa, que en París había tenido trato con
ella, hasta el punto de darle dos mil francos.

Vino con esto a tierra lo tramado y todo quedó como
estaba meses antes. Rubén regresó a Europa. Rosario se
quedó en su país. La separación continuó, ya sin visible
soldadura.

Al volver a nuestro continente, Rubén se traía un
cargo de más brillo que pecunia: el que varios de sus
buenos amigos —el doctor Luis Debayle y los ministros
Castro y Gámez— le habían agenciado cerca del Presidente Zelaya. No tenía por entonces Nicaragua una holgada economía; pero, rebañando con buena voluntad
cuanto se pudo, se logró que Rubén Darío trajera en el
bolsillo sus credenciales de "ministro plenipotenciario de
Nicaragua en España".

Trajo las credenciales y le ofrecieron —nada más natural— los correspondientes honorarios. En seguida veremos lo que pasó.

17. MINISTRO DE NICARAGUA EN MADRID

RIMAVERA de 1908. Rubén, procedente de América, estuvo unos días en París, de tránsito. Despidióse allí de sus amigos y sus cosas, recogió las que había de llevar consigo y se trasladó a España. Vino con él, como secretario suyo, el ya mencionado señor Sedano.

Llegado a Madrid, hospedóse en el Hotel de París y se preocupó, sin pérdida de tiempo, de que "aquella legación —las palabras le pertenecen—, con información de pobreza, tuviese una exterioridad, ya que no lujosa, decorosa". La Prensa madrileña le saludó con toda cordialidad, como a "un reconocido amigo y queredor de España", dice él.

Para presentarse protocolariamente a don Alfonso XIII, como ministro de su nación en la nuestra, y en vista de que no le llegaba de París su flamante y dorado uniforme, ya pedido, y la presentación urgía, por la proximidad del veraneo del monarca —se abría el mes de junio—, solicitó de su amigo, el doctor Manrique, embajador de Colombia, que le prestara su traje, y así —escribe— "el antiguo cónsul general de Colombia en Buenos Aires fue recibido por el rey de España, como ministro de Nicaragua, con uniforme colombiano". Sedano, su acompañante, también desprovisto del suyo, se puso el de Amado Nervo. Día de la presentación : el 2 de junio.

Unas cuantas líneas dedicó Rubén en su Autobiografía a aquella visita oficial. Alfonso XIII estuvo con él "de una especial amabilidad, aunque en este caso todos los diplomáticos dicen lo mismo". Le habló de su obra literaria y demostró hallarse bien informado de los asuntos nicaragüenses y centroamericanos, por lo que dejó en el ánimo del visitante "la mejor impresión".

"La reina Victoria —sigue hablando el diplomático— apareció ante mi vista como una figura de arte. Por su rosada belleza, la pompa rica de su elegancia ornamental, y hasta por la manera como estaba dada la luz en el estrecho recinto donde me recibió de pie y me tendió la mano para el beso usual, ¡cuán hermosa y rubia reina de cuento de hadas! Hablé con ella en francés; todavía no se expresaba con facilidad en español." La reina madre, doña María Cristina, "delgada y recta, con la particular distinción y el aire imperial que reveló siempre la archiduquesa austríaca que había en la soberana española. Se mostró conmigo afable y de excelente memoria". Visitó luego Rubén a las infantas doña Isabel, doña Luisa y doña María Teresa. Esta, "¡pobrecita infanta!, acostumbrada a representantes hispanoamericanos como Wilde, Iturbe, Candamo y Beistegui, me confundió con esos millonarios y me habló de mi automóvil".

Para instalarse en Madrid como convenía al cargo diplomático que ostentaba, Rubén no disponía de recursos suficientes. Había de recibirlos precisamente de su poco amigo el señor Medina, menos amigo aún al ver que el poeta le había despojado de su destino en España, ya que era él quien, desde París, representaba a Nicaragua en varios países europeos; uno de ellos, el nuestro.

Poco tiempo duró en nuestra corte el pomposo representante oficial de los nicaragüenses: menos de un año (10). Hizo cuanto pudo por sostenerse, pero los medios para el sostenimiento no le llegaban. Medina, claro está, se mostraba más que reacio. El Gobierno de Zelaya tampoco se movía con la necesaria diligencia.

Hay cartas de Darío, escritas desde Madrid y dirigidas a varios compatriotas suyos (al general Zelaya, entre otros), donde se reflejan las inquietudes de su situación pecuniaria; situación caediza que acabaría, como acabó, efectivamente, cayéndose. Leamos algo de eso:

Carta del 13 de diciembre de 1908, al Presidente: "He estado un mes sin sueldo, y en otro recibí apenas una tercera parte, lo cual desequilibra por completo mi presupuesto... Aunque no se me aumente nada, dé usted las órdenes para que se me manden abonar ciertos gastos que, como los del cable (me refiero únicamente a despachos estrictamente oficiales...) y algunos extraordinarios o inexcusables de representación, no me alcanzan mis medios para arreglar."

Carta de un mes después, a un amigo: "Tú has visto cómo vivo y cómo es la vida en Madrid. Para todo me dan mil pesetas (por mes), y el nuevo ministro de Relaciones me dice que de esa suma han de pagarse los cablegramas oficiales... Tú me dirás: pero ¿por qué no renuncias? Por no dejar satisfechos a los que tú, gráficamente, llamas reptiles. Ya sabrás que Medina es quien me paga mis sueldos. Pues bien, hace cuatro meses que no recibo un céntimo. Mis escasos recursos, que apenas

---

(10) Se instaló en un piso de la calle de Serrano, número 31. En la fachada de la casa vemos una lápida que declara que allí vivió en 1908-1909.

me bastaban como Rubén Darío, han tenido que emplearse en todo este tiempo en sostener el decoro del ministro de Nicaragua ante S. M. Católica. Si te dijera que he tenido que malvender una edición de *Páginas escogidas* y mi piano, para poder hacer frente a la situación... Yo ya ni pido ni me quejo..."

Remachó el clavo el poeta, escribiendo, unos años después, en su Autobiografía: "El Gobierno de Nicaragua, preocupado con sus políticas, se acordaba tanto de su legación en España como un calamar de una máquina de escribir... Después de haber agotado escasas remesas de mis escasos sueldos, que, según me dijo el general Zelaya, tuvo que poner de su propio peculio, y cuando ya se me debía el pago de muchos meses, *La Nación,* de Buenos Aires, o, mejor dicho, mis propios sesos tuvieron que sostener, mala, pésimamente, pero, en fin, sostener, la legación de mi patria nativa, la República de Nicaragua, ante Su Majestad el rey de España... En fin —concluye el desilusionado—, para no tener que hacer las de cierto ministro turco, a quien los acreedores sitiaban en su casa de la villa y corte, trasladé mi residencia a París, en donde ni tenía que aparentar, ni gastar nada diplomáticamente."

CUANDO, en abril de 1909, el abandonado diplomático entraba de nuevo en París, recordaba los días allí pasados del año anterior. No hubiera entonces creído tener que volver tan pronto, tan ajado y desmarrido y tan sin peculio. Su nueva estancia en tierra francesa fue mucho más prolongada que la que acababa de pasar en la española. Pudimos nosotros haber retenido aquí al escritor ya famoso, haber hallado el modo de que no tuviera que marcharse, como lo hizo, descorazonado y con sus buenas gotas de amargor en los labios. El, sin embargo, no se amilanó, y otra vez en París, tornó a sus fantasías y al consuelo de sus alcoholes.

Es significativo lo que, sobre este punto, nos refiere Francisco Contreras. Ya instalado en un hotel próximo a la plaza de la República, Rubén Darío busca a ese buen amigo suyo; no le encuentra en su casa, por lo que le deja recado. El chileno, al día siguiente, se dirige al hotel donde Rubén se aloja y halla a éste "en fantástico traje de interior, con un pijama cereza de grandes flores blancas, entre dos abuelos melenudos, desastrosamente ebrio y con un vaso en la mano...". Desvariaba de tal modo, que Contreras no pudo entenderse con él y se escabulló.

Sus palabras merecen recordarse. "Este gran poeta, que huía de las gentes hasta cerrar su puerta a sus admiradores sinceros, se dejaba rodear fácilmente por los escritorzuelos o por los parásitos de las letras, que lo explotaban literaria o materialmente... Vino a verme algo sombrío. Había sido víctima esta vez de sus equívocos familiares; cierta cantidad (6.000 francos, creo) que un amigo mejicano, con quien viniera de Madrid, le había regalado, había desaparecido de su billetera. El pobre poeta no me dijo nada... ¡Cuál no fue mi sorpresa cuando, al día siguiente, me dijo que no contaba más que con mil francos para instalarse! Nos lanzamos al boulevard Sebastopol, y allí conseguimos adquirir los muebles indispensables... Como Francisca Sánchez llegara entonces de España, con su hijito y su hermana, nuestro poeta se instaló sin dilación."

Muchas de las páginas que Contreras dedica a Rubén, en su muy útil biografía del poeta, tienen el calor y el jugo de lo vivido. En aquella época parisiense de los dos escritores hispanoamericanos, los dos se veían casi a diario, y durante meses compartieron largas horas de charla. De lo estampado en tales páginas, bien podríamos nosotros obtener noticias para estas nuestras; pero preferimos, y no por negligencia, mantener el sabor de la prosa del chileno, y así pasamos a transcribir lo que juzgamos más interesante.

"Delicado de salud, profundamente neurasténico, nuestro poeta hacía estricta vida de interior, pasando meses sin salir, en tanto que amargado, nervioso por tanta tribulación, se mostraba a veces intransigente en sus opiniones y caprichos como un niño. Tornado fanático de la corrección, bastábale una rima que le sonara falsa o

una palabra que le pareciera incorrecta para condenar
una obra sin apelación... De otra parte, atormentado por
sus continuos temores del más allá, hacía ostentación de
una religiosidad exaltada y algo exterior. Mientras ha-
blábamos, solía fijar los ojos en un crucifijo, regalo de
Nervo, que tenía a la cabecera de la cama, y cuando yo,
que atravesaba una fugaz crisis de escepticismo, sonreía
de sus exaltaciones, exclamaba, mirándome severamente:
"¡Las aristocracias son siempre religiosas!" Otros días
estaba sereno y de buen humor. Ironizaba finamente a
propósito de ciertos personajes que se picaban de literatura y, revelando al fauno que en él había, hablaba de
cosas galantes, mas nunca groseras, sonriendo o riendo
sin ruido, según su costumbre.

"Acompañado por Ricardo Rojas, que andaba por
Europa, nuestro poeta estuvo aquel verano (1909) en la
costa de Bretaña, en la *villa* de un conde ocultista y en-
demoniado, que tenía la casa de Mefistófeles: el conde
Austin de Crose... Al volver a París, reanudó su existencia de reclusión y recogimiento. En tan singular existencia, trabajaba continuamente; escribía sus artículos
con gran cuidado, sin apresurarse; hacía a veces versos
y leía sin reposo: leía libros, revistas, periódicos, castellanos y extranjeros, que lo tenían siempre al corriente
de la actualidad literaria mundial. Estaba lejos, sin embargo, de ser un bibliófilo. No conservaba los libros, ni
siquiera los suyos, como no guardaba los recortes de todo
lo que publicaba. Cuando partió de la Argentina, en
1898, no llevaba ni un ejemplar de *Los raros,* ni de *Prosas
profanas,* que acababan de aparecer, y cuando formó esta
colección no pudo incluir ciertos poemas, como *El clavicordio de la abuela* y *Tutecotzimí,* que debían haber
entrado en ella, porque no los conservaba. Un ejemplar
de *Abrojos,* que yo le di, cediendo a sus instancias, lo

entregó a Andrés González Blanco, para componer sus
Páginas escogidas y, naturalmente, no pudo recuperarlo.
Este gran poeta no era el escritor que se complace en ro-
dearse de los elementos de su labor; era el periodista que
se documenta al pasar y sigue su camino, libre de bagaje
literario. Las veces que abandonó su departamento con sus
muebles, en cambio del arriendo que debía, ni pensó siquiera en sacar sus libros.

"Una noche que lo encontré recogido, me leyó, en
cama, vibrante aún del placer de la creación, su *Canto a
la Argentina,* cuyo último verso acababa de escribir. "Imi-
tarán esto también", me dijo, algo azorado. "Sin duda",
le contesté riendo, y no me equivocaba. Comúnmente hablaba poco y se expresaba con cierta dificultad, en frases rápidas, imprecisas, que acentuaba de oportunos "ca-
rajos", con la jota aspirada de los centroamericanos, y
que animaba con la expresión de la boca y de los ojos.
Una vez que charlábamos acerca de los viejos maestros
españoles, como yo, en la intransigencia de la juventud,
hablara despectivamente de uno, me replicó en tono respetuoso, bien que con ambigua sonrisa: "No, ése tenía
su cosa." Y, como criticara a otro menos famoso: "No,
ése tenía también su cosa." Y, como censurara a otro
inferior: "También tenía su cosa." Y de allí no salió.
Pero, cuando cedía a la tentación del demonio del alcohol, su palabra se hacía fácil y hasta elocuente. Como
transformado, me refería entonces numerosas anécdotas
de su infancia y de su juventud errante...

"Entusiasmado por los recuerdos y por los continuos
sorbos de *whisky,* que bebía devolviendo una parte por el
colmillo, solía dictarme versos... ¿Por qué no me apro-
pié de esas truculentas improvisaciones que habían de
perderse, y en las cuales, entre mucha hoja loca, había
más de una linda flor?

RETRATO DE RAFAELA CONTRERAS.

Primera esposa del poeta.
Dibujo inédito.

RETRATO DE ROSARIO MURILLO.

Segunda esposa del poeta.
Dibujo inédito.

"Cuando la crisis de alcoholismo se declaraba, el pobre poeta se volvía más adusto que de costumbre, y tan inquieto, que no lograba permanecer cinco minutos en el mismo sitio. Su salud se resentía, y no podía ya dormir ni alimentarse suficientemente. Su carácter se alteraba, y por la menor cosa regañaba a su buena amiga... Francisca y María lo cuidaban entonces día y noche, cual a un niño enfermo y caprichoso, sufriendo las consecuencias de su estado de exasperación... El pobre dipsómano caía en cama, y asistido por algún médico amigo, pasaba largos días postrado, presa del delirio, en la más completa impotencia y a veces entre la vida y la muerte. El gran poeta no debía a su excitación sus obras geniales, como se ha dicho, sino solamente breves días de animación morbosa y muchos de desesperación, de pesadillas y de enfermedad. Había tenido *delirium tremens* y, si no estaba aún impotente, sólo de tiempo en tiempo su virilidad se despertaba, lo cual era visible en ciertas miradas que solía dirigir a la joven María. Los médicos le habían dicho más de una vez que el alcohol acabaría con su robusta naturaleza. El lo comprendía y luchaba desesperadamente contra la tentación. Fui yo testigo de sus rebeliones y sus propósitos de enmienda, y en más de una ocasión lo vi pasar meses en la más estricta abstinencia. Pero llegaban las contrariedades y los apremios consecuentes a su situación precaria y a su temperamento desordenado, y volvía a su "paraíso artificial", como a un refugio libertador.

"Poco antes, Castelar y Valera recibían sumas enormes por sus trabajos. Rubén Darío, que era entonces el primer escritor en el dominio de la lengua, no ganaba con su labor incesante sino lo indispensable para vivir. Las publicaciones en que escribía le pagaban poco o irregularmente; los editores le daban una miseria, o nada.

La Nación, de Buenos Aires, que desde hacía veinte años
lo contaba entre sus colaboradores, le pagaba seiscientos
francos por tres artículos mensuales; *El Fígaro,* de La
Habana, le enviaba sus modestos honorarios con irritan-
te tardanza. Los editores de París le daban doscientos
francos por sus libros famosos, y uno de Madrid no le
envió nunca un céntimo. Por otra parte, este gran poeta,
que era un hombre íntegro, se veía continuamente atacado, escarnecido, ridiculizado... Sus discípulos y sus
amigos, que le debían tanto, lo agobiaban con sus exigen-
cias o con sus insolentes murmuraciones... Siempre ur-
gido, gastaba en sus caprichos rumbosamente, si bien,
como todo pobre manirroto, mostraba en ocasiones una
sordidez que hacía sonreír... Arrojaba flores a sus enemigos prestigiosos o les dirigía cartas, como la que escribió a Unamuno, en que las quejas iban envueltas en
elogios. Su vida era, pues, un tormento material y moral,
continuado, y ello explica, si no justifica, su dipsomanía.

"Cuando las crisis alcohólicas pasaban, nuestro poeta
reanudaba su vida de labor y de lecturas... Cada día más
anemiado, salía menos cada día, y se obstinaba en no
acercarse a los escritores franceses que eran sus amigos
reconocidos... Esto no quiere decir que nuestro poeta
viviera aislado. A su retiro venían a verlo de continuo
los escritores americanos y españoles que pasaban por
París... Nuestras charlas eran a veces bastante animadas.
Francisca Sánchez no terciaba jamás en ellas, y ni siquiera se mostraba. En cambio, su hijito estaba siempre
entre nosotros, con su aire algo triste, pero despierto y
lleno de la gracia de la infancia. Darío sentía por él intenso cariño que, si no se manifestaba en gestos ni en
palabras, se hacía ver en las miradas mojadas de ternura que le dirigía."

19. EL VIAJE MALOGRADO A MEJICO

ENTRO del año 1910, lo más destacado en la biografía de Rubén Darío fue el viaje que éste hizo a Méjico, con carácter al principio oficial y pronto torcido, hasta concluir en un viaje particular cualquiera, bien que con "vivas" al poeta y "mueras" a quienes, por razones de política, de muy baja política, le despojaron del mencionado carácter.

Para representar a su país en las fiestas conmemorativas del centenario de la independencia mejicana, el Gobierno de Nicaragua, que estaba entonces en las manos del doctor don José Madriz, designó a Rubén Darío, en junio del dicho año. Contento y halagado por tal designación, el "enviado extraordinario" salió en seguida de París y embarcó para América, llevando de secretario a un joven filipino llamado José Torres Perona.

Pero el mando del doctor Madriz carecía de firmeza, y pronto se comprobó, desgraciadamente. Al tocar en La Habana el barco en que viajaba, Darío recibió la desagradable noticia del aludido cambio de Gobierno, realizado, como es uso en aquellos países del centro y el sur de América, por un acto de fuerza. El nuevo gobernante se llamaba Estrada y había escalado el poder ni más ni menos que apoyándose en los inevitables "marines" yanquis, para dar su "golpe", si no se prefiere decir que el tal "golpe" lo habían dado los "marines", para entregar el poder a su citado amigo y seguro servidor.

Harto festejado fue el poeta, por autoridades y escritores, en tierra cubana, durante los pocos días que permaneció allí (11), esperando recibir contestación al cablegrama que, como es lógico, al saber lo sucedido, se había apresurado a enviar al nuevo mandatario de su país, saludándole protocolariamente y pidiéndole instrucciones. Estas no llegaron sino en una forma descortés que al poeta, desde luego, ofendía y humillaba. El señor Estrada, que recordaría, sin duda, los versos de Rubén

_____

(11) El 3 de septiembre le dieron un banquete los escritores de La Habana, en el que habló Max Henríquez Ureña, quien dijo: "Ciertamente, no serás el poeta de América, si por tal se entiende al que no sepa cantar otras sensaciones que las que pueda inspirarle esta gran patria continental, proteiforme y fragante... Pero, ni soy partidario de los poetas monocordes, ni creo que necesitas mayor suma de savia americana en la floresta rica y variada de tu poesía. Tú fuiste el primero en levantar el pendón de la rebeldía contra la anquilosis tradicional del verso castellano, y en sostenerlo, como lo has sostenido, noble y airosamente, sin responder a las interrogaciones sarcásticas de la muchedumbre. Tú diste al endecasílabo flexibilidad y amplitud en los acentos rítmicos, adoptando una práctica añeja que había sido despreciada por los rimadores de academia. Tú vaciaste la estrofa en moldes nuevos, acogiendo de manera armoniosa en lengua castellana las combinaciones de metro y rima que han sido favoritas de los grandes poetas de Francia. Tú has impuesto el metro libre, dándole brillantez y eufonía. Tú has dado al alejandrino mayor soltura y elegancia. Tú has resucitado el hexámetro, que sirvió a Homero para encarcelar en su poema eternal el fragoroso estruendo de las batallas. Así, no sólo eres, por el vigor y la aristocracia de tu sentimiento, por la riqueza de tu léxico, por la variedad y elevación de los temas que cantas, el poeta más grande que tienen las letras castellanas en los albores del siglo XX, sino que, además, eres tú quien ha realizado una revolución redentora en nuestra métrica."

A Roosevelt, "el futuro invasor de la América ingenua", y tal vez cierta crónica antiyanqui del mismo autor, publicada, unos meses antes, en París, no encontró mejor manera de servir a sus amos, los dichos yanquis, que retirando secamente la representación oficial dada por el depuesto presidente al único hombre que, por aquellos días, podía honrar con su presencia a Nicaragua, sin la mancha de la política nicaragüense a la sazón imperante.

En el penúltimo capítulo de su Autobiografía, Rubén Darío trató someramente de todo aquello con estas palabras:

"Aunque ya en La Coruña, por un periódico de la ciudad, supe yo que la revolución había triunfado en Nicaragua, y que el presidente Madriz se había salvado por milagro, no di mucho crédito a la noticia. En La Habana la encontré confirmada. Envié un cablegrama pidiendo instrucciones al nuevo Gobierno, y no obtuve contestación alguna. A mi paso por la capital de Cuba, el ministro de Relaciones Exteriores, señor Sanguily, me atendió y obsequió muy amablemente. Durante el viaje a Veracruz, conversé con los diplomáticos que iban a bordo, y fue opinión de ellos que mi misión ante el Gobierno mejicano era simplemente de cortesía internacional, y mi nombre, que algo es para la tierra en que me tocó nacer, estaba fuera de las pasiones políticas que agitaban en ese momento a Nicaragua. No conocían el ambiente del país ni la especial incultura de los hombres que acababan de apoderarse del Gobierno.

"Resumiré. Al llegar a Veracruz, el introductor de diplomáticos, señor Nervo [don Rodolfo Nervo, hermano del poeta], me comunicaba que no sería yo recibido oficialmente, a causa de los recientes acontecimientos; pero que el Gobierno mejicano me declaraba huésped de honor de la nación. Al mismo tiempo se me dijo que no

fuese a la capital y que esperase la llegada de un enviado
del Ministerio de Instrucción Pública. Entre tanto, una
gran muchedumbre de veracruzanos, en la bahía, en barcos empavesados, y por las calles de la población, daban
vivas a Rubén Darío y a Nicaragua y mueras a los Estados Unidos. El enviado llegó con una carta del ministro,
mi buen amigo don Justo Sierra, en que, en nombre del
Presidente de la República, y de mis amigos del Gabi-
nete, me rogaban que pospusiese mi viaje a la capital.
Y me ocurría algo bizantino. El gobernador civil me decía
que podía permanecer en territorio mejicano unos cuantos días, esperando que partiese la delegación de los Estados Unidos para su país, y que entonces yo podría ir
a la capital; y el gobernador militar, a quien yo tenía
mis razones para creer más, me daba a entender que
aprobaba la idea mía de retornar en el mismo vapor para
La Habana... Hice esto último. Pero antes visité la ciudad de Jalapa, que generosamente me recibió en triunfo.
Y el pueblo de Teccelo, donde las niñas criollas e indí-
genas regaban flores y decían ingenuas y compensadoras
salutaciones. Hubo vítores y músicas. La Municipalidad
dio mi nombre a la mejor calle. Yo guardo, en lo preferido de mis recuerdos afectuosos, el nombre de ese pueblo querido... En Veracruz se celebró en mi honor una
velada, en donde hablaron fogosos oradores y se canta-
ron himnos. Y mientras esto sucedía, en la capital, al
saber que no se me dejaba llegar a ella, los estudiantes
en masa e hirviente suma de pueblo recorrían las calles,
en manifestación imponente contra los Estados Unidos.
(Esto, el mismo día del centenario: el 15 de septiembre.)
Por la primera vez, después de treinta y tres años de dominio absoluto, se apedreó la casa del viejo Cesáreo
que había imperado. Y allí se vio, se puede decir, el

primer relámpago de la revolución que trajera el des-
tronamiento."

(El dictador Porfirio Díaz cayó de su "trono", en efecto, a comienzos de 1911, pocos días después de llegar a
París nuestro poeta. Era ya un viejo inservible. Había
mandado, como un tirano más, en su nación durante más
de treinta y tres años.)

Continúa el relato de Darío:

"Me volví a La Habana... Las manifestaciones simpá-
ticas de la ida no se repitieron a la vuelta. No tuve ni una
sola tarjeta de mis amigos oficiales... Se concluyeron en
aquella ciudad carísima los pocos fondos que me quedaban y los que llevaba el enviado del ministro Sierra.
Y después de saber prácticamente, por propia experiencia, lo que es un ciclón político y lo que es un ciclón de
huracanes y de lluvia en la isla de Cuba, pude, después
de dos meses de ardua permanencia, pagar crecidos gastos y volverme a París, gracias al apoyo pecuniario del
diputado mejicano Pliego, del ingeniero Enrique Fernández y, sobre todo, de mis cordiales amigos Fontaura Xa-
vier, ministro del Brasil, y el general Bernardo Reyes,
que me envió por cable, de París, un giro suficiente."

A fines del año 10 llegaba de nuevo a París aquel a
quien uno de sus mejores amigos denominaba "poeta
puro que carecía del sentido de la vida práctica", y
"hombre jamás escarmentado", y también "nunca curado
de su afición por la diplomacia y listo siempre para toda
aventura". El no haber querido humillarse ante los militares norteamericanos, ni ante los politicastros de Centro
América, le conducía otra vez al suelo, mucho más cle-
mente y fino, de Europa.

20. DIRECTOR Y «VIAJANTE» DE «MUNDIAL»

ASO en París Rubén Darío el año 1911. Así como, en el 10, fue el fracasado viaje a Mejico la noticia más importante de su biografía, en el 11, la más importante fue su actividad como director de la revista parisiense *Mundial*.

Fundaron esta publicación don Alfredo y don Armando Guido, jóvenes capitalistas uruguayos. Editada en idioma español, con buen atuendo tipográfico y excelente papel, ocupábase preferentemente de cuanto se relacionara con la América de nuestra lengua. Salía mensualmente. El primer número apareció en mayo.

Se ha dicho, y es cierto, que, si los citados fundadores buscaron a Rubén para encomendarle la dirección literaria de *Mundial* (de la artística se encargó el dibujante español Leo Merelo), ello debióse ni más ni menos que a la necesidad de prestigiar la nueva empresa periodística, colocando a su frente un nombre de innegable relieve y resonancia.

Capitaneando un periódico de literatura y arte, Rubén habría estado en su puesto; podríamos decir, "en

su salsa". No lo estaba, dirigiendo una publicación de
carácter social, mundano y comercial, como era aquélla.
Hubo amigos que se lo advirtieron. "Eso no es digno de
usted —le manifestó uno—. Yo no concibo, por ejemplo,
a Anatole France, como director de *Je sais tout*." Fue el
mismo amigo que, al saber, por el propio Darío, el sueldo que éste percibiría —cuatrocientos francos mensuales—, le aconsejó resueltamente que no aceptara. Y remachó: "Se arrepentirá usted."

Pero aquel escritor de renombre, autor de libros notorios, cronista de *La Nación,* no estaba, en 1911 —cuando se aproximaba a sus cuarenta y cinco años—, en condiciones de rechazar lo que él creyó honradamente que
le convenía, sin desfavorecerle. Su independencia económica, menos que relativa, no le permitía tales orgullos.
El hombre traído y llevado por los viajes, semifracasado,
contra su voluntad, en casi todos los cargos que de la
diplomacia americana obtuvo, con libros que apenas le
habían reportado beneficios aceptables en el campo fi-
nanciero, ¿qué había de hacer, ante aquello, tangible,
que le presentaban? No era sólo el sueldo; ofrecíasele
además el pago aparte de los trabajos que diera a la revista.

Editada por la misma empresa, salió muy poco después la revista *Elegancias;* como de su título se desprende,
dedicada al público femenino. También dirigida por
Rubén.

Ambas publicaciones fueron bien recibidas en la América española y no mal en España. Claro está que el nombre de su director influyó notablemente en ello. Por lo
demás, la calidad literaria de lo que en ambas se daba
no se sobreponía al tono de lo mediocre. Hubo entre sus
colaboradores los consabidos diplomáticos aficionados a
la literatura, los *croniqueurs* de salones, los comentaris-

tas superficiales. Menos mal que la pluma del director, con versos y prosas (prosas, más asiduamente), contrarrestaba lo anodino de muchas de sus páginas. En *Mundial* fue donde publicó el maestro sus breves semblanzas de escritores y políticos, bajo el título de *Cabezas,* y que, muerto él, se reunieron en forma de libro así titulado.

Antes de cumplirse el primer aniversario de la aparición de *Mundial,* se pensó en la conveniencia de una *réclame* de gran extensión y altura. Para disfrazar, en lo posible, su finalidad comercial, dándole categoría, propúsose a Rubén Darío, y él lo aceptó sin vacilaciones, una serie o ciclo de conferencias por las principales naciones del habla hispánica. Al calor de las disertaciones y las lecturas de versos del poeta célebre, la revista por éste dirigida —así lo pensaron sus editores, sin duda— subiría de nombre, crecería en lectores, se enriquecería de anuncios... Buen negocio, vista la cosa así. Rubén fue fácilmente ganado para abanderar la provechosa gira.

Ya todo dispuesto, el poeta, don Alfredo Guido, un fotógrafo francés y el articulista Javier Bueno, salieron de París el 27 de abril y empezaron por España el largo recorrido planeado. Barcelona, y en seguida Madrid, fueron las capitales elegidas para iniciar las veladas literarias, de las que tanto fruto se prometían sus organizadores.

En Barcelona, Rubén fue recibido triunfalmente. (Sus compañeros de viaje no cuentan aquí.) Los barceloneses y no pocos hispanoamericanos se desvivieron por hacerle grata la estancia entre ellos. De todo hubo. Velada en el Ateneo, comida en la Casa de América, visita al Instituto de Estudios Catalanes, excursión a Sitges, etcétera.

En Madrid subió Rubén a la tribuna del Ateneo, el más prestigioso por entonces de los centros de cultura

que había en la capital de España. Leyó versos; levantó
una oleada de entusiasmo entre quienes le seguían y ad-
miraban; el ataque de los enemigos, que no eran escasos,
tampoco faltó y también ayudó, naturalmente, al renombre, una vez más pregonado, del versificador.

De España pasaron los viajeros a Portugal; de aquí,
al Brasil. Del Brasil, al Uruguay. Del Uruguay, a la Argentina. Aquí, Rubén enfermó, "abatido por la neurastenia", imposibilitándose con ello que pasara a Chile,
como estaba proyectado en el itinerario.

Una carta suya, fechada en Río de Janeiro, el 15 de
junio, y dirigida a su amigo Alberto Ghiraldo, ya declara
bastante y revela lo que en el fondo era aquella "gira",
cuya finalidad mercantilista se agazapaba a la sombra
del ingenuo liróforo, traído y llevado por sus empresarios.
Oigámosle: "Voy explotado; explotado con mucho dinero, pero explotado... No es para ahora, porque se trata
de asuntos que tienen que ser hablados, que yo entre en
detalles de esta cosa de *Mundial* y *Elegancias,* en donde
no hay duda ganaré algo para la vida, pero en la cual mi
buen gusto suda y mi dignidad corcovea. París vale una
misa. Aquí se trata de muchos miles de francos, y cedo
en cuanto al buen gusto..."

Se hallaba el poeta en Buenos Aires, en agosto,
cuando la dirección del semanario *Caras y Caretas,* viendo que había que ayudarle con algo más que con veladas
de retórica y lecturas de versos, le encargó un relato de
su vida, en prosa, lo suficientemente largo para poder,
después de publicarlo en varios números de la revista,
formarse con él un volumen de más de doscientas páginas.

Se nos dice que la cantidad ofrecida por el trabajo
no fue mezquina; pero se nos informa también que, la-

mentablemente, el autor no llegó a cobrarla, porque delegó el cobro en un individuo "de su confianza", y éste, abusando de la misma, se quedó bonitamente con el dinero. Comenta el punto uno de los biógrafos del vate: "El pobre poeta tenía que ser burlado en todas partes por los parásitos de las letras."

Otro mal trago le esperaba —en seguida se dirá—, con su mentada Autobiografía. Empezó a escribirla el 11 de septiembre; la concluyó el 5 de octubre. Las dos fechas aparecen estampadas tras su línea final. (Hemos dicho "empezó a escribirla"; mejor será decir "empezó a dictarla", porque la revista, no fiándose mucho de que el poeta se pusiera a trabajar en ella, le envió, durante los días que fueron precisos, un amanuense encargado de recoger lo que Darío le fuera dictando, facilitándose de este modo el trabajo que tanto interesaba obtener.)

Se encontraba Rubén maltrecho de salud por aquellos días. Hizo su relato forzando el motor de su voluntad y acogiéndose al gusto que le producía hablar de cosas de su pasada existencia.

Ya acercándose las postrimerías del año, se aprovechó una clara mejoría en el estado de la salud de Rubén para preparar el viaje de regreso a París. La gira, que se esperaba más larga y productiva, quedó así cortada a la mitad de su camino. Poco más de siete meses duró: de fines de abril a fines de diciembre. La amistad entre el director y los propietarios de *Mundial* inició por entonces su eclipse. Varios meses tardó aún en romperse del todo, pero ya en las tierras de América se pudo ver el anuncio de lo que, al fin, sucedería.

En cuanto al "mal trago", ya aludido, se lo proporcionó al poeta la incalificable acción de un editor barcelonés que, tomando la Autobiografía de las páginas de *Caras y Caretas,* la reprodujo en un tomo, con todo des-

caro, sin solicitar autorización de nadie y sin abonar a
nadie un céntimo. El poeta así menospreciado y la revista bonaerense que había contratado con él la obra,
debieron haber procedido judicialmente; pero... las cosas
suceden como el destino ordena, y no como la justicia
demanda.

Otra versión del lamentable punto sostiene que fue
Julio Sedano, el desmoralizado secretario de Rubén Darío,
quien entregó a dicha Editorial una copia del texto autobiográfico de referencia, diciendo tener para ello poderes
del autor.

21. PARIS, MALLORCA, BARCELONA

RUBEN Darío, que había cumplido sus quince años en Nicaragua, sus veinte en Chile, sus veinticinco en Costa Rica, sus treinta en la Argentina, sus treinta y cinco en París, sus cuarenta en Palma de Mallorca y sus cuarenta y cinco en París otra vez, entraba en el año 13 con más nombradía y brillo para su persona, que salud, bienestar, tranquilidad y porvenir asegurado. Si de los quebrantos de su organismo podía, por los desarreglos incurables de su vida, ser el solo culpable, de los bamboleos de su economía no lo era, en realidad, o lo era en mínima parte. ¿Cómo culparle de que no recibiera más dinero por sus obras?; ¿de que sus funciones diplomáticas, tan breves, le hubieran producido más penurias que ingresos y más disgustos que satisfacciones?

Llegó el dicho año 13 hallándose el poeta nicaragüense en París, sin posición firme ni estable, ensalzado por unos, zaherido por otros, engañado por muchos, envidiado por tantos, sin hogar fijo ni seguro, amarrado a un trabajo cerebral intenso, si había de subsistir, sin la menor protección de su patria, con libros cuya venta no le daba nada, con existencia rodeada de incertidumbres, algo más que un poco desconcertado en el rumbo de sus proyectos... Seguía siendo el director de *Mundial,* pero ya a desgana, sin la recompensa merecida, tropezando con recelos, descontentos, desavenencias, contrariedades...

Incluso se acentuaron por entonces los resentimientos y enconos que le iban alejando de Francisca. Esta mujer, que era todo lo contrario de una *femme savante,* que era una española sencilla, humilde, fiel y callada, sin la más remota pretensión de acercarse al "mundo intelectual" de su amante, continuaba soportando (el gerundio aquí es justo, y no hay por qué eludirlo) el carácter difícil del poeta, "un poeta", con todo lo que tiene ya esto de "difícil"; y poeta famoso, para mayor "dificultad" en el terreno de la convivencia plácida.

En junio del año por el que ahora discurrimos —el 1913—, un íntimo amigo de Rubén fue a visitarle en su casa de la parisina rue de Michel Ange. "Lo encontré enfermo, en cama —nos refiere—. Hice cuanto pude por distraerlo, contándole mil cosas de la vida literaria parisiense, en la cual andaba mezclado. Pero él, que se interesaba siempre por esas cosas, apenas me escuchaba. Estaba realmente desesperado, sin saber qué partido tomar en el atascadero de su situación. Fue la última vez que lo vi. Cuando volví a su casa, Francisca me dijo, algo nerviosa, que acababa de partir para España, en busca de reposo y mejor clima. Hallábase en la casa un español de aspecto sospechoso, que olía a ajenjo y hablaba groseramente, devorando a María (la hermana pequeña de Francisca) con la mirada. Era el secretario que los Guidos habían proporcionado a Rubén Darío. ¡Pobre poeta!"

Mallorca, por segunda vez, recibió en su calma delei-

RETRATO DE D. JOSE ZORRILLA.

Uno de los poetas españoles que más influyeron en la formación
de Rubén. Este habló con él, en Madrid, en 1892.

RETRATO DE D. RAMON DE CAMPOAMOR.

Otro de nuestros poetas que influyeron notoriamente en la formación de Darío. Este lo trató en Madrid, en 1892 y 1899.

tosa al atormentado enfermo. Pilar Montaner, la pintora,
y su marido, Juan Sureda, el escritor —matrimonio de
finísima sensibilidad y profunda simpatía—, brindaron al
poeta, para el descanso, el silencio y la paz armoniosa que
aquella maltratada salud exigía, su casa amplísima, có-
moda y confortadora de Valldemosa. Otra vez el mar,
los pinos, los olivos, los almendros, el aire limpio, el cielo
sereno, la tranquila y dulce hora de sol, la comida sana,
el lecho muelle; todo aquello, tan distinto —¡y tan distante!— del ambiente agobiador de París... El otoño dorado de la isla sirvió para templar, fortalecer, animar, en-
dulzar el cuerpo y el verbo del poeta. Se asomó Rubén
a las calas apacibles; hundió su mirada en el azul de las
ondas latinas; se acogió al frondoso rumor de los pi-
nares; paseó, respirando en ancho suspiro, por los caminos solitarios; subió por las laderas fragantes; se hu-
medeció los labios con las espumas saladas... Buscando
mayor paz aún, más callada paz, entró en el recinto de la
cartuja de Valldemosa, y anduvo por él, con lentitud de
fraile. Allí escribió los bellos versos que empiezan:

> "Este vetusto monasterio ha visto,
> secos de orar y pálidos de ayuno..."

Setenta y cinco años antes —en 1838, más de una
vida— había entrado en Valldemosa otro enfermo, también procedente de París, también con el alma llena de
lirismo, también deseando alargar su vida quebrantada,
también soñando con los días buenos de sol. Tampoco
era francés aquel hombre, y tampoco logró curarse en
el aire mallorquín. Buscando la sombra de Federico Chopin, que parecía llenar de música la soledad de aquellas
estancias conventuales, Rubén Darío, con son de música
también —la música de la palabra—, revoloteando en tor-

no suyo, colmó de placidez muchas de sus horas de aquel otoño inolvidable.

Como bandadas de pájaros, salieron de él, a volar, versos cadenciosos. Siempre, en Mallorca, Rubén hacía versos...

Pero ¿le libraron ellos de sus inquietudes y pesadumbres, de las contrariedades de su vida rota?... Bañado su cuerpo en la inmensa paz de aquel aire suave, sumergido en la luz acariciadora de aquella tierra virgiliana, el atormentado no lograba desprenderse de sus tribulaciones, y así, junto a sus plácidos versos de aquellas horas podemos colocar el contrapunto de sus amargas epístolas; su prosa entristecida. Cartas suyas de octubre y noviembre nos traen el reflejo de sus sinsabores cotidianos. Le inquietaban, sobre todo, sus relaciones amorosas con Francisca Sánchez, que había quedado en París, al lado de su niño, esperando el retorno del viajero. La pobre mujer encadenada al "hombre difícil" no sabía que eran ya pocos los meses que le quedaban de convivencia con él. El próximo viaje a América lo haría el poeta solo, como hizo los anteriores, pero ya sin posible vuelta...

También las relaciones de Rubén con los hermanos Guido, cada vez más frías y tirantes, presagiaban ratos acerbos. Desde Mallorca, viendo los casos de su vida panorámicamente, comprendía él la necesidad de los dos "rompimientos". Muy tarde, es cierto, para cimentar mejor el edificio, un tanto desquiciado, de su existencia. Sólo un poderoso esfuerzo de su voluntad, fortalecida antes su voluntad por una disciplina moral rígida, que él nunca conoció, habría conseguido encauzar y salvar el torrente de aquella vida, dándole rumbo más certero. Tarde ya, repetimos. Con sus cuarenta y varios años encima, Rubén estaba envejecido y laxo; más aún: enfermo; más que simplemente enfermo, enfermo de gravedad, incurable. Sus días avanzaban hacia la muerte con incontenible rapidez.

Acariciaba propósitos, trazaba proyectos, se entretenía con el vagar ondulante de sus ideas... "Cortar" con Francisca. "Cortar" con *Mundial*... Había que desprenderse de pesados fardos, de ocupaciones enojosas, de problemas familiares. Había que levantar una posición fuerte, de bien conducido trabajo, sin claudicaciones ni debilidades sentimentales. En la paz de Mallorca, Rubén llevaba adelante sus meditaciones; parecía confortarse con ellas.

De Mallorca salieron cartas suyas cuyo contenido interesaría traer hoy aquí. Tomemos algo, muy poco, de esa correspondencia; basta para nuestro objeto.

De una carta de octubre, cuando el poeta apenas llevaba unos días en la isla; habla de Francisca y los Guidos: "¡Si pudiera cambiarse el espíritu y el carácter de la pobre! Yo viviría, después, cerca de ella, aunque no fuera juntos. Se cuidaría y educaría al chico... En cuanto a los Guido, creo que, a mi vuelta, habrá que apurar hasta llegar a algo definitivo."

De otra carta, ésta de cuarenta días después: "Yo contaba, para poder rehacer mi vida, con la hacedera separación. No obstante, siento ya lo triste de mi soledad, después de catorce años de vivir acompañado... El estado moral, cerebral, mío es tal, que me veo en una soledad abrumadora sobre el mundo... Tenía a esa pobre mujer, y mi vida, por culpa mía, de ella, de la suerte, era un infierno. Y ahora, la soledad."

Han dicho y repetido ciertos biógrafos que Rubén, en Mallorca, durante aquella temporada, bien dirigido y aleccionado por el matrimonio Sureda, particularmente por doña Pilar, la buena amiga de los dulces consejos, había dejado de entregarse a sus obsesionantes libaciones. No es verdad el punto, por desgracia. Sus dichos amigos, acudiendo a todos los medios, procuraron apartarle de la bebida, pero poco fue lo que lograron. El bebedor supo burlar, cuantas veces pudo, aquella afectuosa vigilancia, y en más de una ocasión le encontraron ellos lamentablemente ebrio.

En Mallorca diose Rubén Darío a componer una novela; *Oro de Mallorca,* su título. La dejó sin terminar. Lo que de ella conocemos tiene suficiente interés para lamentar que no la continuase. Dícese que en su protagonista tendió a pintarse a sí mismo; quiso autorretratarse en aquel desventurado Benjamín Itaspes, poeta y filósofo que ama la vida y siente profundo horror ante la idea de morir. El siguiente fragmento de la novela ya descubre bastante.

"Tenía sus consecutivos padecimientos por donde más pecado había, porque el quinto y el tercero de los pecados capitales habían sido los que más se habían posesionado, desde su primera edad, de su cuerpo sensual y de su alma curiosa, inquieta e inquietante.

"Ahora, cabalmente, estaba pagando antiguas cuentas. Como se dice, aquellos polvos traían estos lodos. Mas se decía: "Pero, Dios mío, si yo no hubiese buscado esos placeres que, aunque fugaces, dan por un momento el olvido de la continua tortura de ser hombre, sobre todo cuando se nace con el terrible mal del pensar, ¿qué sería de mi pobre existencia, en un perpetuo sufrimiento, sin más esperanza que la probable de una inmortalidad a la cual tan solamente la fe y la pura gracia dan derecho? Si un bebedizo diabólico, o un manjar apetecible, o un cuerpo bello y pecador me anticipa, al contado, un poco de paraíso, ¿voy a dejar pasar esa seguridad, por algo de que no tengo propiamente una segura idea?..." Y así besaba, o comía, o absorbía sus bebedizos que le transformaban y modificaban pensamiento y sentimiento. Y como desde que tuvo uso de razón, su vida había sido muy contradictoria y muy amargada por el destino, había encontrado un refugio en esos edenes momentáneos, cuya posesión traía después irresistiblemente horas de desesperanza y de abatimiento. Mas se había aprisionado en el tiempo, aunque fuese por instantes, la felicidad relativa, en una trampa de ensueño."

Dice un comentarista: "Parece que Darío no terminó esta obra, porque no se decidió a fijar la suerte final de su protagonista, que no podía ser otra que la muerte..."

Y otro comentarista, Juan Antonio Cabezas, añade: "Lo que hizo Rubén Darío con su protagonista, sin darse cuenta, fue una radiografía de su alma. Y de su cuerpo también. Itaspes tiene ya las mismas dudas religiosas y las mismas enfermedades que Rubén: articulaciones inflamadas por la artritis, hígado empedrado de cálculos, riñones minados por las toxinas orgánicas, un corazón hinchado, perezoso, cardiopático, cansado de impulsar a través de los riegos arteriales linfas y hemoglobinas demasiado saturadas de veneno."

Al dejar Mallorca, ya en los últimos días del año 13, con su buen baño de salud en la piel, en la sangre y en los nervios, no quiso Rubén Darío regresar a París, temiendo lógicamente que el invierno de la capital francesa diera al traste con cuanto, para reponer su cuerpo, había ganado en las dulzuras del ámbito mediterráneo. No quiso, y con ello hizo bien, exponerse tan pronto a recaída irremediable.

Acaso fue al desembarcar en Barcelona cuando pensó la resolución feliz, o acaso la llevaba ya trazada: quedarse algunos meses en Cataluña, delante de la belleza infinita del mar, poderosamente atraída su carne por el

encanto del mar. Tras los pasados en la isla, unos meses
en el clima de Barcelona reforzarían su optimismo, su
amor a la vida, su ilusión por lo que había estado a punto
de romperse: la ilusión de trabajar. Allí le esperaban dos
amigos: Oswaldo Bazil, que había pasado con él varios
días en Valldemosa, y el general Zelaya, ofreciéndole su
buena casa.

Pese a tantas palabras malhumoradas, la ruptura con
Francisca no llevaba camino de ser acometida. La otra
que le inquietaba, sí. *Mundial* seguía publicándose, pero
sus propietarios se apartaban ostensiblemente de todo
contacto con su director. Empeoraba aquella situación,
sin perspectivas de arreglarse.

Tratando de ella, el 8 de enero de 1914, desde Barcelona, escribía Rubén a su buen amigo Julio Piquet: "No
me mandan ni correspondencia. No me comunican nada.
Vale más cortar por lo sano. Ir allí con un *huissier,* tomar
nota de ciertas cosas, que me devuelvan mis libros, que
rescindan el contrato y me paguen la indemnización —que
es una porquería—; ya yo veré cómo me arreglo después..."

Al cabo de un mes de escribir esto —en el invierno
todavía— regresó Darío a París, pero llevando ya firme
su decisión de volver a Cataluña, para pasar una temporada en la *terra bona* de Barcelona. Y así fue. Arregló
en Francia lo que pudo, se desprendió del pilotaje in-
grato de la revista (12), y, viendo a su hijo tan ligado a
la madre, aquella madre española tan fiel y abnegada en
su sencillez, sintió brotar del fondo de su corazón lo que
tal vez no había sentido nunca junto a ella: una oleada
de ternura, la ternura que ella, sin duda, merecía. Incon-

(12)   Los Guidos le recibieron con inusitada y no esperada cordialidad. ¿Hipocresía? ¿Interés en no romper del todo con escritor de tanto renombre?...

teniblemente le salieron los versos de los labios. Y lo
que en catorce años de trato con aquella mujer jamás le
había dicho, lo dijo, emocionadamente, entonces. Una
cuartilla del poeta, en cuyo pie se lee esta fecha: *París,
21 de febrero de 1914,* contiene la breve poesía a la cual
pertenecen estos conocidos versos:

> "...llena de la ilusión que da la fe,
> lazarillo de Dios en mi sendero,
> Francisca Sánchez, acompáña-mé...
> Seguramente Dios te ha conducido
> para regar el árbol de mi fe.
> ¡Hacia la fuente de noche y de olvido,
> Francisca Sánchez, acompáña-mé!"

Los deseos, que ya apuntamos, de separarse de Francisca habían cedido el paso, avergonzados quizá, a aquel
renuevo de amor limpio, de amor sin llama erótica.

Rubén tornó a Barcelona solo; buscó una vivienda
grata; la halló, o se la hallaron, a su gusto, y llamó a
Francisca que, con su hijo y su hermana María, aguar-
daba en París la llamada del poeta. El 22 de mayo, en la
estación barcelonesa, reuníanse de nuevo los llegados con
quien los esperaba. Juntos marcharon a la casa alquilada
por Darío: lo que llaman los catalanes una "torre", donde
se instalaron. Estaba cerca del Tibidabo, en la calle Ti-
ziano; desde su altura se veía el mar.

Pareció entonces que la vida de Rubén Darío entraba
en un remanso. El tiempo, dulce y soleado; la vivienda,
rodeada de calma y silencio; el jardín, con árboles, flores y palomas; la lejanía azul, invitando al vuelo de los
pensamientos. Un reducido grupo de amigos para el diálogo. Un acogedor ambiente de paz, de intimidad, propicio al trabajo lento y gustoso.

Aliviada por el aire de Mallorca, la salud del poeta daba señales de levantarse con vigor juvenil y alegría nueva. Pasaron así unos días, unas semanas amables.

Quien estaba enterado del curso de aquella existencia plácida —un amigo— nos dijo que el poeta, en aquellos días de primavera, parecía repuesto de sus males y estaba contento. Trabajaba, leía, cortaba flores, daba de comer a sus palomas; se acogía con fruición al sosiego familiar; se acercaba a los juegos de su hijo; ponía en el niño todo el calor de su efusión paternal.

> "Puesto que tú me dices que eres mi hijo, ¡hijo mío!,
> y tienes fe en mis lirios y confianza en mis rosas..."

El otro hijo del poeta, también Rubén Darío de nombre, el nacido del matrimonio con Rafaela Contreras, era un joven de ya bien pasados sus veinte años (recordemos la fecha de su nacimiento: 1891), y fue por entonces a Barcelona, desde Londres, donde a la sazón estudiaba, para pasar algunas horas al lado de su padre. El encuentro de ambos, al decir de personas informadas, no produjo en el ánimo del poeta lo que éste, al serle anunciada la visita, deseaba y esperaba; no se "reconoció" en el espíritu un tanto frívolo de aquel muchacho formado en la severa atmósfera sajona, muy aficionado a los deportes físicos, sin aquel amor a la poesía, a la sonoridad musical de la palabra, a la gracia del ritmo que, en la vida del padre, era pasión siempre abierta. Rubén Darío Contreras daba a su juventud rumbo distinto. Al separarse los dos, quedó en el alma de Rubén un poso amargo.

Por fortuna estaba allí el otro hijo, el pequeño, el nacido fuera del sacramento matrimonial, en la intimidad real y caliente de sus progenitores. En él se concentraba, se apretaba toda la ilusión paterna (13).

Poco duró aquella remansada felicidad. Lo adverso de su destino perseguía, implacable, al poeta.

Llegó el verano, se alargaban los días, invitaba el sol a la alegría y al trabajo... En esto cayó sobre Europa la guerra, la más espantosa matanza que hasta entonces habían conocido los hombres. Muy pronto se extendió, amenazadoramente. Toda Europa temblaba bajo el odio, la barbarie, el dolor y la muerte. Todo su centro, y hacia el Este, Rusia, y hacia el Oeste, Francia, Bélgica, Inglaterra; y hacia el Sur, Italia. ¿Entraría España también en el fragor de aquella macabra pesadilla?...

Desde que se abrió agosto, el verano del año 14 no conoció una sola hora serena.

Rubén Darío, en España, conturbado, atribulado, oprimido por la tragedia, estremecida dolorosamente su imaginación, no tanto por lo que de la guerra iba sabiendo como por lo que adivinaba y presentía, vivió unos meses de angustia. Con la máquina bélica alemana a no muchos kilómetros de París, con su amenaza constante sobre la bien amada ciudad, la ciudad que llenaba tantos latidos del corazón del poeta, éste no podía volver a Francia. Sus días parisienses, tan llenos de vida, acudían

---

(13) Los que habían criado y educado al hijo del poeta —recordémoslo: sus tíos Julia Contreras y Ricardo Trigueros— residían entonces, con sus cinco hijos, en Alicante. Por cierto que hay un breve viaje de Rubén a esta ciudad levantina, en el verano de 1914, que no conocen sus biógrafos. Consta que el 31 de julio, el matrimonio Trigueros tenía alojado en su casa a su cuñado, quien sintiéndose mal por aquellos días, había ido allí con Francisca y el pequeño Güicho, para hacerse ver por el doctor don Ladislao Ayela, médico muy prestigioso en Alicante. Ignórase cuál fue el dictamen del galeno alicantino, después de examinar al maltrecho poeta.

a su memoria para atormentarla, con lo punzante de su recuerdo. Por otra parte, el temor, lógico, de que España, forzada o no, acabase también por incorporarse a la guerra, flagelaba las horas de Rubén.

Otra vez la salud del poeta presentó sus inquietantes anuncios. Como otras veces, tantas veces, acudió el alcohol para tender momentáneamente sombras de olvido en las amarguras invencibles. Francisca Sánchez jamás consiguió alejar al vicioso de su vicio. El miedo a morir, nunca del todo superado en aquel enfermo, pobló su alma de temblorosos terrores y tardíos misticismos.

Como Rubén, aunque se obstinara en buscar "sus soledades", no podía eludir las visitas a que su fama le condenaba, la mayor parte de ellas de gente de pluma, nos quedan relatos interesantes hechos por varios de sus visitantes de entonces, cuando no por amigos que se hallaban al corriente de su vida. Uno de ellos dice: "Atormentado por las contrariedades de su situación, al mismo tiempo que por la obsesión de la muerte, buscaba refugio en el delirio de la ebriedad o en la exaltación religiosa, todo lo cual irritaba sus nervios y ensombrecía sus ideas. Seguía escribiendo su novela *Oro de Mallorca,* pero no sabía cómo terminarla, pues, siendo el protagonista una transposición de su propia personalidad, no osaba llevarlo a su único fin lógico: la muerte. El, que antes era esquivo con sus familiares, no podía ahora pasar sin ellos."

Refiere otro cronista que, al ir a casa de Darío para visitarle, lo halló postrado en cama, "oprimiendo un crucifijo contra su pecho, lleno del horror de sus pecados imperdonables, del miedo a la muerte y del terror que le causaba el demonio... Vivía, en realidad, atormentado por sentimientos contradictorios y obsedido por el presentimiento de una desgracia inminente".

22. LA ULTIMA AVENTURA

LEGO el otoño del terrible año de la guerra europea, y la imagen que Rubén Darío presentaba en su "torre" de Barcelona no podía ser más lamentable, más desolada. Otra vez enfermo, consumido por la tristeza, persiguiendo, tenaz, el artificial alivio de la bebida, insomne, delirante, con la voluntad deshecha...

Un día entró en su casa un periodista de su misma tierra, que le conocía desde 1907: Alejandro Bermúdez; a juicio de Contreras, "un mal amigo de Rubén". Bermúdez, hombre de buena figura, infatigable e inteligente brujuleador, no muy escrupuloso, pero locuaz y activo para llevar adelante cuanto se proponía, propuso al poeta marchar juntos a América —la del Norte, la Central y la del Sur—, para dar en capitales diversas un ciclo de conferencias y lecturas que abogaran por la paz mundial. Del viaje emprendido dos años antes, por cuenta de la revista de los hermanos Guido, se acordaría Rubén, seguramente... Si opuso resistencia firme, o débil, o ninguna, a la iniciativa de su compatriota expuesta en largas e incitadoras conversaciones, punto es que no se halla comprobado. Que aceptó, al fin, sin garantías suficientes,

aquello a que se le invitaba con verbosa retórica, fuera
está de duda. La idea matriz —trabajar en favor de la
paz— no podía ser más elevada, más simpática; decla-
mar, en verso o prosa, contra la barbarie en que los hombres se sumían, no podía ser censurado por nadie.

En sí, vista desde las alturas del idealismo, la empresa, pues, no sólo parecía buena; lo era. Era buena su finalidad, cargada de nobleza espiritual y de brillo literario. Pero, vista por el ángulo positivo, por el lado de
la realidad desnuda, y teniendo en cuenta el desastroso
estado de salud de aquel hombre ya tan envejecido, no
había en tal empresa sino aire de peligrosa aventura.
Más que aventurado, insensato era sacar a Rubén de la
serenidad relativa de su vida, acogida a la dulzura del
Mediterráneo, y en pleno invierno llevárselo, enfermo,
agotado, a febriles y fatigosas jornadas en un país de
ambiente estentóreo, como Norteamérica, ya próxima a
meterse también en el fragor inquietante de la guerra
europea; y todo a la ligera, sin contratos previos, seguros y sólidos, que hubieran proporcionado al aventurero
poeta un bienestar digno de su nombre y de sus versos.
No había razón para llevarle de un sitio a otro, sin saber
de cierto que se contaba con medios para sostenerle al
margen de agobios, preocupaciones y temores.

Con la lucidez que da el cariño, Francisca Sánchez
leyó claro en el porvenir de aquel descabellado viaje;
se opuso a él tesoneramente; desesperadamente lloró, su-
plicó; incluso alcanzó —cosa rara en ella— los acentos
de la ira contra el infausto paisano de su amante, que
se obstinaba en arrancarle de una placidez bien merecida,
para conducirle a lo angustioso de una interrogación ni
limpia ni honesta. Ni honesta, porque de lo que Bermúdez trataba, en puridad, era de aprovecharse de la fama
del famoso amigo, para ganarse él, "predicando paz" con

discursos retóricos, una buena partida de dinero. No había en el fondo otra mira: propaganda personal y negocio en metálico. Impenitentemente ingenuo, soñador e iluso, y siempre dispuesto a la movilidad de los viajes, Rubén no acertaría a verlo; Francisca, bien atada a la baja realidad, lo veía todo.

Pero el tal Bermúdez, "el pacificador", lento y seguro, fue ganando sus bazas. Hizo visitas, escribió cartas, obtuvo respuestas prometedoras y se las prometió, con ellas, muy felices. Del marqués de Comillas no tardó en conseguir, prevaliéndose del nombre del poeta, dos pasajes de primera clase para uno de los barcos de la Compañía Transatlántica que hacían normalmente la travesía de Barcelona a Nueva York, y en ese buque, el *Antonio López,* que salía del puerto barcelonés el 25 de octubre, entraron los dos viajeros amigos. Bermúdez pasó al camarote con la ancha satisfacción de su victoria inicial. ¿Y Rubén? ¿Cómo entró Rubén en el barco?...

El día antes de la partida, según referencias de buena tinta, su colaborador en la aventura lo invitó a dar un paseo, el cual había de terminar, maquiavélicamente urdido, en una de las libaciones copiosas que el poeta no podía dominar y le rompían el motor de su voluntad. Francisca, saliendo a buscarle, no bien tuvo conocimiento de la malintencionada escapatoria, acertó a dar con él, cuando, al lado del amigo, mostraba una de sus peores borracheras. En ese vergonzoso estado, aquella misma noche, fue recluido en su camarote, acompañado de Francisca y del niño, que no cesaban de llorar; ella, temiendo que aquel viaje acabaría con la vida del querido hombre engañado; y el pobre Güicho, viendo llorar a su madre, se abrazaba al padre, que, en su inconsciencia de beodo, lloraba también. ¿Presentía aquello mismo que ahogaba la voz en la garganta de la madre de su hijo?

—No se vaya, Tatay, no se vaya —dicen que le decía Francisca, transida de dolor y desesperanza. Y que le respondía el poeta: "No, mi hija, no; yo no voy engañado... Bermúdez es buen amigo mío y paisano; él me será muy útil en la campaña que voy a realizar. Pronto tendrás noticias mías..."

Poco antes había mandado Rubén una carta a Julio Piquet, el representante de *La Nación* en París, diciéndole: "Yo no puedo continuar en Europa, pues ya agoté hasta el último céntimo. Me voy a América, lleno del horror de la guerra, a decir a muchas gentes que la paz es la única voluntad divina."

El 29 de octubre ancló el *Antonio López* en Cádiz. Mañana de lluvia y frío y mar alborotado. El poeta gaditano Eduardo de Ory, que tenía noticia de aquel viaje, subió al barco para saludar a su admirado amigo Rubén. Oigámosle: "Al llegar a la cubierta, pregunté por su camarote y me dijeron, señalando uno de primera clase: 'Es ese de la esquina, pero el señor viene muy enfermo desde que salió de Barcelona; padece de ataques de *delirium tremens.*' Efectivamente, le hallé muy mal, mucho peor de lo que yo creía. No podía apenas hablar. Me despedí en seguida, en vista de su estado."

23 . CAMINO DE LA MUERTE

ASION y muerte", titula uno de los mejores biógrafos de Rubén Darío el capítulo en que refiere los pasos del poeta, desde que éste desembarca en Nueva York hasta que muere en Nicaragua. Comprende ese tiempo un año —todo el 1915— y cerca de tres meses repartidos entre las seis últimas semanas del 14 y las cinco primeras del 16.

En tal tiempo, Rubén pasó por Nueva York y por Guatemala, para acabar —acabar definitivamente— en la misma tierra donde había venido a la vida. Más que un recorrido, como veremos, fue un *via crucis*.

Francisca Sánchez no se había equivocado. Y Alejandro Bermúdez, por su parte, llegó a advertir, ante la cruda verdad de lo que iba pasando ante sus ojos, su irremediable error; lo comprobó, de modo claro y redondo, al ver al gran poeta enfermo y hundido, imposibilitado para seguir adelante, y al verse él también sin los recursos económicos que su insensatez o ligereza había soñado. Fue entonces cuando cometió la auténtica villanía de abandonar a su compañero y escabullirse con cualquier mal pretexto, poniendo en sus labios, seguramente, la apostilla de los egoístas: "sálvese quien pueda".

El comienzo de la aventura presentó un cariz no del todo desalentador; el desaliento llegó después.

El estafado amigo y el mal amigo desembarcaron en Nueva York. Invierno de frío cruel. Perspectivas sombrías. Sobre el cuerpo castigado que necesitaba tranquilidad, sosiego y silencio, caía el estrépito de la urbe babilónica, atosigadora, en cuyo ámbito los nervios parecían romperse. Rubén lo había dicho, pocos años antes, pasando por allí: "La precipitación de esta vida altera los nervios. Las construcciones comerciales producen el mismo efecto psíquico que las arquitecturas abrumadoras percibidas por Quincey en sus estados tebaicos. El ambiente delirio de las grandezas hace daño a la ponderación del espíritu. Siéntese algo allí de primitivo y de supertérreo, de cainitas o de marcianos. Los ascensores *express* no son para mi temperamento, ni las vastas oleadas de muchedumbres electorales tocando pitos..." También había dicho, hablando de Poe: "Manhattan, la isla de hierro; New York, la sanguínea, la ciclópea, la monstruosa, la tormentosa, la irresistible capital del cheque..."

En estas postrimerías del terrible año 14, otra vez en Nueva York, Rubén recordaría sus palabras anteriores; rubricó la impresión desagradable con unos versos que le salieron sin esfuerzo de la pluma amargada:

> "Casas de cincuenta pisos,
> servidumbre de color,
> millones de circuncisos,
> máquinas, diarios, avisos
> ¡y dolor, dolor, dolor!"

En la Navidad de aquel año fechaba un "soneto pascual", cuyos dos últimos versos dicen:

"...y yo, en mi pobre burro, caminando hacia Egipto,
y sin la estrella ahora, muy lejos de Belén".

La neoyorquina Hispanic Society of America, funda-
da por el benemérito millonario españolista míster Hun-
tington, había de ser, lógicamente, lugar al que se acer-
cara Rubén Darío, buscando la protección de que estaba
necesitado. Hízolo el poeta y obtuvo algo de lo que pretendía : mitad en honores, mitad en dinero. La Sociedad
lo incorporó al número de sus miembros honorarios y
le otorgó su medalla de plata. Días después, su fundador
y presidente fue diplomáticamente "asaltado" por Bermúdez, quien logró de su generosidad, para sufragar los
gastos de viaje del poeta de América, un cheque de quinientos dólares.

Otra fuente de ingresos, si bien no ancha, brindaba
al necesitado liróforo *La Prensa,* diario neoyorquino editado en castellano, donde por entonces publicó algunas
cosas con la mirada puesta en la Administración.

Todo el mes de enero transcurrió en medio de inquietudes y desconciertos, con planes, promesas, bienvenidas,
elogios, salutaciones, etc. Llegado febrero, el día 4, la
Universidad de Colombia abría su tribuna para que, bajo
los auspicios de la Hispanic Society y de la Sociedad
Geográfica, el poeta y el conferenciante que habían llegado de España con la misión de predicar la paz en forma
literaria, pudieran dirigirse al público. El doctor Cohn,
profesor de lenguas romances en dicho centro universitario, hizo la presentación de Darío. Leyó éste su poema
Pax —no era lector de lucimiento, por su escasa voz y
su timidez expresiva— y a continuación Bermúdez diser-
tó sobre igual tema. En el auditorio apenas había yanquis; algunos europeos y muchos hispanoamericanos fueron los oyentes. ¿Resultado práctico? Lo ignoramos.

El poema no entra en el grupo de lo bueno escrito
por su autor. Tiene versos felices, pero abunda en pro-
saísmos, vulgaridades y ripios de dudoso gusto. Véase
esto:

> "Se grita: ¡Guerra santa!,
> acercando el puñal a la garganta
> o sacando la espada de la vaina;
>   y en el nombre de Dios,
> casas de Dios de Reims y de Lovaina
> las derrumba el obús cuarenta y dos.
> ¡No, reyes! Que la guerra es infernal, es cierto;
>   cierto que duerme un lobo
> en el alma fatal del adanida;
> mas también Jesucristo no está muerto,
> y contra el homicidio, el odio, el robo,
> ¡El es la Luz, el Camino y la Vida...!"

Después de aquella lectura, la salud de Rubén prosiguió su amargo descenso. Se adhirió entonces al deseo del
poeta el propósito de salir de los Estados Unidos lo más
pronto posible, y bajar a la República Argentina, donde
siempre le esperaban amigos buenos y, con ellos, claros
días de felicidad. Por otra parte, los médicos consultados sobre el caso coincidieron en señalar la necesidad de
que no continuara aquella jira desafortunada, falta de sólida organización, aquel recorrido que, con todo su aire
quijotesco, carecía de todo quijotismo, pues sólo buscaba
el provecho material; aconsejaron los galenos que el que-
brantado y zarandeado cuerpo de Rubén Darío se aco-
giese al reposo y atendiera al restablecimiento de su
salud.

En la "estancia" argentina de alguno de sus amigos, en
el inmenso campo de los viejos gauchos, pensó entonces,
con triste rayo de esperanza, el atribulado cantor de la

Paz. "Allí —díjose— podría yo esperar el fin de esta matanza inhumana, y después regresar a España y acercarme al niño triste que me aguarda... Acaso pudiera yo volver a ser feliz..."

Todo aquello se derrumbó dolorosamente en pocos días. Una pulmonía doble acercó a Rubén a la muerte más aún de lo que ya lo estaba. ¿Fue entonces, precisamente, cuando quedó abandonado por el amigo egoísta que sostenía la amistad en la medida de sus conveniencias e intereses...?

De todos modos, dejar solo a Darío no era nunca dejarle en plena soledad. Porque Darío era tan conocido de tanta gente, que jamás faltaba quien, de entre ella, al verle solo, se le acercase solícito y afectuoso para tenderle la mano. Eso, sin contar con el auxilio crematístico de *La Nación* bonaerense. No fueron pocas las ocasiones en que la administración de ese diario tuvo que acudir en socorro de los naufragios económicos de su insigne colaborador. "Mamá *La Nación*", como solía llamarla éste, humorísticamente, cada vez que se veía obligado a una petición de urgencia para no ahogarse... (14).

En aquella ocasión fueron varios los hombres piadosos que se aproximaron al enfermo y le remediaron en cuanto pudieron. Uno fue un médico, Aníbal Zelaya, sobrino del ex presidente nicaragüense del mismo apellido. Por su intervención pasó Rubén al Hospital Francés, donde se le atendió y curó. Ya salido de la pulmonía, pero muy débil y deprimido, se alojó en una modesta

---

(14) Por cierto que a tal época pertenece también la queja expuesta por Rubén a su amigo Francisco Huezo, cuando se veía tan desasistido: "Hace más de veinte años que colaboro en *La Nación;* según sus estatutos, tengo ya derecho a mi jubilación; pero de esto nunca se me habla..."

casa de huéspedes de la calle 64. En aquella convalecencia, los días se le hicieron eternos...

Otro amigo llegó entonces en su auxilio: el ministro
de Guatemala en Washington, don Joaquín Méndez. Con
voluntad no aviesa, pero certera tampoco, el señor Méndez propuso al presidente de su país, don Manuel Estrada Cabrera, que invitara a Rubén para que fuese al suelo
guatemalteco, con el fin de reponerse.

El poeta —esto lo escribe Contreras— "conocía bien
al tal presidente, funesto tirano que había hecho entrega
de su patria al yanqui; se jactaba de haber comprado a
Roosevelt por diez mil pesos oro..."

Mediado abril, Rubén se traslada al territorio dominado por ese dictadorcillo. Ha aceptado su invitación a la
fuerza. Sale del infierno yanqui, donde ha permanecido
cinco malos meses; detiénese unas horas en el gozo cálido de La Habana, y sigue hacia el Istmo. Dícennos que,
desde Cuba, manda una carta a Francisca, pidiéndole que
vaya a unirse con él; rectifica luego; prefiere que Francisca y el niño continúen en Madrid, donde se hallan a
la sazón.

Siete meses y unos días son los de la permanencia de
Rubén Darío en el feudo del señor Estrada, tiempo durante el cual vive el poeta ahogando trabajosamente en su garganta de hombre "favorecido" la voz de su herida dignidad.

Veamos lo que esos siete meses nos revelan.

El 20 de abril desembarca Rubén en Puerto Barrios.
Al día siguiente llega a la capital de la República. Como
el viaje ha sido trompeteado, en la estación es recibido
por numerosos estudiantes y escritores jóvenes. La Prensa le saluda con grandes elogios. Por orden del presidente

de la nación, es hospedado lujosamente en el Hotel Imperial. Un periodista de la localidad publica una interviú que amaña con él, en la cual hace que el poeta, hombre sin voluntad y ya físicamente aniquilado, prodigue bajas adulaciones al mandarín de Guatemala.

En el país se encuentra Rubén con su temporalmente desaparecido amigo Bermúdez, orondo y eufórico como siempre (y como si no hubiera pasado nada), el cual se excusa con cualquier mentira mal tejida de haberle dejado en Nueva York, poco menos que a la intemperie, y le augura, para de allí en adelante, el más refulgente éxito en la campaña "pacificadora" que ambos tienen convenida. Pronto podrán pasar a Méjico, a seguir recitando versos y leyendo disertaciones, hasta convencer a los hombres descarriados de que deben firmar la paz. No se sabe, a estas alturas, qué es lo más sorprendente en dicho sujeto: si su verbosa ignorancia, su cauta hipocresía o su desfachatez incorregible.

Otra visita algo más grata recibe en Guatemala Rubén: la de Rosario Murillo, que, avisada, según se cree, por Bermúdez, llega de Nicaragua, resuelta a no separarse de su enfermo y tanto tiempo "lejano marido" y a trasladarle, cuando los médicos lo autoricen, a su patria; lo que consigue, al fin, ya en las postrimerías de noviembre.

Por entonces se entera Rubén, con la natural contrariedad, de la aparición, en volumen no autorizado por él, de su Autobiografía escrita tres años antes para *Caras y Caretas*.

No es mucho, ciertamente, lo que sabemos de aquellos meses del año 1915 —primavera, verano, otoño— en que el poeta de Nicaragua residió en la tierra de su amigo Gómez Carrillo. Algunas cartas suyas nos dejan entrever algo. De una, escrita el 21 de septiembre y dirigida al general Zelaya: "En toda Europa es un hecho que hoy se confunden las carnicerías de Haití con los horrores de Guatemala."

Para presumir de varón culto, el gobernante guatemalteco había tenido la ocurrencia, muy jaleada por sus aduladores, satélites y correveidiles, de instaurar en su país unas fiestecillas, bajo la denominación pomposa de "fiestas de Minerva", o "minervinas" (nada menos), y, para abrillantar las de aquel año, insinuó a sus subalternos la conveniencia de que, aprovechándose la estancia allí del célebre Rubén Darío, se le pidiera a éste una oda o poema alusivo a los tales festejos. No había de recibir el poeta la cacareada protección del dictador, sin corresponder "debidamente" a ella; es decir, no había de quedarse el dictador sin cobrar sus "generosidades".

A Rubén se le brindaban dos caminos: o negarse al soborno, o doblar la cabeza y aceptar el "muy honroso encargo". Su debilidad, su situación, el saberse "doradamente prisionero" de un licenciado despótico que no se conformaría nunca con una negativa, le obligaron a ceder, y en octubre trazó la oda *Palas Atenea,* preconcebidamente desprovista de todo valor literario, pero con los latiguillos suficientes para dejar complacido al poderoso personaje.

En esa oda, la humillada y desventurada pluma de Rubén se rebaja hasta estampar cosas del siguiente tenor:

> "Aquí reapareció la austera,
> la gran Minerva luminosa;
> su diestra alzó la diosa aptera,
> y movió el gesto de la diosa
> la mano de Estrada Cabrera.

Ya su voz regeneradora
se oyera cuando, hacia el Atlántico,
vibró como en glorioso cántico
la voz de la locomotora.

....

Así avanza la mensajera
de la luz por la selva fiera
de nuestra América Central...
y saluda a Estrada Cabrera
con la blanca y azul bandera
en donde brilla y reverbera
la copa de iris del Quetzal."

Esto, en el campo de la versificación, campo convencional y tan a menudo falso. Dentro de la prosaica realidad, podemos recoger el hecho de una temporada de descanso que a Rubén se le ofreció, en plena Naturaleza, en una finca del propio Estrada, por habérsele diagnosticado un principio de tuberculosis pulmonar.

Curiosa es la anécdota referente a una visita que, acompañado de un señor llamado Vivas, hizo Rubén (mejor dicho, quiso hacer) al ensoberbecido presidente. Este le obligó a guardar una larguísima antesala y al cabo de ella manifestó no poder recibirle. El disgusto del poeta salió a flote cuando, de vuelta al hotel, al que se dirigía, silencioso y acibarado, preguntó a su acompañante: "Amigo Vivas, ¿por qué no habrá querido recibirme este hombre?" Y agregó, con visible desprecio: "¡A lo que está expuesto uno en estos bajalatos africanos de Centroamérica!"

Cuando Rosario Murillo plantea ante su esposo, con urgencia, el punto de la partida de Guatemala, para marchar a Nicaragua, el nicaragüense se resiste todavía. ¿Por qué? Continúa aferrado a la ilusión de irse a la pampa argentina. Pero no le llegan de sus amigos argentinos lo que viene esperando y deseando con tanto afán. El tiempo corre. De Guatemala quiere y debe huir. Acepta, al fin, lo que su mujer le propone con viva insistencia. Las reservas de su voluntad van alejándose de todo. Y escribe a Gómez Carrillo, ya resignado a emprender el viaje que presume postrero: "Me alejo de Guatemala, en busca del cementerio de mi pueblo natal."

24. LA MUERTE, EN SU TIERRA

L 25 de noviembre desembarcan en Corinto Rubén Darío y su mujer. Se dirigen de allí a León, donde el pueblo recibe a su poeta con vítores, aplausos, música y repique de campanas. Esforzándose por vencer su fatiga, el recién llegado habla a sus compatriotas: "Queridos leoneses: si la vez pasada os dije 'hasta luego', hoy sólo os digo 'para siempre...'."

Dejando a su esposo instalado en la casa de don Francisco Castro, Rosario marcha a Managua, para gestionar el cobro de los sueldos que ¡todavía! se le deben a Rubén, por el tiempo en que desempeñó la legación de Nicaragua en España. A cincuenta mil pesetas, nada menos, asciende la deuda, según cálculos del defraudado. Pero el Presidente de la República, don Adolfo Díaz, se niega a reconocerla y, por tanto, a liquidarla, si bien promete que el Estado correrá con los gastos que ocasione la enfermedad de su antiguo ministro.

A las dos semanas de permanecer en León, el enfermo es conducido a Managua, donde Rosario le prepara cómodo alojamiento en la propia casa de su hermano Andrés, allí presente.

El doctor Luis H. Debayle, siempre buen amigo, atiende a su amigo de la infancia en León y en Managua. Ya entrado enero del año 16, aconseja que Darío, en vista de que su mal no cede y su fiebre sube, torne a León, para poder cuidarle con mayor eficacia y mejores medios. Rubén, que sólo en Debayle tiene fe —la poquísima fe que los galenos le inspiran— y, por otra parte, se halla molesto en la casa de su cuñado, con quien las relaciones continúan frías, accede. En tren pasan todos a León, el 7 de enero.

Un mes le queda de vida al poeta. En ese tiempo, son varios los médicos que le ven; en primer lugar, Debayle; también, los doctores Escolástico Lara y Juan Bautista Sacasa; algún otro, además.

Rubén es instalado en una casa deshabitada y sucia; la improvisada alcoba es un cuarto sin cielo raso, con suelo de envejecidos ladrillos de barro, paredes desnudas y un mobiliario escasísimo.

En esa habitación desmantelada, el poeta vivirá sufriendo y entregado a la desesperación sus últimos días. Los doctores Debayle y Lara le sacan del abdomen no menos de catorce litros de líquido. La mejoría no se insinúa. Intensos dolores en el bajo vientre le atormentan. El día que cumple el enfermo sus cuarenta y nueve años —el 18 de enero— no quedan ya sino levísimas esperanzas de salvarle.

Dos punciones en el hígado, para extraerle la pus, no dan resultado alguno; del trócar no se obtiene pus, y en la segunda punción Rubén pierde el conocimiento.

Su estado de ánimo, cuando no abatido, cólerico, le acentúa la gravedad. La presencia de los médicos le enfurece. "¡Yo no he venido a ser sacrificado!", grita. Y también: "¡Sé que voy a morir, pero no moriré sin hacer una cosa tremenda!" Y también: "¡No quiero que ustedes me asesinen! ¡Me defenderé!" Y a su paciente y fraternal Debayle: "Lo que tú quieres hacer conmigo es aumentar el número de tus víctimas..."

Ya en la antesala de la muerte, todo dispuesto para recibirla, Félix Rubén hace testamento ante el notario nicaragüense don Antonio Medrano, y recibe la extremaunción de manos del obispo de León, monseñor Simeón Pereyra.

He aquí palabras de uno de sus biógrafos: "Darío está preparado para recibir la augusta visita. El obispo pasa por entre un grupo de estudiantes y penetra en la alcoba, donde se ha improvisado un altar. El moribundo se recoge en sí, conmovido y pálido; su faz acusa ya el eclipse postrero. A las preguntas que, en materia de fe, le hace el prelado, contesta de manera clara y audible: 'Sí creo.' En seguida abre la boca para recibir el eucarístico pan y, hecho esto, habla: 'Monseñor, beso su mano. Muchas gracias. Me felicito de haber recibido el pan de los fuertes.'

"Después de recibir la comunión, su espíritu entra en calma, pero sufre una serie de fenómenos que los médicos consideran como delirios. Son fenómenos que él ha padecido muchas veces, desde su misma infancia. Ve personas inexistentes que entran y salen, y habla de ellas como de seres reales."

En su testamento, que no oye su mujer, a la que se ruega se ausente de la habitación, el poeta declara tener en España un hijo de ocho años de edad, Rubén Darío Sánchez, al cual deja heredero de sus obras literarias y de su casa de León, la que él había heredado de doña Bernarda Sarmiento.

Otra mujer que está junto a Rubén en esos días es su hermana por parte de padre; una mujer humilde e iletrada, como Francisca. Se parece mucho a su hermano.

Manuel García había tenido esta hija muy pocos años
antes de su muerte.

5 de febrero. Al amanecer de este día, Rubén parece
ya una estampa de la muerte. Cerrados los ojos y entreabierta la boca, con el rostro lívido y el cuerpo inmóvil,
sólo la respiración fatigosa da señal de que aún vive.
Sobre su pecho descansa el Cristo de marfil que Amado
Nervo le había regalado.

Transcurren las horas de su lenta entrada en la muerte. Pasa la noche y se abre la mañana del día 6. Más horas de angustia. A las siete de la tarde empieza la agonía.
Llega la noche, y a las diez y dieciséis minutos un leve
estremecimiento paraliza aquel residuo de vida. El poeta
Rubén Darío está muerto, bajo los pliegues humedecidos
de sus sábanas.

Comienza su inmortalidad.

Al punto de morir el poeta, alguien para el reloj de
bolsillo que hay en la habitación, rompiendo su cuerda.
Queda así señalado para siempre el minuto del tránsito.
Se hacen dibujos del muerto. Se le saca en yeso la mas-
carilla del rostro.

Campanas y cañones nicaragüenses, con espaciados
clamores de bronce y estampidos de pólvora, anuncian
al pueblo, de modo oficial, el fallecimiento de su poeta.

Los médicos firman el parte: Rubén Darío ha fallecido de una cirrosis atrófica del hígado, con derrame
asítico —hidropesía— en su último período y con complicaciones pulmonares. Es de lo que suelen morir quienes abusan del alcohol.

Llegan en seguida los cirujanos con sus bisturíes y
hacen la autopsia; luego, el embalsamamiento. Extraen
el hígado, de aspecto blanquecino y dura consistencia;
degenerado por la enfermedad, tiene casi la mitad de su

volumen normal; extraen el corazón, que acusa la presencia de grasa; también, los pulmones, que no manifiestan tuberculosis, como se había creído, y los riñones, aquellos riñones —dice un comentarista— que "heroicamente eliminaron alcohol durante más de treinta años".

Las vísceras, excepto el corazón, se sepultan al día siguiente en el cementerio de Guadalupe, junto a la fosa de doña Bernarda Sarmiento. Puntualiza un cronista del hecho: "Cuatro personas marchan en carruaje, llevando un cajoncito de madera que contiene dichos despojos, los cuales se entierran en el segundo patio."

El martes 8 se procede a extraer del cadáver la masa encefálica —siempre actuando los doctores Debayle y Lara—, que se deposita en un recipiente de cinc con formalina. Acto seguido, surge un incidente muy desagradable. Parece ser que Debayle había prometido a la esposa de Darío la entrega del cerebro, pero, una vez que lo tuvo en sus manos, marchóse con él, a fin de "hacerle un estudio —las palabras son suyas—, como Antomarchi lo hiciera del cerebro de Napoleón". Enterado al punto de la salida del médico, el hermano de Rosario Murillo, "el cuñado fatídico", provocó un violento altercado, logrando que los soldados que custodiaban la casa detuvieran a Debayle, y que el despojo del poeta pasara a la Dirección de Policía, en espera de lo que decidiese el Gobierno. Este ordenó su entrega a la viuda, y la viuda, siempre dirigida por su hermano, confió a otro doctor, D. Juan José Martínez, el estudio que Debayle quería verificar. "¡Miseria de miserias! —comenta un biógrafo—. El pobre gran poeta tenía que ser atormentado hasta en los despojos de su carne mortal."

Ya embalsamado, el cadáver es conducido, de la casa mortuoria, a la Municipalidad, y de ésta, a la Universidad, donde se expone. Soldados y estudiantes custodian la capilla ardiente. Durante cinco días, interminable cortejo desfila para contemplar la cabeza descubierta del vate, que ha sido ornada con hojas de laurel, y el cuerpo, vestido de etiqueta.

Esos días —afirma alguien— la ciudad de León, atestada de viajeros que llegan de todas partes del país, y del extranjero muchos, se asemeja a la Meca en el aniversario de Mahoma.

El día 12 se lleva el féretro a la catedral, para que se le tributen los honores de la Iglesia que, dirigidos personalmente por el obispo, alcanzan el máximo esplendor. Concluidos, nuevamente es llevado el cuerpo al recinto universitario, del que, el domingo 13, a la semana de la muerte, parte la lenta, gigantesca y fastuosa procesión del entierro, otra vez con destino al templo catedralicio en que ha de recibir la sepultura.

El cadáver es puesto en andas, con el rostro descubierto. A sus lados, muchachas vestidas de blanco y portadoras de cestos floridos, van derramando flores. Flores caen también sobre el cuerpo inerte, de los arcos levantados en las calles. Junto a la cristiana pompa del espectáculo aletea un sentido de paganía. Se hace inevitable el recuerdo de aquel "responso" de Rubén a su maestro y compañero, el gran poeta alcoholizado y neurasténico de Francia, escrito veinte años antes:

> "Que púberes canéforas te ofrenden el acanto,
> que sobre tu sepulcro no se derrame el llanto,
> sino rocío, vino, miel..."

Al pie de la columna del apóstol San Pablo se cava la tumba. Y ahí está la sepultura del alto poeta, desde hace más de medio siglo, debajo del cuerpo marmóreo del

León que, símbolo de la ciudad de su nombre, parece tu-
telar su sueño eterno.

Anuncios de la inmortalidad de Rubén Darío, patentes, fueron todos los actos de homenaje, el clamor de las
alabanzas, los doloridos ecos de un mundo —el mundo
del habla española— que siguieron, por muchos días, al
día de la muerte.

La guerra europea vivía aún —vivió dos años más—
el espanto frío y cruel de sus matanzas. La Prensa continuaba, pues, con su inevitable información de la pesadilla
guerrera. Por entre los telegramas que daban de ella dia-
ria cuenta, se introdujo, el 7 de febrero de 1916, la noticia fúnebre que arrancaba del pequeño país de Centroamérica, y recorrió con la veloz palpitación de la "actualidad" las apretadas columnas de los periódicos.

Por la bandada de esos ecos que a su suelo llegaban,
Nicaragua supo que había perdido a su hombre culminante, al que se empinaba victoriosamente sobre todos
sus paisanos, mucho más alto que todos ellos, y, por supuesto, a inmensa altura sobre los políticos centroamericanos que, pudiendo hacer tanto por el varón que los
honraba a todos, tan mezquinamente se portaron con él.

25. EL CLAMOR Y LA ALABANZA

IFUNDIDA rapidísimamente la noticia de la muerte de Rubén Darío, un verdadero mar de tinta cayó sobre su nombre. Millares de plumas —no había entonces bolígrafos— vaciaron millares de tinteros. Desde la anodina gacetilla periodística, hecha a la ligera con dos adjetivos manoseados y más errores que datos, hasta el sesudo discurso de tono académico, pasando, naturalmente, por el artículo, el poema, el ensayo y la oración fúnebre, todo se hizo, se escribió y se dijo entonces en apología del poeta recién fallecido. En aquel homenaje inmenso intervinieron, con sus altas palabras, muchos de los grandes de la familia literaria hispánica, así de éste como del otro lado del Atlántico. Acudieron con sus ofrendas insignes poetas y poetillas insignificantes, notables cronistas y prosadores de tres al cuarto, académicos y aficionados (esto, sin olvidar, querido Rubén, que siempre han abundado los aficionados entre los académicos), trabajadores habituales de la Prensa y autores que por vez primera se asomaban a los periódicos, para expresar, con tales versillos o cuales parrafillos, el sentimiento la-

crimoso que habían experimentado al saber el óbito de
quien escribiera aquello de

"La Princesa está triste. ¿Qué tendrá la Princesa...?"

Nunca, desde muy joven, dejó Darío de tener lo que
llamamos "buena Prensa"; tuvo "mala Prensa" también;
pero "mala", no por silenciosa, que es lo que perjudica al
hombre que vive del público, sino por insertar en sus
columnas, reiteradamente, ataques a la obra del dicho
hombre; esa "mala Prensa" que, en realidad, contribuye
tanto como la "buena" a extender el renombre de un ser
humano. Por el de Darío mucho hicieron sus admiradores y elogiadores, pero no poco sus censuradores y adversarios.

Callaron casi todos éstos, delicadamente, al llegar la
hora del homenaje mortuorio; en cambio, los viejos amigos y adeptos del poeta levantaron, unánimes, su cordialidad; añadiéronse a ellos los nuevos partidarios, los
atraídos por la sonora fama del muerto y cuantos suelen
aprovecharse de toda ocasión para hacer oír su voz o dar
salida a su vocecilla.

El coro laudatorio fue, como se comprenderá, de lengua española; coro surgido de España y de todas las naciones que hablan nuestro idioma; coro de las Españas,
coro de hermanos.

Escasísimas palabras pudieron percibirse en lenguas
extranjeras. Francia, como es costumbre en ese nido grande de chauvinistas, estuvo muy por debajo de su obligación y de su deber. Debió, en efecto, haber tenido mayor
participación en aquella comunidad de alabanzas prodi-
gadas a un escritor que durante tanto tiempo había vivido en París, actuando, y no como mudo, en su ámbito
literario; un escritor que tan francófilo y afrancesado se

había mostrado siempre; que tantísimo había hablado de las costumbres parisienses, de la vida de la nación francesa, sus escritores y sus artistas; un hombre que con tanto entusiasmo había laborado en el mundo de habla española, por la gloria de los franceses; no ya de los grandes franceses, sino de muchísimos franceses pequeños, que siempre son más que los otros...

El punto pudo haber sido tocado antes en nuestras páginas. Venga ahora, como pequeña digresión, no del todo impertinente.

Francisco Contreras, que vivió con Rubén en París durante años y que conocía bien todo lo atañedero a la existencia parisiense de su amigo, escribió lo siguiente:

"A pesar de sus enormes servicios por la difusión de las letras francesas, Rubén Darío no recibió mayores muestras de simpatía de los escritores parisienses, y ninguna del Gobierno de Francia. Los pocos escritores de París que fueron sus amigos no publicaron ni una línea sobre su obra. Remy de Gourmont pensaba poner un prefacio a una traducción de páginas suyas escogidas, pero esta publicación quedó en proyecto. Los grandes diarios y aun las revistas literarias jamás se ocuparon de él. En cuanto al Gobierno, baste decir que, a pesar de que este escritor francófilo había sido cónsul, no le ofreció la cinta de la Legión de Honor. Debióse ello, en parte, al carácter de Rubén Darío, que huía de las gentes; en parte, al desconocimiento que los escritores franceses tenían del español y a la poca atención que Francia prestaba entonces a la América latina."

Todo esto que Contreras afirmó es verdad (15). Con Rubén Darío vino a probarse lo que ya estaba probado

---

(15) Como lo es esto otro, que ya Rubén había dejado escrito, refiriéndose a París: "Besamos la orla de su manto, el borde de su falda, y no se nos recompensa ni se nos mira."

con tantos precedentes, y se probó después con tantos otros ejemplos: la insoportable resistencia que el francés opone, sistemáticamente, a cuanto no sea francés. La innumerabilidad de los mediocres franceses encumbrados a golpes de hábil propaganda, la multitud de sus escritores y artistas adocenados e insípidos que circulan por ahí con la etiqueta de "genios", no permite a los franceses fijarse en quienes, mucho más valiosos que tantos de los suyos, no pertenecen a su territorio. En ocasiones, se dignan hablar de un extranjero, pero es cuando éste manifiesta ser *ami de la France*. Si no es "amigo de la Francia", mal será acogido siempre.

"Amigo de la Francia", "demasiado amigo", pudiéramos decir, fue Rubén Darío. Se excedió en el cultivo de esa amistad, no precisamente para bien suyo, ni de sus versos, ni de su prosa. Y aquí viene de molde, aunque no se comparta, el apóstrofe de José María Salaverría, escrito poco después de morir el poeta: "¡La gran estupidez de Rubén Darío, que pudo ser un gran poeta americano y se redujo al límite de un número más en el cortejo de los *metecos* parisinos, repetidores marginales de la mueca de París!"

Cerrando la digresión, volvamos al punto de partida. Imposible sería registrar en libro, como el presente, de dimensiones habituales, ni aun la mención de cuanto se escribió y publicó sobre el tema "Rubén Darío" en el año 1916 y en no pocos de los que le siguieron. Durante mucho tiempo fue tema de actualidad inamovible. Hojeando la Prensa española de aquellos meses, hallamos numerosos trabajos alusivos a Rubén, en su mayoría, como ha de suponerse, horros de interés y sin ningún valor. Señalando lo más notable de cuanto por entonces se dijo, forzoso es fijarnos, por sólo citar una, en la poe-

sía de Antonio Machado y en el artículo, por no citar
sino uno, que Gómez de Baquero publicó en *Nuevo Mundo*. Volveremos sobre este artículo cuando, más adelante,
tratemos de la obra de Darío. El epicedio de Machado
sí puede servir ahora para cerrar este capítulo. Es conocidísimo. Dice así:

"Si era toda en tu verso la armonía del mundo,
¿dónde fuiste, Darío, la armonía a buscar?
Jardinero de Hesperia, ruiseñor de los mares,
corazón asombrado de la música astral,
¿te ha llevado Dionysos de su mano al infierno
y con las nuevas rosas triunfante volverás?
¿Te han herido, buscando, en soñada Florida,
la fuente de la eterna juventud, Capitán?

Que en esta lengua madre la clara historia quede;
corazones de todas las Españas, llorad.
Rubén Darío ha muerto en Castilla del Oro;
esta nueva nos vino, atravesando el mar.
Pongamos, españoles, en un severo mármol
su nombre, flauta y lira, y una inscripción no más:
'Nadie esta lira pulse, si no es el mismo Apolo;
nadie esta flauta suene, si no es el mismo Pan'."

EL VERBO

Todo lo que hay en mí de complicado,
de pecador sutil o de perverso,
vino de amor o extracto de pecado...
todo eso lo he exprimido y lo he brindado
en sacrificio, inspiración y verso.

RUBÉN DARÍO
París. 1910.

LOS LIBROS

OS libros de Rubén Darío publicados en vida de su autor, sin contar ahora los dos, pequeños, escritos en colaboración con dos autores chilenos, y de los cuales después se dirá algo, fueron veinte. He aquí la lista de ellos, poniendo, tras cada título, el año de su aparición y la ciudad donde la edición se hizo.

Epístolas y Poemas. Primeras notas. 1885. Managua.

Abrojos. 1887. Santiago de Chile.

Azul... 1888. Valparaíso.

A. de Gilbert. 1889. San Salvador.

Los raros. 1896. Buenos Aires.

Prosas profanas y otros poemas. 1896. Buenos Aires.

España contemporánea. 1901. París.

Peregrinaciones. 1901. París.

La caravana pasa. 1903. París.

Tierras solares. 1904. Madrid.

Cantos de vida y esperanza. Los cisnes y otros poemas. 1905. Madrid.

Opiniones. 1906. Madrid.

Parisiana. 1907. Madrid.

El canto errante. 1907. Madrid.

El viaje a Nicaragua. 1909. Madrid.

Poema del otoño y otros poemas. 1910. Madrid.

Letras. 1911. París.

Todo al vuelo. 1912. Madrid.

Canto a la Argentina y otros poemas. 1914. Madrid.

La vida de Rubén Darío escrita por él mismo. 1915. Barcelona.

Menos este último, todos esos libros aparecieron, como es natural, con plena autorización de su firmante, que fue quien escogió y reunió los trabajos que habían de formarlos.

El último volumen —ya lo dijimos en otro lugar de nuestra obra— lo lanzó un editor desaprensivo, muy conocido por sus publicaciones baratas, de pacotilla, y cuyo apellido, italiano, no tenemos por qué recoger aquí.

De los otros libros, los dos primeros y los titulados *Prosas profanas, Cantos de vida y esperanza, El canto errante, Poema del otoño* y *Canto a la Argentina* son obras de verso. Siete, pues. *Azul* reúne verso y prosa. De prosa son los once que quedan; nueve de ellos, hechos con artículos que, en su inmensa mayoría, si no en su totalidad, vieron la luz en *La Nación,* de Buenos Aires.

Como se ve, los volúmenes publicados en Madrid son nueve; en 1904, el primero; diez años después, el último.

Los editados en París, cuatro; todos de prosa.

Dos hay aparecidos en Buenos Aires; en el mismo año ambos; uno de prosa y otro de verso.

Salió el primero de todos en la patria del autor; en Chile, el segundo y el tercero; en El Salvador, el cuarto.

Los publicados en nuestro siglo, a partir del año 1901, lo fueron en España y Francia. Casi la mitad de todos los libros de Rubén Darío se editó en Madrid.

Publicó también el maestro, como al principio apuntamos, dos pequeños libros, uno de verso y otro de prosa.
El primero, titulado *Las rosas andinas,* y el otro, *Emelina.*
Emelina es una novela escrita en colaboración con Eduardo Poirier y publicada en Chile en 1887. La otra obra
es un manojo de "rimas y contra-rimas" firmado por Rubén Darío y Rubén Rubí y aparecido también en Chile,
al año siguiente. "Rubén Rubí" es el seudónimo que
adoptó para aquel caso Eduardo de la Barra, autor de las
"contra-rimas" o parodias de las "rimas" de su compañero que en el tomito siguen a éstas. Cítese otra producción poética de aquellos mismos años: el *Canto épico a
las glorias de Chile.* De todo ello se hablará más adelante.

Al morir Rubén Darío, quedaron muchísimos versos
y artículos suyos desparramados por la Prensa de lengua
española y no recogidos por él en forma de libro. Quedaron también, aunque en bastante menor cantidad, trabajos inéditos, borradores, cosas inconclusas; entre éstas, la novela titulada *Oro de Mallorca.*

Pronto llegaron quienes, estimando que debían darse
a la estampa los trabajos periodísticos no coleccionados
por su autor, así como todo el material inédito digno de
pasar al público, comenzaron a trabajar en la no fácil
tarea de buscar y reunir lo disperso; tarea difícil y larga,
porque Darío no había guardado sino parte pequeñísima
de cuanto publicara en periódicos, y era, por lo tanto,
forzoso invertir mucho tiempo en la búsqueda necesaria
para lograr lo que se pretendía. Fueron consultados, en
primer lugar, como es lógico, los números de *La Nación,*
de *Mundial* y de cuantos diarios y revistas se sabía que
habían insertado trabajos del nicaragüense.

Dando aparte de esos trabajos una cierta unidad de

contenido, tema, etc., se formaron por los recopiladores algunos volúmenes a los cuales se pusieron títulos más o menos adecuados: *Sol del domingo, El mundo de los sueños, Ramillete de reflexiones, El salmo de la pluma, Semblanzas* y otros.

Más de una vez se acometió, con buenos arrestos, la empresa de lanzar las "Obras completas" de Rubén. Intervinieron en ello escritores, como el argentino Alberto Ghiraldo, y editoriales madrileñas, como Mundo Latino y los Sucesores de Hernando. Una de esas ediciones se hacía poniendo el nombre de "Rubén Darío Sánchez", el hijo del poeta y de Francisca Sánchez, como propietario legítimo de todas las obras de su padre. Lo cierto es que ninguna de esas tentativas logró alcanzar su objeto plenamente. Desde el punto de vista económico, todas fracasaron. Bien lo sabemos los lectores de Darío a quienes, durante varios años, se nos han brindado ejemplares de esos libros a precios de saldo. No por pesetas, por céntimos, hemos podido comprarlos en las librerías de lance.

En nuestros días, dos importantes editoriales de Madrid, la de Afrodisio Aguado y la de Aguilar, han reanudado, con mejor éxito, los viejos empeños de las "Obras completas". En el campo del verso, acaso pueda decirse que, gracias a Aguilar, tenemos ya recogida en volumen, y en un solo volumen, la *opera omnia*. Lo que falta aún por recoger será poquísimo. En el otro campo, el de la prosa, la dificultad de reunir todo lo escrito por Rubén es mayor, sin duda. Los cuatro volúmenes editados por la Casa Aguado bien merecen una palabra de reconocimiento y de elogio, por cuanto con ellos se ha conseguido. Más adelante tocaremos los puntos referentes a esas dos ediciones, que tan útiles han sido para nuestra tarea.

Repasemos ahora los veinte ya mencionados libros de

Rubén Darío, dando de cada uno alguna breve información que pueda servir para facilitar la consulta a quienes
la deseen o necesiten. Hagámoslo estableciendo dos grupos con los tales libros. En el primero tratemos de los
versos; de las prosas, en el segundo.

LOS VERSOS

L año 1880 pertenece lo más antiguo que de Rubén Darío conocemos. Y en el año mismo de su muerte se fecha lo último que el bardo escribió.

Tenía éste trece años cuando compuso, con el título *A ti,* la siguiente ingenua poesía:

"Yo vi una ave
que suave
sus cantares
a la orilla de los mares
entonó
y voló...
Y a lo lejos,
los reflejos
de la luna en alta cumbre,
que argentando las espumas
bañaba de luz sus plumas
de tisú...
¡Y eras... tú!

Y vi un alma
que sin calma
sus amores
cantaba en tristes rumores,

y su ser
conmover
a las rocas parecía,
miró la azul lejanía.
tendió su vista anhelante,
suspiró,
y cantando, pobre amante,
prosiguió...
¡Y era... yo!"

Y le quedaban ya pocos días de vida, cuando arran-
có de sus tristezas estos doce eneasílabos:

"Mis ojos espantos han visto;
tal ha sido mi triste suerte;
cual la de mi Señor Jesucristo,
mi alma está triste hasta la muerte.

Hombre malvado y hombre listo
en mi enemigo se convierte;
cual la de mi Señor Jesucristo,
mi alma está triste hasta la muerte.

Desde que soy, desde que existo,
mi pobre alma armonías vierte.
Cual la de mi Señor Jesucristo,
mi alma está triste hasta la muerte."

Entre las dos copiadas composiciones se encierra toda
la producción versificada del vate nicaragüense. Treinta
y seis años de labor poética sostenida sin largas pausas,
sin debilidades, desalientos, titubeos ni claudicaciones;
antes bien, con energía, audacia y constancia. El maestro
no se mantuvo siempre a igual altura, pero nunca dejó de
hacer cuanto pudo para renovarse, para mostrar patente
su evolución, para hallarle a su poesía nuevos cauces y
brotes y enriquecimientos, y para no frustrar el interés

y la atención con que le seguían tantos de sus lectores, amigos y adeptos.

¿Tenemos impresa la producción completa que en el campo del verso dejó Rubén Darío? Es muy probable que aún quede algo por hallar —inédito o publicado en papel ignoto—, para ser llevado al cuerpo de lo conocido hasta ahora.

Escribió Rubén numerosas poesías; podemos cifrarlas en siete centenares. Las que, de ellas, escogió él para hacerlas figurar en las páginas de sus libros de verso fueron algo menos de trescientas; menos, pues, de la mitad de todas las escritas.

En el primero —*Epístolas y poemas*— incluyó catorce. En *Abrojos,* cincuenta y nueve. En la segunda edición de *Azul,* diecisiete. En *Prosas profanas,* cincuenta y cuatro. En *Cantos de vida y esperanza,* sesenta y una. En *El canto errante,* cuarenta y siete. En *Poema del otoño,* catorce. En *Canto a la Argentina,* doce. Hay que añadir a todo eso las catorce rimas de 1887 y el *Canto épico a las glorias de Chile.*

Al formar cada uno de sus libros poéticos, es indudable que Rubén Darío eligió lo mejor, a su juicio, de todo lo que, hasta entonces, llevaba publicado en los periódicos o conservaba inédito. Debe, pues, asegurarse, mientras no se nos pruebe lo contrario, que las mejores composiciones del maestro figuran en sus citados libros, y no fuera de ellos. Pero fuera de ellos hay —tampoco se puede negar— poesías dignas de colocarse junto a muchas de las incluidas en volumen.

Las mejores poesías de Rubén podemos leerlas en *Prosas profanas, Cantos de vida y esperanza, El canto errante* y *Poema del otoño,* que son sus cuatro mejores libros; sin olvidar el titulado *Canto a la Argentina y otros poemas.* El segundo es el libro capital. Representa,

a juicio de la crítica (casi unánime en esto), la culmina-
ción del genio poético de Rubén. El de las *Prosas profanas* es el que dio a conocer la originalísima calidad de su
poesía, ya anunciada, sólo anunciada, en el libro *Azul*.

De *Prosas profanas*, las siete composiciones más famosas son, citadas por el orden en que aparecen en el libro, las tituladas *Era un aire suave, Sonatina, Margarita,
Coloquio de los centauros, Pórtico, Elogio de la seguidilla*
y *Responso a Verlaine*.

De *Cantos de vida y esperanza*, las doce más celebradas son: *Yo soy aquel que ayer no más decía... Salutación del optimista, Al Rey Oscar, Cyrano en España, A
Roosevelt, Marcha triunfal, Canción de otoño en primavera, Carne, celeste carne de la mujer... Un soneto a Cervantes, A Goya, Letanía de Nuestro Señor Don Quijote* y
Lo fatal.

De *El canto errante*, son las cinco que han logrado
más nombre *A Colón, A Francia, Epístola a la señora de
Lugones, Campoamor* y *Soneto a Valle Inclán*.

De *Poema del otoño, Poema del otoño, A Margarita
Debayle* y *El clavicordio de la abuela*.

Del libro *Canto a la Argentina y otros poemas, La
Cartuja, Los motivos del lobo* y *Gesta del cóso*.

Podríamos aventurarnos a decir que las citadas son
las treinta poesías más conocidas y celebradas de Rubén
Darío, y probablemente aquellas que él hubiera también
preferido, puesto a señalar tales preferencias.

Siguiendo nuestro gusto, nosotros añadiríamos otras
veinte o treinta poesías que nos parecen simplemente
admirables, y reforzar esa cuidada antología con trozos
afortunadísimos, versos preciosos y jugosos juegos de
palabras entresacados de otras muchas composiciones.

"EPISTOLAS Y POEMAS"

Ya hicimos referencia a las manifestaciones iniciales del numen de Darío. Tenemos: primeramente, sus balbuceos y precocidades infantiles; luego, los ímpetus de su adolescencia; en seguida, los arranques de su juventud, ya bien nutrida de lecturas.

No tiene aún los diecinueve años cuando, en su propia tierra natal, donde es ya tan conocido, lanza el liróforo su primer libro. Elige, de cuanto ha escrito, lo que estima más valioso, más importante, de mayores alientos, y lo incorpora a ese volumen, que sale por octubre de 1885. No lleva dedicatoria. Se abre con una *Introducción* de veintitrés décimas; doscientos treinta octosílabos. La primera dice así:

> "¡Salve, dulce primavera,
> que en la aurora de mi vida
> me diste la bienvenida
> cariñosa y placentera!
> Tú ríes en la ribera,
> mientras yo, en mi embarcación,
> camino del remo al son
> por el piélago azulado...
> ¡Ay! ¿Qué llevaré guardado
> dentro de mi corazón?"

La tercera décima es ésta:

> "En el alba de la vida
> todo es luz esplendorosa.
> ¡Qué esperanza tan hermosa
> es la esperanza nacida!
> ¡Oh, primavera florida!
> ¡Cuántas aves, cuánta flor!
> ¡Cuánto divino rumor

turba la apacible calma,
cuando se despierta el alma
al primer beso de amor!"

Otra dice:

"Celajes de nieve y grana
que, tras las cándidas nubes,
fingen radiantes querubes
con la luz de la mañana;
pórticos de filigrana
bordados de rosicler,
por do se puede entrever
el trono deslumbrador
de donde lanza el Creador
el rayo de su poder..."

Otras:

"Mi fe de niño ¿dó está?
Me hace falta, la deseo;
batió las alas y creo
que ya nunca volverá;
porque la fe que se va
del fondo del corazón
tiene origen y mansión
en lo profundo del cielo,
y cuando levanta el vuelo
jamás torna a su prisión.

La edad presente es de lucha;
es preciso, pues, luchar;
no se puede descansar
entre el ruido que se escucha;
la vacilación es mucha;
ya está muy crecido el mal;
se consume el ideal;
se va Dios, ¡esto es horrible!
¡Contener es imposible
esa gangrena moral!"

Otras más:

"Aquí en este libro tengo
dichas que me satisfacen,
dolores que me deshacen,
ilusiones que mantengo.
Ignoro de dónde vengo
ni adónde voy a parar:
he empezado a navegar,
ignota playa buscando,
y voy bogando, bogando
sobre las aguas del mar.

La burla torpe se ceba
en los de buen corazón;
hay para la inspiración
rudos momentos de prueba;
hay quien hiel amarga beba
sin dejarlo conocer.
¿Ponzoñas? Hay por doquier:
la lengua de un cortesano,
la falsía de un villano
y el amor de una mujer.

Niña de los negros ojos,
niña, no te desconsueles;
mis más deleitosas mieles
son para tus labios rojos;
yo, siervo de tus antojos,
y para ti ha de cantar
con acento singular
tu poeta enamorado...
pero, niña, ten cuidado,
no me vayas a engañar.

Si en algunos de mis versos
hay versos envenenados,
seguid, lectores honrados,
que son para los perversos.
Yo tengo tonos diversos
en las cuerdas de mi lira;

hay en mis canciones ira,
y son mis frases puñales
para ruines y desleales,
para el dolo y la mentira.

.   Mas también tengo un laúd
de suave y tierna dulzura,
para cantar la hermosura,
la nobleza y la virtud;
me da alas mi juventud;
tengo fe en el porvenir,
y contemplo relucir
mis brillantes ilusiones,
cual bellas constelaciones
en un cielo de zafir."

Etcétera, etc. Como vemos, el poeta no es por lo pronto sino un versificador de cierta fluidez, que lleva su
fluidez a los tópicos, harto sobados, de la poesía habitual.
Por aquellos mismos días, en España, eran numerosos los
plumíferos que escribían composiciones de ese tipo, ri-
mando, como Rubén, primavera con placentera, alma con
calma, nubes con querubes, mucha con lucha, ojos con
rojos y con antojos, versos con diversos y perversos... Lo
de siempre. Y los lugares comunes no abandonables: el
cielo de zafir, la fe en el porvenir, las alas de la juventud,
el laúd, el dolo, las cuerdas de la lira, la hiel amarga, la
playa ignota, la primavera florida, el alba de la vida, el
piélago azulado, el primer beso de amor; y se dice rosicler, por doquier, por do, y ¡salve! y ¡ay!... Está todo
lo de cuotidiano uso en los poetas. Hay en esa poesía, naturalmente, "oficio", habilidad, destreza para combinar
los sonidos y, por supuesto, ripios. Lo que no se advierte
por parte alguna es originalidad, personalidad.

De las cinco epístolas contenidas en el libro, una vemos dirigida a Ricardo Contreras, en tercetos endecasí-

labos; otra, a Juan Montalvo, en verso libre, también de
once sílabas, y otra del mismo género y corte que la anterior. Ninguna de las tres se aparta de lo tradicionalmen-
te manoseado en la poesía castellana. Las tres revelan el
conocimiento y la influencia que de nuestros poetas clásicos tenía, ya en su juventud, Rubén Darío.

Oigamos algo. De la primera de las nombradas son
estos versos:

> "Mas es una injusticia, y de las duras,
> que quieras aplicarme una azotaina,
> de mi niñez buscando las hechuras.
>
> No así lo hagas, pardiez; pon en la vaina
> la filosa cuchilla que hoy empleas
> para herir sin piedad; el brío amaina
>
> y sabe ahora, porque justo seas,
> que aquesa malhadada obra mía,
> que hoy con tanta frescura vapuleas,
>
> parto fue de un muchacho que en un día
> remoto diose a hacer en mal romance,
> versos de desgraciada poesía,
>
> sin que de arte ninguno hubiera alcance
> y que por tal lo transformara en... algo
> Publio Ovidio Nason (que en paz descanse).
>
> Y si con esto del aprieto salgo,
> quede el muchacho aquel por majagranzas,
> que yo aseguro y sé que nada valgo.
> ....
> Un muchacho inexperto y perdidizo,
> no digo un disparate, mil comete
> creyendo ser muy bueno lo que hizo.
> ....
> ¡Si merece, Señor, achicharrarla
> en un auto de fe, para escarmiento
> de todo aquel que en malos versos parla!

Así, pues, has empleado tu talento
en cometer un cruel muchachicidio,
sin hallar expresión ni fundamento

que te hagan resistencia. Yo no lidio
por mis viejas torpezas; mucho menos,
con un contrario cuya pluma envidio.
....

Si no alcanzo a imitar la gracia toda
y la rica expresión y galanura
con que da admiración la antigua oda,

es porque no he bebido yo en la pura
linfa de la Castalia, y del Parnaso
nunca llegué a tocar la sacra altura.

Es preciso montar en el Pegaso
para sonar la cítara de oro
de León o el rabel de Garcilaso...
....

A las veces ensayo el plectro grave
que da el robusto son, o la armonía
de las estancias de égloga suave;

todo quiere imitar el arpa mía;
pero como soy débil e inexperto,
yo no puedo alcanzar alta poesía.
....

Gústame de emplear en lo inventado
el sutil arcaísmo, y la que brilla
metáfora altanera es de mi agrado;

sin rastrera hinchazón que el arte humilla.
sin frase rebuscada o descompuesta,
sin pintar el retrato de golilla

y sin dura expresión torpe y molesta,
como la que repleta los farragos
con que más de un autor nos indigesta.
....

No es buen aliño la palabra oscura,
ni es la llaneza baja, de provecho;
mas ¿puede ser mi lira docta y pura?
....

Sírvate la esperanza de consuelo,
que poco a poco en la campiña amena
las flores brotarán del vírgen suelo:

la ruda trompa y pastoril avena
darán sus varios ecos; ya el hosana
glorioso y la apacible cantilena

cunden con melodía soberana,
elevando con pauta majestuosa
la dulzura del habla castellana.
....

No, no está lo elevado ni lo ameno
en este tentador naturalismo
que se pone a arrojar flores al cieno;

y ya querrá, fundado en su cinismo,
divinizar subiendo hasta la altura
la comezón brutal del sensualismo.

Aquí, la disciplina áspera y dura;
aquí, el satirizar perteneciente;
aquí, el remedio que esos males cura.
....

¡Altos recuerdos de gloriosos días!
Aùn se oye el grave ditirambo terso,
celebrando victorias y alegrías.

La regia pompa del rotundo verso
que los antiguos vates nos legaron,
llena de admiración el Universo;

y las reglas que sabios ordenaron
siempre muestran el numen que Natura
les dio con su poder y ellos guardaron.
....

Tu indicación con toda el alma acepto;
al férreo yunque agregaré la lima
y habré de repulir todo concepto.

Y quiera Apolo que tu mano esgrima
siempre el arma filosa con que tajes
a tanto poetastro que da grima.

¡Hacen al bien decir tantos ultrajes
y al sentido común! Diles horrores,
lanza agudas saetas, sin ambages;

y así dejen de céfiros y flores,
y se oiga en armonía soberana
el dulce lamentar de los pastores
y las odas viriles de Quintana."

De otra "epístola" del libro, la dedicada a Montalvo,
son estos endecasílabos:

"Mojado tu pincel en los colores
de lo inmenso, al mirar lo que tú pintas,
estremecida el alma se contempla,
y sin velo que oculte la figura,
el ingenio aparece deslumbrante,
siendo ante el mundo, de loores lleno,
admiración de la cansada Europa
y orgullo de la América, tu madre...
....
Que al cielo no se va por el escueto
camino de la sórdida avaricia,
que más desea cuanto más consigue;
ni guiado por la voz de la pereza
que en vez de caminar se echa y se duerme;
ni por la vil lujuria que ambiciona
en cieno ruin ahogar ánima y cuerpo;
ni por el vicio, en fin, que así corrompe
como halaga, sino por la amorosa
palabra que dirige el bien que es vida,
y el Eterno Creador ha derramado,
para que el corazón de los que siguen

el sendero de luz que al cielo lleva,
se purifique en el sagrado fuego
que en la conciencia mana amor divino:
ese amor como fuerza que conduce,
ese amor como llama que aprisiona,
ese amor inmortal como Dios mismo.
....

Y todos los heroicos defensores
de la patria común americana
que con vínculos fuertes une el Ande,
son vestidos de luz y presentados,
llenos de majestad y de hermosura,
por el raro poder de la palabra.
Sobre todos los grandes vencedores
que al mundo llenan de terrible asombro,
aparece Simón, alta la frente,
azote de relámpagos su espada;
su brazo es huracán que todo asuela,
su mirada poder incontrastable,
su cerebro es hornalla misteriosa
donde se forman altos pensamientos,
y su gran corazón, nido de llamas
donde alientan ardores y virtudes;
foco de sin igual magnificencia
que derrama a torrentes noble fuego,
encendido en sublime patriotismo,
fecundo en bienes mil a las naciones.
Ese es el gran Libertador de un mundo;
se remonta hasta el sol, cóndor zahareño:
a ése das tus loores inspirados
en el amor que guía a la grandeza;
a ése describes con lucido numen,
presentándolo en forma y en esencia,
modelo de gigantes concepciones,
héroe digno de un plectro resonante
que, al calor de este trópico encendido,
que hace brotar del suelo maravillas,
ensaye y lance al mundo, entre entusiasmos,
canto inmortal, magnífica epopeya."

Puede también entresacarse algo de la Epístola titulada *Erasmo a Publio.*

"En taza ebúrnea que recama aljófar,
de licor bien rellena, que en su fondo
con dulce néctar sabrosura lleva,
va la ponzoña que envenena el alma;
y en el mórbido seno que lasciva
toca con sus tizones infernales,
anida áspid funesto que hinca el duro
diente y mortal herida abre y encona.
....

El cívico esplendor no te fascine,
ni el halago que en premio de vilezas
potentado insolente haya de darte;
si es preciso que sufras y mendigues
un pan para comer, vete a las plazas
y prefiere la vianda de limosna
al oro con que infames mercaderes
tu honor quieran comprar. Torvo y huraño,
antes que adulador. La cortesana
genuflexión que tu espinazo encorve,
hará que el polvo vil tu noble frente
manche humillada; llévala bien limpia,
iluminada por el brillo augusto
de la aurora inmortal de la pureza.
Siempre altanero sé, nunca orgulloso
con ese orgullo de soberbia loca;
ten esa majestad y altanería
que bien cuadra al varón justo y severo.
Si por celeste gracia, de poeta
guardas lira sonante, no la humilles:
esos divinos dones son tan altos
que con ligero toque se profanan."

El poema con el que se abre la segunda sección del libro —el titulado *El Porvenir,* de 675 versos— es una de esas composiciones "levantadas" en las que un tema de "elevada categoría" es tratado con verdadero lujo de tópicos sonoros y coruscantes latiguillos.

Véanse ejemplos:

"Con la frente apoyada entre mis manos,
pienso y quiero expresar lo que medito.
Númenes soberanos,
Musa de la verdad, Verbo infinito,
dad vuestro apoyo al que demanda aliento;
que esta fiebre ardorosa en que me agito,
si hoy ensancha mi pobre pensamiento,
vigor me roba al darme sentimiento,
y a fuerza de pensar me debilito.
....
El Angel del Señor su clarín de oro
        sopló a los cuatro vientos;
        rodó el eco sonoro
del orbe a conmover los fundamentos.

El Angel del Señor a juicio llama
        al Pasado, al Presente
y al Porvenir. El eco se derrama
        y el abismo se inflama
al tronar la palabra omnipotente.
....
Yo soy lo tenebroso, soy el mito.
        Yo he visto a las edades
        hundirse en lo infinito,
en medio de un fragor de tempestades.

        Yo vi al hombre altanero;
la venda del error cegó su vista:
antes que sacerdote fue guerrero,
antes que la oración fue la conquista.

        Y ¿qué más? Tras la lucha, el poderío
del tirano cruel en su demencia,
        y el embozo sombrío
de una fe que aprisiona la conciencia.

Tras el conquistador que al hombre oprime,
el fraile que el espíritu ataraza;
        tras una edad que gime,

una dormida raza.
Y si el arte brilló, la moral pura,
la luz del pensamiento,
fue entre la celda oscura
del ruinoso convento.

De la ciudad alegre y populosa,
dominio de los reyes, nada queda;
todo, guiado por fuerza misteriosa,
vacila, se desploma, cae y rueda.
Cayó Menfis; y Tiro,
Babilonia y Persépolis cayeron;
del tiempo inexorable el raudo giro
dejó sólo memoria de que fueron.

Y Grecia, de los dioses la morada,
tierra hermosa y sagrada
donde, en las bulliciosas saturnales,
doncellas, suspirando por amores,
coronadas de pámpanos y flores,
alrededor de las sagradas piras
formando bellos coros,
recitaban al son de acordes liras
los ditirambos tersos y sonoros;
Grecia, que alzó sus templos y murallas,
que a la estatua dio ser y al mármol venas,
que un Milcíades tuvo en las batallas
y un Platón en el Agora de Atenas;
y que en sus fuentes de dormida espuma
y que en sus bosques do el laurel retoña,
entre flotante y vagarosa bruma,
Teócrito suena pastoril zampoña;
Grecia, cuna del arte. Y Roma altiva,
la ciudad en que viva
la voz de Cicerón los aires hiende
y como hacha de oro luce y taja,
que a los quirites en valor enciende
y que al varón sin fe befa y ultraja;
Roma, que vio en el circo en ruda brega
al gladiador de músculos de acero,
y la corona al vencedor entrega

más pujante y más fiero.
¡Grecia y Roma!... ¿Y su alto poderío,
      y su regio atavío
en dónde están?... Los dioses las dejaron,
y al morir Pan, los bosques suspiraron.
....

    Señor, yo soy el pueblo soberano
        que derroca al tirano;
soy la Revolución que en sus fulgores
confunde a los esclavos y señores;
profetisa inspirada que en su enojo
        la tiranía ahuyenta
y que ante las edades se presenta
con gorro frigio y estandarte rojo.

        Yo soy la edad de fuego,
toda incendios, toda astros, toda lumbres;
y yo domino al populacho ciego
y sé enfrenar las locas muchedumbres.

    Señor, yo soy el pensamiento humano
que quiere domeñar los elementos,
que tiene como siervo al oceano
y que manda a los rayos y a los vientos.
Con el cálculo, frío en su medida,
en las regiones de la luz penetra,
y el libro inmenso de la eterna vida
pretende adivinar letra por letra.
....

    Señor, yo abarcaré en estrecho abrazo
        toda la faz del mundo,
y desde el Himalaya al Chimborazo
mi aliento correrá siempre fecundo.

    El Asia muelle que recorre el Ganges,
asiento y pedestal del viejo Brama,
donde luchan innúmeras falanges
sacudiendo a los aires su oriflama
        y sus rudos alfanjes;
la tierra de los bosques gigantescos
donde crece el baobab entrelazado;

la tierra de los campos pintorescos
por do va el elefante consagrado
      mostrando su rudeza,
y el brutal hipopótamo crecido,
y el forzudo y feroz rinoceronte
      del cuerno retorcido;
en donde todo es grande: el alto monte,
la fe, la tempestad y el horizonte.

     Y Europa, la altanera,
     la tierra de los sabios:
Europa, pitonisa mensajera,
siempre con buenas nuevas en los labios;
donde Voltaire rió y habló Cervantes,
y nacieron los Shakespeares y los Dantes;
     esa diosa que tiene
por brazo a Londres, a París por alma
y que en Roma y Madrid frescos mantiene
¡oh, poetas! laurel y mirto y palma.
De su antiguo esplendor la fama ostenta
Europa artista, Europa sabia, Europa
     que crea, canta, inventa
y bebe inspiración en áurea copa.

     Y América... ¡oh, Dios mío!
si el viejo mundo ya maduro y cano
gozara del fulgor de mi cariño,
donde alzaré mi trono soberano
     será en el mundo niño.

     ¡Salve, América hermosa! El sol te besa,
del arte la potencia te sublima;
el Porvenir te cumple su promesa,
te circunda la luz y Dios te mima.

En ti he sembrado la semilla santa
     de los principios grandes,
y mi bandera altiva se levanta
sobre la cima augusta de los Andes.

Los dioses volverán, y en tu regazo
entonarán sus mágicos cantares;
      y con celeste lazo
circundarán tus montes y tus mares.

Y tendrás Partenón y Coliseo
y Musas que vendrán a saludarte;
      y Píndaro y Tirteo
hijos tuyos serán, con mejor arte.

Y luego la República que inflama
      con su magia divina
levantará su voz y su oriflama,
del Chimborazo que altanero brama
      a la pampa argentina,
y al gigantesco y rudo Tequendama,
al sonar la trompeta de la Fama
en loor de la América Latina.

....

      Y el Señor se veía
más radiante que el sol del mediodía.

      Alzó su sacra mano
y resonó su acento soberano.

      Dijo: "¡Bendita sea!"
      Y ungió al género humano
con el óleo divino de su idea.

En fiesta universal estremecida
la creación, de gozo adormecida,
del Porvenir sentía el beso blando;
y por la inmensa bóveda rodando
      se oyó en eco profundo:
"¡América es el porvenir del mundo!"

A continuación de este campanudo y un tanto ripioso
poema, recoge Darío su retumbante *Víctor Hugo y la
Tumba.* Es ésta la primera poesía hecha en versos de
catorce sílabas —alejandrinos— que él publica en su li-

bro, y es, además, en éste la única de esa rima. Todo lo
demás del libro se desarrolla dentro del octosílabo, el
endecasílabo y la combinación del endecasílabo con el
heptasílabo; es decir, las rimas más corrientes, las más
usadas por la poesía española.

Así empieza la mencionada composición:

"Iba a morir el Genio. "¡Paso!", dijo a la Tumba,
con voz que en el espacio misteriosa retumba,
produciendo infinita, suprema conmoción.
La Tumba, inexorable siempre, ruda y severa,
contemplando al coloso gigante, dijo: "¡Espera!,
ignoro si tú puedes entrar a mi región."

En tanto, en las alturas, las mil constelaciones
bordaban los cambiantes de sus fulguraciones
en el velo impalpable del esplendente azur.
Callaba el oceano, y sobre los volcanes
altísimos, dormían los grandes huracanes
del Este, del Oeste, y del Norte y del Sur.

La Tumba dijo entonces: "Preguntaré a los vientos
y al oceano rudo de oleajes violentos,
y a los astros radiantes, y al altivo volcán,
si puede mis dinteles sombríos y profundos,
al brillo de los soles y a la faz de los mundos,
salvar, cual los humanos, este enorme titán."

Otra de las composiciones del libro, la oriental *Alí,*
es un reflejo evidente, muy poco personal, del estilo de
Zorrilla. Parece oírse la "guitarra zorrillesca" en cuanto
se empieza.

"Rawí de la guzla de oro.
al son de tu suave rima,
cuenta a la hermosa Zelima
alguna historia de amor;
y el eco blando y sonoro

con su dulce resonancia
hoy recoja de esta estancia
el viento murmurador.

Fue linda la mora Zela;
no hay como ella otra hoy día,
por su airosa bizarría
y por su andar de gacela;
un pimpollo de canela
fue su breve, húmeda boca;
su mirada ardiente y loca
llegaba hasta el corazón;
pudo enamorar a un león
y conmover a una roca.

¡Qué color tan sin rival!
¡Qué bello rostro de hurí!
La tez limpia, de alhelí,
con un tinte de coral
¡Qué mora tan celestial!
Sus sonrisas, ¡qué hechiceras!
Se vía, tras las ligeras
gasas de su vestidura,
lo leve de su cintura,
lo lleno de sus caderas."

Y así sucesivamente.

Pecando acaso de prolijos, nos hemos detenido en
recoger, de este primer libro de Rubén Darío, los versos
que van copiados, a fin de que, con su lectura, pueda el
lector atento conocer la forma en que el poeta nicaragüense, antes de cumplir sus diecinueve años, se presentaba en la liza. Las muestras de sus primeras poesías aquí
reunidas nos declaran todo lo que debemos saber para
introducirnos con fruto en el estudio de la rica y compleja personalidad del famoso vate. Sabemos ya, pues,
que éste inicia su camino dentro de los cánones usuales,
sin apartarse de la corriente predominante en su tiempo;

imita a los maestros entonces en boga; se deja influir por sus lecturas favoritas (Zorrilla, Núñez de Arce, Campoamor, Quintana, Víctor Hugo, sin olvidar a nuestros clásicos del siglo XVII), y emplea todos los recursos de una versificación de escuela y plantilla; los temas, el vocabulario, la expresión, el ritmo, la cadencia, todo responde a lo que en torno suyo se cultiva, sin aportar la menor novedad ni la más pequeña audacia contra "lo establecido" y consagrado.

Los tercetos de su *Epístola a Contreras,* por ejemplo, tienen innegable sabor añejo; sin alcanzarlos en mérito, recuerdan a los mejores que posee nuestro Parnaso. Esa composición y el poema titulado *El Porvenir* acaso sean las dos piezas más logradas que el poeta tenía hechas, cuando resolvió publicar su primer libro.

De los que recogen poesías, este libro es el más extenso de todos los suyos. Cuatro mil cuatrocientos versos en catorce composiciones, de las cuales *El Porvenir,* con 675, y *Alí,* con 660, son las más largas.

En su edición príncipe, el título y el subtítulo que registramos aparecían a la inversa. Así: *Primeras notas. Epístolas y poemas* (colocación más lógica que la adoptada después). Dícese que de la tal edición no existen sino tres o cuatro ejemplares y sin portada. No hay forma, pues, de dejar sentado el año de su aparición.

Rubén no tenía ese libro; poseyó un solo ejemplar que llevó a Chile en 1886 y regaló a su amigo Eduardo de la Barra. Este se lo dio luego a otro amigo de ambos: don Narciso Tondreau. Ni ese ejemplar ni los otros que se conocen están completos.

Don Alfonso Méndez Plancarte, notable recopilador de la producción poética de Rubén, nos dice: "Los editores de *Obras completas,* sin ver nunca el tomo, lo reconstruyeron a base de referencias y conjeturas..., alte-

raron todo su orden y omitieron títulos... Ahora nosotros restablecemos el orden e integridad de sus catorce
piezas originales y depuramos escrupulosamente su texto." Es esa edición, incluida en el ya mencionado volumen de Aguilar, la que aquí seguimos.

Dos breves juicios emitidos sobre las *Primeras notas:*
"El Rubén Darío que aparece en este libro —escribe
Max Henríquez Ureña— es un poeta que aspira a ser
elegante y novedoso en la factura, pero que todavía no
puede dejar el lastre romántico. Faltábale entonces a él,
ya buen conocedor de las letras españolas, el contacto con
otras literaturas, principalmente con la francesa, cuya influencia le fue tan útil para su labor innovadora. Pero
ya en este libro se advierten unos primeros ensayos de
adaptación afortunada del alejandrino francés al castellano. Esta innovación no fue de Darío, sino de Francisco
Gavidia..."

"Después de una pueril "Introducción" y una enfática invocación a las "sacras musas" —dice Francisco
Contreras—, nos da, como el título lo promete, una serie
de epístolas y poemas, ya solemnes, ya familiares, ya iró-
nicos, pero todavía ingenuos y desiguales. Así canta al
Porvenir en oda altisonante, a la manera de Quintana;
celebra el Arte en octosílabos cantantes, con leves relámpagos de Hugo; invectiva al hombre en el tono de cínico
escepticismo de Bartrina *(Ecce Homo);* satiriza a uno de
sus críticos (Ricardo Contreras), haciendo gala de reminiscencias clásicas, o esboza un cuentecillo inocente y
zurdo *(Nube de verano)* en el estilo y la sixtina de Núñez
de Arce. Empero, a veces supera su afán de imitación y
logra notas bellas o, al menos, delicadas. Así, estas *Primeras notas,* ceñidas, por lo general, a la rutina retórica
y hechas de reflejos, tienen relativa importancia. Hay en
ellas elegancias de estilo y de imaginación que delatan a

un poeta artista, y novedades métricas que anuncian ya a un renovador."

No compartimos el final de este comentario. Las "novedades métricas" no las vemos por ninguna parte; el "anuncio del renovador" dista mucho todavía...

"ABROJOS"

El segundo libro de Rubén —*Abrojos,* título desde luego muy ajustado a la poesía romántica de aquel tiempo... todavía romántico— es un volumen pequeño de breves composiciones. Está dedicado al periodista Manuel Rodríguez Mendoza, compañero del poeta en la redacción de *La Epoca.*

El prólogo, en octosílabos, comienza:

> "Si yo he escrito estos *Abrojos,*
> tras hartas penas y agravios..."

Huelga continuar. Se ven venir ya los dos consonantes: el de *abrojos, ojos,* y el de *agravios, labios.* Parecía que no había otros en el diccionario, a juzgar por el abuso que de esos cuatro vocablos así aconsonantados hacían los poetas para armar sus rimas.

En los *Abrojos* hay reminiscencias de cantares:

> Mira, no me digas más:
> ¡que otra palabra como esa
> tal vez me pueda matar!

> No quiero verte madre,
> dulce morena.

Muy cerca de tu casa
tienes acequia,
y es bien sabido
que no nadan los hombres
recién nacidos.

Hay también influencias becquerianas y campoamo-
rinas.

¡Oh, mi adorada niña!
Te diré la verdad:
tus ojos me parecen
brasas tras un cristal;
tus rizos, negro luto,
y tu boca sin par,
la ensangrentada huella
del filo de un puñal.

Lloraba en mis brazos, vestida de negro;
se oía el latido de su corazón;
cubríanle el cuello los rizos castaños,
y toda temblaba de miedo y de amor.
¿Quién tuvo la culpa? La noche callada.
Yo iba a despedirme. Cuando dije "¡Adiós!",
ella, sollozando, se abrazó a mi pecho,
bajo aquel ramaje del almendro en flor.
Velaron las nubes la pálida luna...
Después, tristemente, lloramos los dos.

¿Cómo decía usted, amigo mío?
¿Que el amor es un río? No es extraño.
Es ciertamente un río
que, uniéndose al confluente del desvío,
va a perderse en el mar del desengaño.

¿Dar posada al peregrino?
A uno di posada ayer,
y hoy prosiguió su camino
llevándose a mi mujer.

No escasean los rasgos humorísticos, amargos, como
corresponde al título del libro:

> Puso el poeta en sus versos
> todas las perlas del mar,
> todo el oro de las minas,
> todo el marfil oriental,
> los diamantes de Golconda,
> los tesoros de Bagdad,
> los joyeles y preseas
> de los cofres de un Nabad.
> Pero, como no tenía
> para hacer versos ni un pan,
> al acabar de escribirlos
> murió de necesidad.
>
> Vivió el pobre en la miseria;
> nadie le oyó en su desgracia;
> cuando fue a pedir lismosna,
> lo arrojaron de una casa.
>
> Después que murió mendigo
> le elevaron una estatua...
> ¡Vivan los muertos que no han
> estómago ni quijadas!
>
> ¡Qué bonitos
> los versitos...!
> —me decía
> don Julián—.
> Y aquella frase tenía
> del diente del can hidrófobo,
> del garfio del alacrán.

El más celebrado de los "abrojos" de Rubén Darío
es éste:

> Cuando la vio pasar el pobre mozo
> y oyó que le dijeron: "¡Es tu amada...!"
> lanzó una carcajada,

> pidió una copa y se bajó el embozo.
> —¡Que improvise el poeta!
> Y habló luego
> del amor, del placer, de su destino...
> Y al aplaudirle la embriagada tropa,
> se le rodó una lágrima de fuego
> que fue a caer al vaso cristalino.
> Después tomó su copa
> ¡y se bebió la lágrima y el vino!...

Uno de los autores que más finamente han estudiado la obra de Rubén Darío afirma que, de los "abrojos", prefiere estos dos:

> Cuando cantó la culebra,
> cuando trinó el gavilán,
> cuando gimieron las flores
> y una estrella lanzó un ¡ay!;
> cuando el diamante echó chispas
> y brotó sangre el coral
> y fueron dos esterlinas
> los ojos de Satanás,
> entonces la pobre niña
> perdió su virginidad.

> Primero, una mirada;
> luego, el toque de fuego
> de las manos, y luego,
> la sangre acelerada
> y el beso que subyuga.
> Después, noche y placer; después, la fuga
> de aquel malsín cobarde
> que otra víctima elige.
> Bien haces en llorar, pero ¡ya es tarde!...
> ¡Ya ves! ¿No te lo dije?

Parece ser que estas piezas sentimentales arrojan cierta luz sobre la vida amorosa del poeta. Alguien ha visto en ellas alusiones veladas a Rosario Murillo, aquella mu-

jer que le hizo sufrir —son palabras del poeta, recordémoslo— "la mayor desilusión que puede sentir un hombre enamorado".

Pedro Balmaceda, el gran amigo de los días chilenos
de Rubén, escribió un artículo sobre este librito y notaba
en él "el perfume cálido de una nueva poesía". La afirmación peca de excesivamente amistosa. La "nueva poesía" sigue distante de la pluma del nicaragüense. El mismo lo declara: "Mis "abrojos", *vividos,* por decirlo así,
eran desahogos. Nacieron de las *Humoradas* de Campoamor y, sobre todo, de las *Saetas* de Leopoldo Cano."

Rubén, tan desidioso para conservar sus libros, tampoco tenía de éste ningún ejemplar. Necesitando uno, en
1908, para poder preparar un tomo de *Páginas escogidas,*
su amigo Contreras le facilitó el que poseía, y ya no lo
vio más. Darío se lo había prestado a Andrés González
Blanco, y González Blanco dijo haberlo perdido... Siempre es peligroso prestar libros a quienes se perecen por
ellos...

"RIMAS" Y "CANTO EPICO"

El mismo año de la aparición de *Abrojos* —1887— y
en la misma ciudad —Santiago de Chile— se publicaron
dos pequeñas obras de Rubén. Se escribieron ambas en
Valparaíso, con destino a un concurso que, por el nombre
de su promotor, don Federico Varela, conócese con este
nombre. Algo se ha dicho de ello en la parte biográfica
de nuestro libro.

Son las obritas aludidas un manojo de catorce rimas
y un no muy largo *Canto épico a las glorias de Chile.*

Pedíase en uno de los temas del Certamen Varela un
canto de ese género. Hizo el suyo Darío en el mes de

julio y lo mandó inmediatamente, ocultando su nombre
bajo el seudónimo de "Ursus". Ganó la mitad del primer
premio —en metálico—, pues el jurado decidió repartir-
lo entre la composición remitida por "Ursus" y la enviada por el poeta chileno Préndez. El diario santiaguino
La Epoca publicó los dos "cantos" premiados en su número del 9 de octubre del 87. Seguidamente salieron en
el volumen dedicado a recoger las obras galardonadas en
dicho Certamen.

El asunto del poema de Rubén hállase en estas palabras de un comentarista: "Viejas disputas sobre el lito-
ral boliviano de Antofagasta culminaron en 1879; Chile
entró en guerra con Bolivia y con el Perú, su aliado secreto. En el puerto peruano de Iquique, la vieja corbeta
chilena *Esmeralda,* al mando de Arturo Prat, se hundió
espartanamente, en victoriosa derrota. Ese heroísmo es
el que canta Rubén Darío en primer término, aunque ya
iluminándolo con el fin de esa guerra, en la que Chile
venció al Perú, hasta la ocupación militar de Lima."

Tiene el poema 550 versos en ortodoxo juego de hep-
tasílabos y endecasílabos. Está dedicado al que era entonces Presidente de la República, don José Manuel Balmaceda. Recuerda algo a aquel otro en que, con estilo
de Quintana, cantaba el poeta al Porvenir. ¿Superior?
En opinión de algunos críticos, sí. No vemos nosotros en
ese Canto chileno sino un trabajo de circunstancias que
el poeta desempeñó con su mejor voluntad y la destreza
de su verbo, pero de ningún modo manteniéndolo a la
altura de sus bellas composiciones.

> "¡Oh, Patria! ¡Oh, Chile...! Pues que altiva ostentas,
>   tras de luchas sangrientas,
>   tus victorias de paz por todas partes..."

Así empieza el Canto. Y termina así:

"¡Oh, Patria! ¡Oh, Chile...! Así acabó, magnífico,
solemne, hermoso de grandeza homérica,
el combate más grande que vio América
sobre las anchas olas del Pacífico."

Como puede verse, no está ausente la ramplonería de
esta tirada de versos épicos.

Otro de los temas del concurso convocado por el señor Varela expresaba con toda claridad lo que se pedía:
"una colección de doce a quince poesías del género sub-
jetivo de que es tipo el poeta Bécquer". Catorce rimas
de esa clase, esto es, "rimas becquerianas", tenía escritas —e inéditas— Rubén. Las repasó, corrigió en ellas
lo que creyó oportuno, púsoles el título de *Otoñales* y
las envió también al certamen. El premio lo obtuvo, con
las suyas, su amigo Eduardo de la Barra. "Mis *Otoñales*
—escribió Darío, años después— fueron alabadas..., pero
no premiadas."

Luego de figurar en el tomo primero de las obras remitidas al Certamen Varela se reprodujeron, acompaña-
das de las parodias que de ellas había hecho el citado
Barra. Están unas y otras en el fascículo titulado *Las rosas andinas,* que salió en Valparaíso en febrero de 1888.
Debajo de tal título se lee: "Rimas y contra-rimas por
Rubén Darío y Rubén Rubí." Líneas atrás dijimos algo
de esto.

Son esas "rimas" lo más becqueriano de cuanto Rubén escribió. La influencia de Gustavo Adolfo es patente
y está reconocida por toda la crítica.

He aquí unas muestras.

Hay un verde laurel. En sus ramas
un enjambre de pájaros duerme
en mudo reposo,
sin que el beso del sol los despierte.

Hay un verde laurel. En sus ramas,
que el terral melancólico mueve,
    se advierte una lira,
sin que nadie esa lira descuelgue.

   ¡Quién pudiera, al influjo sagrado
        de un soplo celeste,
despertar en el árbol florido
        las rimas que duermen!

   Y flotando en la luz el espíritu,
mientras arde en la sangre la fiebre,
como un "himno gigante y extraño"
¡arrancar a la lira de Bécquer!

* * *

   En tus ojos, un misterio;
en tus labios, un enigma.
Y yo, fijo en tus miradas,
y extasiado en tus sonrisas.

* * *

   Tenía una cifra
        tu blanco pañuelo,
roja cifra de un nombre que no era
        el tuyo, mi dueño.

   La fina batista
        crujía en tus dedos.
—¡Qué bien luce en la albura la sangre...!—
        te dije riendo.

   Te pusiste pálida,
        me tuviste miedo...
¿Qué miraste? ¿Conoces acaso
        la risa de Otelo?

* * *

En la cálida tarde se hundía
    el sol en su ocaso,
con la faz rubicunda en un nimbo
    de polvo dorado.

En las aguas del mar una barca,
    bogando, bogando,
al país de los sueños volaban
    amada y amado.

A la luz del poniente, en las olas,
    quebrada en mil rayos,
parecían de oro bruñido
    los remos mojados.

Y en la barca graciosa y ligera,
    bogando, bogando,
al país de los sueños volaban
    amada y amado.

¿Qué fue de ellos? No sé. Yo recuerdo
que, después del crepúsculo pálido,
aquel cielo se puso sombrío
    y el mar agitado.

* * *

El ave azul del sueño
    sobre mi frente pasa;
tengo en mi corazón la primavera
    y en mi cerebro el alba.
Amo la luz, el pico de la tórtola,
    la rosa y la campánula,
    el labio de la virgen
    y el cuello de la garza.
    ¡Oh, Dios mío, Dios mío...!
    Sé que me ama...

Cae sobre mi espíritu
    la noche negra y trágica;
busco el seno profundo de sus sombras

para verter mis lágrimas.
Sé que en el cráneo puede haber tormentas,
abismos en el alma
y arrugas misteriosas
sobre las frentes pálidas.
¡Oh, Dios mío, Dios mío!...
Sé que me engaña...

¿Originalidad de las composiciones poéticas que en sus primeros libros reunió Rubén Darío? Escasa. Nula, para algunos críticos. Son éstos los que, al colocarse frente a ellas, las han calificado redondamente, sin el menor paliativo, de *malas*. No compartimos tan absoluto menosprecio. Ramón de Garciasol, autor de un trabajo sobre "los versos iniciales de Rubén Darío", nos dice, tratando el tema:

"Su inicial incontinencia verbal le hace enamorarse de todo lo sonoro, aunque sea oquedad sonora: rima externa, forma desustanciada. Es inevitable. En los tanteos, en los intentos de encontrar la propia voz... se embarca uno en los andadores de las fórmulas consagradas, ya hechas por otros, fáciles y perdidizas; se echa mano de las imágenes ya logradas, convirtiéndolas en tópico... Las frases insuperables entonces se agarran como lapas, e inconscientemente, como en todo arranque poético, se usan con varia fortuna. *La casta luna, los púdicos celajes, el canto amante de las aves, la bella ingrata* y cien frases acuñadas por otra sensibilidad encizañan el balbuceante cantar rubeniano.

"En un poetastro, esta arrancada infantil será una cima mediocre e insuperable. En Rubén es un estado de ebullición de su mundo poético, donde las materias están en desasosiego de fusión y acrisolamiento, en caos, de donde, con el tiempo, ha de salir su sistema planetario lírico. Está en ese momento espiritual en que la voz se parece en todos los poetas, como se asemejan los niños recién nacidos. Tened paciencia, esperad, y veréis todo lo que había latente en esta cárcel de frases sobadas y sin rostro conocido.

"Ya hay una firmeza constructiva que sólo espera su momento para granar. Aunque insiste en la rima externa y todo se supedita al sonido, a la perfección silábica del verso, a la retórica, al oficio, las palabras empiezan a tener un perfume peculiar, tosco aún. Como a todo poeta primerizo, no le importa tanto la armonía interna, la unidad orgánica, la dolorida conquista de la expresión de lo inefable... como el que suene. La poesía rubendariana está en su fase sonora, ruidosamente sonora, no musical, sin decir nada fuera de lo sabido y resabido.

"Es de notar en Rubén que, desde su primer verso, la forma está dominada. El verso no dirá gran cosa; será, por falta de vigor, ambiguo o vulgar. La forma, el acento y la sílaba obedecen espontáneamente. Los conocía antes de nacer. Sonido solo, pero medido. Este verso primero no depara huellas memorables, pero no martiriza el oído. Este sonido se hará, insuflándole espíritu, música celestial."

"AZUL..."

Azul... —esto se ha dicho mil veces— es el libro que revela a Rubén Darío como poeta y como prosista; el que anuncia brillantemente su presencia en las letras hispanoamericanas; el que le abre las puertas del renombre. Hasta la aparición de ese libro, el nicaragüense se mueve por los campos del verso y del párrafo con innegable talento, pero sin que le llegue a ser reconocido más que por un sector corto del público. Es el escritor a quien cono-

RETRATO DE D. GASPAR NUÑEZ DE ARCE.

También es evidente la influencia de Núñez de Arce en los comienzos poéticos de Rubén. Los dos fueron amigos, en Madrid.

RETRATO DE GUSTAVO ADOLFO BECQUER.

Cuando murió Bécquer —diciembre de 1870—, Rubén se acercaba a sus cuatro años. Las "rimas" becquerianas del nicaragüense ya revelan la influencia del vate sevillano.

cen en su pequeño país y no ignoran en otra República chica: El Salvador; y a quien estiman en el núcleo intelectual, tampoco grande, de la sociedad chilena; nada más.

A partir de *Azul...*, su autor toca ya con los pies terreno firme, cara a un porvenir luminoso. Se empieza a hablar de él copiosamente.

Quien más contribuye a abrirle esas aludidas puertas metafóricas es nuestro famoso don Juan Valera. Tuvo Rubén el feliz acuerdo de enviar un ejemplar de su recién publicado libro al maestro de la crítica que, desde Madrid, seguía, con el comentario de su pluma, la producción literaria de Hispanoamérica; y tuvo Valera el acierto de "ver" (los buenos críticos son los que tienen esa clase de "vista") cuanto de nuevo, interesante y valioso se encerraba en aquel reducido tomo que, desde Chile, llegábale a su madrileña mesa de trabajo; lo vio y trató de ello en la Prensa, y no brevemente. La indiscutible autoridad de don Juan dio así el "espaldarazo" al nombre, en España totalmente desconocido, de "Don Rubén Darío".

El libro, muy provincianamente impreso —poseemos un ejemplar de su primera edición—, se abre con una dedicatoria "Al señor don Federico Varela", cuyas tres líneas finales dicen: "Señor: permitid que, junto a una de las encinas de vuestro huerto, extienda mi enredadera de campánulas"; debajo, por firma, las iniciales del autor: R. D. Viene luego un prólogo no corto —32 páginas—, firmado por E. de la Barra. Después, los trabajos de Darío: nueve cuentos en prosa y seis composiciones poéticas y, en medio de ambos grupos, la breve sección titulada *En Chile,* también en prosa y compuesta de dos partes: *Album porteño* y *Album santiagués.*

En la segunda edición, hecha en Guatemala en 1890,

Rubén añadió tres cuentos y once poesías y suprimió la dedicatoria. ¿Motivos de esta supresión? Don Federico Varela fue quien costeó la edición primera del libro, pero, salido éste, pareció "esfumarse". No ya dejó de agradecer la dedicatoria, pero ni siquiera acusó recibo del ejemplar que ilusionadamente, como se puede comprender, le había mandado Rubén. Este, al reeditarse su libro, recordó, molesto, el comportamiento del señor Varela y optó por borrar las palabras a él dirigidas; dedicó esa segunda edición, "con afecto y gratitud", al doctor don Francisco Lainfiesta, propietario de la imprenta donde se tiró el volumen y hombre que previamente había manifestado su gusto en "obsequiar" al poeta con la reimpresión de su obra. En ella se reprodujo, a manera de prólogo, el estudio de don Juan Valera, sin que ello equivaliese a suprimir el firmado por Eduardo de la Barra.

Este prologuista de *Azul...* —un amigo del autor, recordémoslo— suelta su vena retórica y estampa algo que conviene traer a este sitio.

"Rubén Darío —dice— es un poeta de exquisito temperamento artístico que aduna el vigor a la gracia; de gusto fino y delicado, casi diría aristocrático; neurótico y, por lo mismo, original; lleno de fosforescencias súbitas, de novedades y sorpresas; con la cabeza poblada de aladas fantasías, quimeras y ensueños, y el corazón ávido de amor, siempre abierto a la esperanza."

Más adelante: "Rubén Darío es de la escuela de Víctor Hugo; mas tiene a veces el aticismo y la riqueza ornamental de Paul de Saint Victor y la atrayente ingenuidad del italiano D'Amicis, tan llena de aire y de sol... Su originalidad incontestable está en que todo lo amalgama, lo funde y lo armoniza en un estilo suyo, nervioso, delicado, pintoresco, lleno de resplandores súbitos y de graciosas sorpresas, de giros inesperados, de imágenes seductoras, de metáforas atrevidas, de epítetos relevantes y oportunísimos y de palabras bizarras, exóticas aún, mas siempre bien sonantes."

Luego: "Darío adora a Víctor Hugo y también a Catulo Mendès. Junto al gran anciano, *leader* un día de los románticos, coloca en su afecto a la secta moderna de los simbolistas y decadentes, esos idólatras del espejeo en la frase, de la palabra relumbrosa y de las aliteraciones bizantinas."

Finalmente: "¿Es Rubén Darío *decadente?* —pregúntase el prologuista, y añade—: El lo cree así; yo lo niego. El lo cree porque poetiza la nueva escuela; porque siente las atracciones de la forma, como todas las imaginaciones tropicales; porque tiene fiebre de originalidad. Yo lo niego, porque no le encuentro las extravagancias características de la escuela decadente, por más que tenga las inclinaciones. Lo niego, porque él no ensarta palabras para aparentar ideas, sino que tiene el divino numen que lo salva de las atracciones del abismo, como las alas al águila... Suele haber raíces exóticas en su vocabulario; suelen deslizarse algunos graciosos galicismos; pero es correcto y, si anda siempre a caza de novedades, jamás olvida el buen sentido, ni pierde el instinto de la rica lengua de Castilla, al amoldar las palabras a su orquestación poética. No así en las cláusulas de su florido lenguaje; ellas tienen más el corte francés moderno, brusco, breve, nervioso, que el desarrollo grave, amplio, majestuoso, de la frase castellana. Sus *bizarrerías,* como él suele decir, hijas legítimas son de una organización nerviosa, de la sangre juvenil y, sobre todo, de la viveza y esmalte de estas imaginaciones maduradas en los climas ardientes."

Por lo que —concluye el señor De la Barra, "correspondiente de la Real Academia Española"— "saludad al poeta a su paso, como las Vírgenes Sulamitas a David el cantor, y no temáis engañaros, que él lleva consigo las tres palabras de pase para el templo de la inmortalidad: EROS - LUMEN - NUMEN".

Oídas las primeras palabras que en público hablaron de *Azul...*, oigamos las segundas, que fueron las de Valera. Hoy pueden leerse en la primera serie de las *Cartas americanas* del maestro. Esas crónicas en forma de "cartas" se daban a conocer en *Los Lunes de El Imparcial,* de Madrid. Valera dedicó dos al libro de Darío, fechadas el 22 y el 29 de octubre de 1888.

En la primera escribe: "... Miré el libro con indiferencia..., casi con desvío. El título *Azul...* tuvo la culpa. Víctor Hugo dice: *L'art c'est l'azur;* pero yo ni me conformo ni me resigno con que tal dicho sea muy profundo y hermoso. Para mí, tanto vale decir que "el arte es lo azul", como decir que es lo verde, lo amarillo o lo rojo... Por más vueltas que le doy, no veo en eso de que "el arte es lo azul" sino una frase enfática y vacía.

"Sea, no obstante, el arte azul, o del color que se quiera. Como sea bueno, el color es lo que menos importa. Lo que a mí me dio mala espina fue el ser la frase de Víctor Hugo, y el que usted hubiese dado por título a su libro la palabra fundamental de la frase. ¿Si será éste, me dije, uno de tantos y tantos como por todas partes, y sobre todo en Portugal y en la América española, han sido inficionados por Víctor Hugo? La manía de imitarle ha hecho verdaderos estragos, porque la atrevida juventud exagera sus defectos, y porque eso que se llama *genio,* y que hace que los defectos se perdonen, y tal vez se aplaudan, no se imita cuando no se tiene. En resolución, yo sospeché que era usted un "Víctor Huguito", y estuve más de una semana sin leer su libro.

"No bien le he leído, he formado muy diferente con-

cepto. Usted es usted; con gran fondo de originalidad,
y de originalidad muy extraña. Si el libro... no estuviese
en muy buen castellano, lo mismo pudiera ser de un autor francés, que de un italiano, que de un turco... El libro está impregnado de espíritu cosmopolita. Hasta el
nombre y apellido del autor, verdaderos o contrahechos
y fingidos, hacen que el cosmopolitismo resalte más. Rubén es judaico, y persa es Darío: de suerte que, por los
nombres, no parece sino que usted quiere ser o es de todos los países, castas y tribus.

"Extraordinaria ha sido mi sorpresa cuando he sabido que usted... no ha salido de Nicaragua sino para ir a
Chile... ¿Cómo, sin el influjo del medio ambiente, ha
podido usted asimilarse todos los elementos del espíritu
francés, si bien conservando española la forma...?

"Veo, pues, que no hay autor en castellano más francés que usted. Y lo digo para afirmar un hecho, sin elogio y sin censura. En todo caso, más bien lo digo como
elogio. Yo no quiero que los autores no tengan carácter
nacional; pero yo no puedo exigir de usted que sea nicaragüense, porque ni hay ni puede haber aún historia
literaria, escuela y tradiciones literarias en Nicaragua. Ni
puedo exigir de usted que sea literariamente español, pues
ya no lo es políticamente... Estando así disculpado el
galicismo de la mente, es fuerza dar a usted alabanzas a
manos llenas, por lo perfecto y profundo de ese galicismo; porque el lenguaje persiste español, legítimo y de
buena ley, y porque, si no tiene usted carácter nacional,
posee carácter individual. En mi sentir, hay en usted una
poderosa individualidad de escritor, ya bien marcada...

"Leídas las páginas de *Azul...*, lo primero que se nota
es que está usted saturado de toda la más flamante literatura francesa. Hugo, Lamartine, Musset, Baudelaire,
Leconte de Lisle, Gautier, Bourget, Sully Prudhomme,

Daudet, Zola, Barbey d'Aurevilly, Catulo Mendès, Rollinat, Goncourt, Flaubert y todos los demás poetas y no-
velistas han sido por usted bien estudiados y mejor comprendidos. Y usted no imita a ninguno: ni es usted romántico, ni naturalista, ni *neurótico,* ni decadente, ni
simbólico, ni parnasiano. Usted lo ha revuelto todo; lo
ha puesto a cocer en el alambique de su cerebro y ha sacado de ello una rara quintaesencia.

"En los cuentos y en las poesías, todo está cincelado,
burilado, hecho para que dure, con primor y esmero, como
pudiera haberlo hecho Flaubert o el parnasiano más atil-
dado. Y, sin embargo, no se nota el esfuerzo, ni el trabajo
de la lima, ni la fatiga del rebuscar; todo parece espontáneo y fácil y escrito al correr de la pluma, sin mengua
de la concisión, de la precisión y de la extremada elegancia. Hasta las rarezas extravagantes y las salidas de
tono, que a mí me chocan, pero que acaso agraden en
general, están hechas adrede... Si se me preguntase qué
enseña su libro y de qué trata, respondería yo sin vacilar: no enseña nada y trata de nada y de todo. Es obra
de artista, obra de pasatiempo, de mera imaginación."

En la segunda de las "cartas" dedicadas por Valera
a Darío leemos:

"En este libro no sé qué debo preferir: si la prosa o
los versos. Casi me inclino a ver mérito igual en ambos
modos de expresión del pensamiento de usted. En la prosa hay más riqueza de ideas; pero es más afrancesada la
forma. En los versos, la forma es más castiza. Los versos
de usted se parecen a los versos españoles de otros autores, y no por eso dejan de ser originales; no recuerdan
a ningún poeta español, ni antiguo ni de nuestros días.

"El sentimiento de la Naturaleza raya en usted en
adoración panteística. Hay en las cuatro composiciones
[refiérese el cronista a las dedicadas a las cuatro estacio-

nes del año] la más gentílica exuberancia de amor sensual, y en este amor, algo de religioso. Cada composición parece un himno sagrado a Eros...

"Los cuentos en prosa son más singulares aún. Todos son brevísimos. Usted hace gala de laconismo. *La Ninfa* es quizá el que más me gusta. *El velo de la reina Mab* es precioso. Los dos más trascendentales son *El rubí* y *La canción del oro*. *La canción del oro* sería el mejor de los cuentos de usted, si fuera cuento, y sería el más elocuente de todos si no se empléase en él demasiado una *ficelle*, de que se usa y de que se abusa muchísimo en el día."

Concluye don Juan Valera su largo trabajo:

"Con el *galicismo mental* de usted no he sido sólo indulgente, sino que hasta le he aplaudido, por lo perfecto. Con todo, yo aplaudiría muchísimo más si con esa ilustración francesa que en usted hay se combinase la inglesa, la alemana, la italiana, y ¿por qué no la española también? Al cabo, el árbol de nuestra ciencia no ha envejecido tanto, que aún no pueda prestar jugo, ni sus ramas son tan cortas ni están tan secas, que no puedan retoñar como mugrones del otro lado del Atlántico. De todos modos, con la superior riqueza y con la mayor variedad de elementos, saldría de su cerebro de usted algo menos exclusivo y con más altos, puros y serenos ideales; algo más *azul* que el azul de su libro de usted; algo que tirase menos a lo *verde* y a lo *negro*. Y por cima de todo, se mostrarían más claras y más marcadas la originalidad de usted y su individualidad de escritor."

Hemos hecho prolongada la cita de Valera, no solamente por la autoridad del firmante, sino por el interés de sus palabras; palabras —no se olvide esto— escritas en 1888. Han sostenido algunos críticos modernos de la obra de Rubén que Valera, si estuvo muy amable con el poeta, nada comprendió de sus prosas ni de sus versos;

de sus versos, menos aún. Parécenos injusta tal apreciación. Opuesto, opuestísimo al temperamento de Darío, apasionado, impetuoso, cargado de imaginación, era el de aquel plácido y un tanto irónico andaluz; pero no ha de afirmarse por ello la "incapacidad" de éste para la comprensión del arte de aquél.

Y, oído el señor De la Barra, y oído don Juan después, espiguemos algo ahora de lo que, hablando de su *Azul...*, escribió el propio autor. Que lo que un autor opine de su obra, raras veces deja de ser provechoso.

Con un comentario sobre *Azul...* empezó Rubén, en 1909, una *Historia de sus libros* que dejó incompleta. Sólo trató en ella de *Azul...*, *Prosas profanas* y *Cantos de vida y esperanza,* sus tres libros más famosos. Del primero de los tres dijo por entonces:

"... mi amado viejo libro, un libro primigenio, el que iniciara un movimiento mental que había de tener después tantas triunfantes consecuencias...

"Cuando publiqué los primeros cuentos y poesías que salían de los cánones usuales, si obtuve el asombro y la censura de los profesores, logré, en cambio, el cordial aplauso de mis compañeros. ¿Cuál fue el origen de la novedad?... Mi reciente conocimiento de autores franceses del Parnaso, pues a la sazón la lucha simbolista apenas comenzaba en Francia y no era conocida en el extranjero, y menos en nuestra América. Fue Catulle Mendès mi verdadero iniciador, un Mendès traducido, pues mi francés todavía era precario. Algunos de sus cuentos lírico-eróticos, una que otra poesía de las comprendidas en el *Parnasse contemporaine,* fueron para mí una revelación. Luego vendrían otros anteriores y mayores: Gautier, el Flaubert de *Las tentaciones de San Antonio,* Paul de Saint Victor, que me aportarían una inédita y deslumbrante concepción del estilo. Acostumbrado al eterno clisé español del Siglo de Oro y a su indecisa poesía moderna, encontré en los franceses que he citado una mina literaria por explotar: la aplicación de su manera de adjetivar, ciertos modos sintácticos de su aristocracia verbal, al castellano. Lo demás lo daría el carácter de nuestro idioma y la capacidad individual. Y yo, que me sabía de memoria el *Diccionario de galicismos,* de Baralt, comprendí que no sólo el galicismo oportuno, sino ciertas particularidades de otros idiomas, son utilísimas y de una incomparable eficacia en un apropiado trasplante. Así, mis conocimientos de inglés, de italiano, de latín debían servir más tarde al desenvolvimiento de mis propósitos literarios.

"Mas mi penetración en el mundo del arte verbal francés no había comenzado en tierra chilena. Años atrás, en Centroamérica, en la ciudad de San Salvador, y en compañía del buen poeta Francisco Gavidia, mi espíritu adolescente había explorado la inmensa selva de Víctor Hugo y había contemplado su océano divino, en donde todo se contiene.

"¿Por qué ese título *Azul?* No conocía aún la frase huguesca *l'Art c'est l'azur,* aunque sí la estrofa musical de *Les chatiments:*

> Adieu, patrie!
> L'onde est en furie!
> Adieu, patrie,
> azur!

"Mas el azul era para mí el color del ensueño, el color del arte, un color helénico y homérico, color oceánico y firmamental, el *coeruleum,* que en Plinio es el color simple que semeja al de los cielos y al zafiro. Concentré en ese color célico la floración espiritual de mi primavera artística. Ese primer libro —pues apenas puede

contar el volumen incompleto de versos que apareció en
Managua, con el título de *Primeras notas*— se componía
de un puñado de cuentos y poesías que podrían calificarse
de parnasianas.

"El libro no tuvo mucho éxito en Chile. Apenas se
fijaron en él, cuando don Juan Valera se ocupara de su
contenido en una de sus famosas "Cartas americanas".
Valera vio mucho, expresó su sorpresa y su entusiasmo
sonriente —¿por qué hay muchos que quieren ver siempre alfileres en aquellas manos ducales?—, pero no se
dio cuenta de la trascendencia de mi tentativa. Porque,
si el librito tenía algún personal mérito relativo, de allí
debía derivar toda nuestra futura revolución intelectual.
A los que asustaba lo original de la reciente manera les
fue extraño que un impecable, como don Juan Valera,
hiciese notar que la obra estaba escrita "en muy buen
castellano". Valera observa, sobre todo, el completo espíritu francés del volumen.

"En cuanto al estilo, era la época en que predomina-
ba la afición por la "escritura artística" y el diletantis-
mo elegante."

Dicho esto, Rubén pone dos pinceladas en cada una
de las composiciones que forman su pequeño libro, refiriéndose a la segunda edición de éste, ampliada, como
se sabe, con tres cuentos y once poesías.

"En el cuento *El rey burgués* creo reconocer la influencia de Daudet. El símbolo es claro, y ello se resume
en la eterna protesta del artista contra el hombre práctico y seco. En *El sátiro sordo,* el procedimiento es más
o menos mendesiano, pero se impone el recuerdo de Hugo
y de Flaubert. En *La ninfa,* los modelos son los cuentos
parisienses de Mendès, de Armand Silvestre, de Meze-
roy, con el aditamento de que el medio, el argumento,
los detalles, el tono, son de la vida de París, de la lite-

ratura de París. Mi asunto y mi composición eran de base libresca. En *El fardo* triunfa la entonces en auge escuela naturalista. Acababa de conocer algunas obras de Zola, y el reflejo fue inmediato, mas, no correspondiendo tal modo a mi temperamento ni a mi fantasía, no volví a incurrir en tales desvíos. En *El velo de la Reina Mab,* sí, mi imaginación encontró asunto apropiado. El deslumbramiento shakespeariano me poseyó y realicé por primera vez el poema en prosa. Más que en ninguna de mis tentativas, en ésta perseguí el ritmo y la sonoridad verbales, la transposición musical, hasta entonces —es un hecho reconocido— desconocida en la prosa castellana, pues las cadencias de algunos clásicos son, en sus desenvueltos períodos, otra cosa. *La canción del oro* es también poema en prosa, pero de otro género. Valera la califica de letanía. *El rubí* es otro cuento a la manera parisiense. "Un mito", dice Valera. Una fantasía primaveral, más bien; lo propio que *El palacio del sol,* donde llamara la atención el empleo del *leit-motiv.* Y otra narración de París, más ligera, a pesar de su significación vital, *El pájaro azul.* En *Palomas blancas y garzas morenas,* el tema es autobiográfico, y el escenario, la tierra centroamericana en que me tocó nacer. Es un eco fiel de mi adolescencia amorosa, del despertar de mis sentidos y de mi espíritu ante el enigma de la universal palpitación. La parte titulada *En Chile...* la constituyen ensayos de color y de dibujo que no tenían antecedentes en nuestra prosa. Tales transposiciones pictóricas debían ser seguidas por el grande y admirable colombiano José Asunción Silva —y esto, cronológicamente, resuelve la duda, expresada por algunos, de haber sido la producción del autor del *Nocturno* anterior a nuestra reforma—. *La muerte de la emperatriz de la China* es un cuento ingenuo, de escasa intriga, con algún eco a lo Daudet. *A una*

estrella, canto pasional, romanza, en que la idea se une
a la musicalidad de la palabra.

"En los versos —continúa Rubén Darío— seguía yo
el mismo método que en la prosa: la aplicación de ciertas ventajas verbales de otras lenguas, en este caso principalmente del francés, al castellano. Abandono de las
ordenaciones usuales, de los clisés consuetudinarios;
atención a la melodía interior, que contribuye al éxito
de la expresión rítmica; novedad en los adjetivos; estudio y fijeza del significado etimológico de cada vocablo; aplicación de la erudición oportuna, aristocracia lé-
xica. En *Primaveral* creo haber dado una nueva nota en
la orquestación del romance, con todo y contar con an-
tecesores tan ilustres como Góngora y el cubano Zenea.
En *Estival* quise realizar un trozo de fuerza. Algún escaso lector de tierras calientes ha querido dar a entender
que —¡tratándose de tigres!— mi trabajo podía ser, si
no hurto, traducción de Leconte de Lisle. Cualquiera
puede desechar la inepta insinuación, con recorrer toda
la obra del poeta de *Poèmes barbares*. En *Autumnal* vuelve el influjo de la música, una música íntima, *di camera,*
que contiene las gratas aspiraciones amorosas de los mejores años, la nostalgia de lo aún no encontrado... *Anan-
ké* es una poesía aislada y que no se compadece con mi
fondo cristiano. Valera la censura con razón... Concluye
el librito con una serie de sonetos (repitamos: Darío
trata de la segunda edición de su obra): *Caupolicán,* que
inició la entrada del soneto alejandrino "a la francesa"
en nuestra lengua —al menos, según mi conocimiento—.
Aplicación a igual poema de forma fija, de versos de
quince sílabas, se advierte en *Venus.* Otro soneto a la
francesa y de asunto parisiense: *De invierno.* Luego, retratos líricos, medallones de poetas que eran algunas de
mis admiraciones de entonces: Leconte de Lisle, Catulle

Mendès, el yanqui Walt Whitman, el cubano José Joaquín Palma, el mejicano Díaz Mirón.

"Tal fue mi primer libro —concluye Rubén—, origen de las bregas posteriores... Si es una producción de arte puro, sin que tenga nada de docente ni de propósito moralizador, no es tampoco lucubrado de manera que cause la menor delectación morbosa. Con todos sus defectos, es de mis preferidas. Es una obra, repito, que contiene la flor de mi juventud, que exterioriza la íntima poesía de las primeras ilusiones y que está impregnada de amor al arte y de amor al amor."

Grato es recorrer los bellos cuentos de *Azul*... y apreciar, al hacerlo, las calidades de una prosa, si a menudo incorrecta, a menudo también llena de jugo. Aquí y allá nos detiene alguna expresión graciosa, algún párrafo de certera armonía. Sirvan de muestras los que siguen:

"...iba a ensanchar su espíritu leyendo novelas de M. Ohnet, o bellos libros sobre cuestiones gramaticales, o críticas hermosillescas. Eso sí: defensor acérrimo de la corrección académica en letras y del modo lamido en artes; ¡alma sublime, amante de la lija y de la ortografía!"

"Mecenas se paseaba con la cara inundada de cierta majestad, el vientre feliz y la corona en la cabeza, como un rey de naipe."

"Señor; el arte no viste pantalones, ni habla en burgués, ni pone los puntos en todas las íes. El es augusto, tiene mantos de oro o de llamas, o anda desnudo, y amasa la greda con fiebre, y pinta con luz, y es opulento y da golpes de ala como las águilas, o zarpazos como los leones."

"Y se aplaudían hasta la locura los brindis del señor profesor de retórica, cuajados de dáctilos, de anapestos

y de pirriquios, mientras en las copas cristalinas hervía
el champaña con su burbujeo luminoso y fugaz."

De las poesías aquí reunidas, tal vez sea la titulada
Estival la más feliz de ejecución; "trozo de fuerza", que
decía su autor.

> La tigre de Bengala,
> con su lustrosa piel manchada a trechos,
> está alegre y gentil, está de gala.
> Salta de los repechos
> de un ribazo al tupido
> carrizal de un bambú; luego, a la roca
> que se yergue a la entrada de su gruta.
> Allí lanza un rugido,
> se agita como loca
> y eriza de placer su piel hirsuta.
>
> La fiera virgen ama.
> Es el mes del ardor. Parece el suelo
> rescoldo; y en el cielo
> el sol, inmensa llama.
> Por el ramaje oscuro
> salta huyendo el canguro.
> El boa se infla, duerme, se calienta
> a la tórrida lumbre;
> el pájaro se sienta
> a reposar sobre la verde cumbre.
>
> Siéntense vahos de horno;
> y la selva indiana,
> en alas del bochorno,
> lanza, bajo el sereno
> cielo, un soplo de sí. La tigre ufana
> respira a pulmón lleno,
> y al verse hermosa, altiva, soberana,
> le late el corazón, se le hincha el seno.
>
> Contempla su gran zarpa; en ella, la uña
> de marfil; luego toca
> el filo de una roca,

y prueba, y lo rasguña.
Mírase luego el flanco
que azota con el rabo puntiagudo,
de color negro y blanco,
y móvil y felpudo;
luego, el vientre. En seguida
abre las anchas fauces, altanera
como reina que exige vasallaje;
después, husmea, busca, va... La fiera
exhala algo, a manera
de un suspiro salvaje.
Un rugido callado
escuchó. Con presteza
volvió la vista de uno y otro lado.
Y chispeó su ojo verde y dilatado
cuando miró de un tigre la cabeza
surgir sobre la cima de un collado.
El tigre se acercaba...
Era muy bello.
Gigantesca la talla, el pelo fino,
apretado el ijar, robusto el cuello;
era un don Juan felino
en el bosque... Anda a trancos
callados; ve a la tigre inquieta, sola,
y le muestra los blancos
dientes; y luego arbola
con donaire la cola.

. . . .

Los pelos erizados
del labio relamía. Cuando andaba,
con su peso chafaba
la yerba verde y muelle,
y el ruido de su aliento semejaba
el resollar de un fuelle.

. . . .

Así va el orgulloso, llega, halaga;
corresponde la tigre que le espera,
y con caricias las caricias paga
en su salvaje ardor, la carnicera.

Después, el misterioso
tacto, las impulsivas
fuerzas que arrastran con poder pasmoso
y ¡oh, gran Pan! el idilio monstruoso
bajo las vastas selvas primitivas.

Leyendo estos versos, puede el lector advertir sin dificultad el avance que representan, respecto de los anteriormente copiados por nosotros, en la producción de
su autor. ¿Gran avance? Un avance grande, todavía no es
perceptible; pero cierto avance, sí.

Mayores los hallamos en los sonetos añadidos por Rubén, un bienio después, a su libro. El soneto titulado
Caupolicán tiene estos tercetos:

Anduvo, anduvo, anduvo. Le vio la luz del día,
le vio la tarde pálida, le vio la noche fría,
y siempre el tronco de árbol a cuestas del titán.

"¡El Toqui, el Toqui!", clama la conmovida casta.
Anduvo, anduvo, anduvo. La Aurora dijo: "Basta",
e irguióse la alta frente del gran Caupolicán.

El titulado *Venus* tiene estos cuartetos:

En la tranquila noche, mis nostalgias amargas sufría.
En busca de quietud, bajé al fresco y callado jardín.
En el oscuro cielo, Venus bella temblando lucía,
como incrustado en ébano un dorado y divino jazmín.

A mi alma enamorada, una reina oriental parecía
que esperaba a su amante, bajo el techo de su camarín,
o que, llevada en hombros, la profunda extensión recorría,
triunfante y luminosa, recostada sobre un palanquín.

De otros sonetos suyos comprendidos en el libro son
estos versos aislados.

RETRATO DE D. JUAN VALERA.

Fue nuestro insigne crítico el primer español que habló en la
Prensa de Rubén Darío, contribuyendo notoriamente a levantar
su fama.

RETRATO DE D. BARTOLOME MITRE.

Fundador y director de *La Nación,* de Buenos Aires, diario para el que escribió Rubén durante más de veinticinco años. Tal colaboración se la debió a Mitre.

Artista hijo de Capua, que adora la hermosura,
la carne femenina prefiere su pincel;
y en el recinto oculto de tibia alcoba oscura
agrega mirto y rosas a su triunfal laurel.

(Del titulado Catulle Mendès.)

Su alma del infinito parece espejo;
son sus cansados hombros dignos del manto,
y con arpa labrada de un roble añejo
como un profeta nuevo canta su canto.

(Del titulado Walt Whitman.)

Ya de un corintio templo cincela una metopa,
ya de un morisco alcázar el capitel sutil;
ya, como Benvenuto, del oro de una copa
forma un joyel artístico, prodigio del buril.

Pinta las dulces Gracias, o la desnuda Europa
en el pulido borde de un vaso de marfil,
o a Diana, diosa virgen de desceñida ropa,
con aire cinegético, o en grupo pastoril.

(Del titulado J. J. Palma.)

Tu idea tiene cráteres y vierte lavas;
del arte recorriendo montes y llanos,
van tus rudas estrofas jamás esclavas
como un tropel de búfalos americanos.

(Del titulado Walt Whitman.)

Con todo, habrá que esperar todavía varios años para que el vate se manifieste con su arrolladora personalidad lírica, para que sus versos sean ya "versos de Rubén Darío", rubendarianamente lanzados al viento de la gente y al diente de la crítica.

¿Tiene este famoso *Azul*..., realmente, tanto valor como parece proclamar su fama? Bien podemos decir que no. Nosotros lo tenemos por libro sobreestimado. Ha servido para placear con insistencia el nombre del reno-

vador. Los hispanoamericanos, particularmente, han so-
lido "volcarse" (como en término vulgar se dice), hablando de este libro juvenil, sin duda simpático y atrayente,
y desde luego valioso; pero un tanto por debajo de la
resonancia que le ha deparado su buena estrella. Imposible, por ejemplo, suscribir hoy este ditirambo firmado
por el chileno Contreras: *"Azul* es una pura maravilla,
de una imaginación y un frescor sin iguales, de un arte
y un gusto sin antecedentes en las letras castellanas."
Aunque algo más moderado, tampoco se puede aceptar,
del mismo panegirista, esto: "Hay en *Azul* un lirismo
adivinador que hace de todas sus páginas manantial de
poesía, y una imaginación tropical que se derrama en imágenes miríficas y en invención inagotable, al mismo tiempo que una frescura primaveral, un gusto jamás desmen-
tido y una novedad, en el asunto y en la forma, insólita
en el momento."

A las obras de arte, como a las personas, más les
vale caer en gracia que tener gracia. Repitámoslo: todo
está en la rueda de la loca fortuna...

"PROSAS PROFANAS Y OTROS POEMAS"

El título *Azul,* como hemos visto, no le agradó a don
Juan Valera. Menos aún, a otros señores académicos de
la lengua española, uno de los cuales, según parece, dijo:
"Respira cursilería por sus cuatro letras..."

El título *Prosas profanas* todavía gustó menos a los
críticos de tendencia academizante. Encontraban en él
una antífrasis inadmisible. "¿Qué es eso de llamar "prosas" a unos versos?", se preguntaban, escandalizados.
"Afán de singularizarse, malsano propósito de llamar la
atención, y no más", se contestaban.

Viéndose combatido por este flanco, Rubén no contenía su sonrisa. Pues qué —pensaba— ¿no fue Gonzalo de Berceo, el mismísimo venerable Berceo, quien, unos siglos antes de nacer todos nosotros, había escrito aquello tan sabido de

Quiero fer una prosa en roman paladino
en el cual suele el pueblo fablar con su vecino...?

Comentaba el punto de esa antífrasis rubeniana José Enrique Rodó, aplicándole las líneas siguientes: "Nada podría señalarse de más contrario a la índole esencialmente refinada y erudita de la poesía de este libro goloso, que el balbucir informe y cándido de la poesía de las prosas y las secuencias. Pero yo creo que el autor... ha sonreído al pensamiento de que el público ingenuo se sorprenda de ver aplicado a tan exquisita poesía el humilde nombre de "prosa". ¿Coquetería de poeta? De cualquier modo, a mí me gusta la originalidad de ese bautismo, como rasgo voluntarioso y como cortesanía de señor que nos invita a que pasemos adelante... Laudable es que la espuma del ingenio suba hasta el título, que es como si subiera hasta el borde."

Así como *Azul...* tuvo su primer comentarista insigne en el español Valera, en el hispanoamericano que acabamos de citar, Rodó, tuvo el suyo este otro libro de Rubén. No, como en el anterior caso, a poco de salir de las prensas, sino a los dos años y medio de su aparición. Con todo, el trabajo del muy culto profesor uruguayo, mucho más extenso que el del español, fue el primero de real importancia y categoría que se publicó en torno a las *Prosas profanas*.

Estaba ya Rubén Darío en España —primer trimestre de 1899— cuando, en Montevideo, lanzaba Rodó su cuidada monografía sobre el citado libro, ocupando el segundo número de su serie de folletos *La vida nueva*. (Título: *Rubén Darío. Su personalidad literaria. Su última obra.*)

Del mismo modo que los artículos de Valera utilizáronse, en 1890, para abrir la segunda edición de *Azul...*, el estudio de Rodó sirvió para engalanar, en 1901, la segunda de las *Prosas,* si bien omitiendo, por inconcebible descuido editorial, su nombre.

Veamos algo de lo dicho en aquella ocasión por el ilustre escritor montevideano. Su opúsculo empieza así:

"No es el poeta de América, oí decir una vez que la corriente de una animada conversación literaria se detuvo en el nombre del autor de *Prosas profanas* y de *Azul.* Tales palabras tenían un sentido de reproche; pero, aunque los pareceres sobre el juicio que se deducía de esa negación fueron distintos, el asentimiento para la negación en sí fue casi unánime. Indudablemente, Rubén Darío no es el poeta de América.

"¿Necesitaré decir que no es para señalar en ello una condición de inferioridad literaria, como hago mías las palabras del recuerdo?..."

Más abajo:

"Cabe, en ese mismo género de poesía, cierta impresión de americanismo en los accesorios; pero, aun en los accesorios, dudo que nos pertenezca colectivamente el sutil y delicado artista de que hablo. Ignoro si algún espíritu zahorí podría descubrir, en tal cual composición de Rubén Darío, una nota fugaz, un instantáneo reflejo, un sordo rumor por los que se reconociera en el poeta al americano de las cálidas latitudes... Su poesía llega al oído de los más como los cantos de un rito no entendido. Su "alcázar interior" —ese de que él nos habla con frecuencia— permanece amorosamente protegido por la soledad, frente a la vida mercantil y tumultuosa de nuestras sociedades, y sólo se abre al *sésamo* de los que piensan y de los que sueñan...

"Aparte de lo que la elección de sus asuntos, el personalismo nada expansivo de su poesía, su manifiesta aversión a las ideas e instituciones circunstantes, pueden contribuir a explicar el antiamericanismo involuntario del poeta, bastaría la propia índole de su talento para darle un significado de excepción y singularidad... No cabe imaginar una individualidad literaria más ajena que ésta a todo sentimiento de solidaridad social y a todo interés por lo que pasa en torno suyo... Ese mismo amaneramiento *voulu* de selección y de mesura que le caracteriza en el sentimiento, le domina también en la descripción. Está lleno de imágenes, pero todas ellas son tomadas de un mundo donde genios recelosos niegan la entrada a toda realidad que no se haya bañado en veinte aguas purificadoras.

"Si se nos preguntase por el ser animado en que debería simbolizarse el *genio familiar* de su poesía, sería necesario que citásemos, no al león ni al águila, que obsedían la imaginación de Víctor Hugo, ni siquiera al ruiseñor querido de Heine, sino al cisne, al ave wagneriana: el blanco y delicado cisne que surge a cada instante, sobre la onda espumosa de sus versos, llamado por insistente evocación...

"Es su última colección de versos la que representa, por así decirlo, la plena tensión del arco del poeta. El autor de *Azul* no es sino el boceto del autor de *Prosas profanas.*

"Los que conocéis de las nuevas tendencias literarias la parodia, y de Rubén Darío la leyenda, podéis alejar todo temor de que os juegue una mala pasada, conduciéndoos a través de un libro sombrío, diabólico o impuro. Es un libro casi optimista... No encontraréis en

él una sola gota del amargo ajenjo verleniano, porque el
Verlaine que aparece no es el Verlaine que sabe la ciencia del dolor y el arrepentimiento; ni una onda sola del
helado *nephente* de Leconte de Lisle; ni un solo pomo
de la farmacia tóxica de Baudelaire. Encontraréis mucha
claridad, mucho champaña y muchas rosas. No bien ha-
cemos nuestra entrada en el libro, el poeta nos toma de
la mano, como el genio de algún cuento oriental, para
que retrocedamos con él a la vida de una época llena de
amenidad y de gracia. Vamos en viaje al siglo XVIII
francés.

"*Era un aire suave...* dice el título de estos primeros
versos. Y, además del *aire* efectivamente acariciador que
simula en ellos el ritmo, ellos os halagarán los ojos con
todos los primores de la línea y todas las delicadezas del
color. Imaginaos un escenario que parezca compuesto con
figuras de algún sutil miniaturista del siglo XVIII...

"La composición es de un tono enteramente nuevo en
nuestro idioma; porque el matiz de la Gracia que hay en
ella no tiene la correcta simplicidad de la elegancia clásica, ni la vivacidad del donaire puramente español, hecho
de especias y de zumo de uva, que nuestro propio poeta,
con versos de gesticulaciones gitanas, nos ofrece en el
Elogio de la seguidilla. Es la gracia Watteau, la gracia
provocativa y sutil, incisiva y amanerada, de ese siglo XVIII
francés, que los Goncourt, que tan profundamente la
amaron y sintieron, llamaban "la sonrisa de la línea, el
alma de la forma, la fisonomía espiritual de la manera".
La originalidad de la versificación concurre admirable-
mente al efecto de ese capricho delicioso. Nunca el compás del dodecasílabo, el metro venerable y pesado de las
coplas de Juan de Mena, que los románticos rejuvene-
cieron en España, después de largo olvido, para conjuro
de evocaciones legendarias, había sonado a nuestro oído

de esta manera peculiar. El poeta le ha impreso un sello nuevo en su taller; lo ha hecho flexible, melodioso, lleno de gracia; libertándole de la opresión de los tres acentos fijos e inmutables que lo sujetaban como hebillas de su traje de hierro, le ha dado un aire de voluptuosidad y de molicie, por cuya virtud parecen trocarse en lazos las hebillas y el hierro en marfil. He aquí que el viejo ritmo del *Libro de las querellas* y de la *Danza de la muerte* ha doblado sus petrificadas rodillas de Campeador sobre el almohadón de rosas de la galantería."

Trata José Enrique Rodó, con algún detenimiento, de varias de las poesías componentes del libro de Rubén, como la *Sonatina,* la *Divagación, Blasón, El faisán,* la *Canción de Carnaval,* el *Pórtico* para los versos de Rueda, el *Elogio de la seguidilla,* el *Coloquio de los centauros,* el *Palimpsesto...*

De la *Sonatina,* dice: "El poeta mismo ha ahorrado a la crítica la tarea de clasificar esa composición, dándole un nombre que plenamente la caracteriza. Se cultiva, casi exclusivamente, en ella la virtud musical de la palabra y del ritmo poético. Alados versos que desfilan como una mandolinata radiante de amor y juventud... Muerto para la idea, muerto para el sentimiento, el verso quedaría justificado todavía como jinete de la onda sonora."

El *Coloquio de los centauros* y *Palimpsesto* son, para Rodó, las más hermosas composiciones del volumen. Dice de la segunda: "La simplicidad de la descripción escénica y de la del tropel de los centauros, en pocos rasgos firmes y severos, acentúa la ilusión de un bajo-relieve. La forma métrica —el decasílabo repartido por la manera de acentuarse en dos hemistiquios de sonoridad autónoma— imita el gracioso compás del asclepiadeo. Todo es hermoso, fresco, juvenil, en esta encantadora evocación de la fábula, cuyos versos quedan vibrantes en nos-

otros, con una deliciosa sonoridad, aun después de ex-
tinguidos, como un golpear de cascos leves sobre una
caja sonora...

"En el *Coloquio de los centauros* —sigue Rodó—,
que es quizá el trabajo de más aliento y reposo en la
colección que recorremos, domina una concepción más
amplia del mito... Lo ha versificado el poeta en los dís-
ticos alejandrinos, a la usanza francesa; y esta forma fo-
ránea, que al ser rehabilitada en español evoca siempre
en mi memoria el recuerdo de los viejos ritmos del *Ale-
xandre* y de Berceo, imprime, para mí, a la versificación
de ciertos fragmentos cierto aire de antigüedad, cierto
sabor arcaico que no deja de formar armonía con la índole legendaria de la composición."

Continúa Rodó:

"Al hablar de las novedades técnicas de *Prosas profanas,* me he referido a las que pienso que pueden dejar
una huella más o menos durable en el procedimiento poético y que consisten principalmente en la preferencia
otorgada a los metros que llevan menos nota de clásicos
y más generosos en virtualidad musical; la consagración
de nuevas formas estróficas, como el monorrimo terna-
rio de dodecasílabos; la frecuencia y la ilimitada libertad con que se interrumpe métricamente la conexión gra-
matical de la cláusula, deteniéndola aun en palabras de
simple relación, y la libre movilidad de la cesura, con-
siderada independientemente de las pausas del sentido;
y —como nota *aventurera* de la reforma— las disonan-
cias calculadas que de improviso interrumpen el orden
rítmico de una composición con versos de una inesperada
medida, o simplemente con una línea amorfa de palabras.

"... me encuentro muy dispuesto al estímulo para tentativa que se encamine a comunicar nueva flexibilidad y
soltura a los viejos huesos de esta poesía castellana, cuyo

soporoso estado de espíritu se complementa —como dos achaques de una misma vejez— con una verdadera anquilosis del verbo."

Concluye el maestro Rodó:

"No hay duda de que la obra de Rubén Darío responde, como una de tantas manifestaciones, a ese sentido superior; es en el arte una de las formas personales de nuestro anárquico idealismo contemporáneo; aunque no lo sea —porque no tiene intensidad para ser nada serio— la obra frívola y fugaz de los que le imitan, el vano producir de la mayor parte de la juventud que hoy juega infantilmente en América al juego literario de los colores.

"Por eso yo he separado cuidadosamente el talento personal de Darío, de las causas a que debemos tan abominable resultado; y le he absuelto, por mi parte, de toda pena, recordando que los poetas de individualidad poderosa tienen, en sentir de uno de ellos, el atributo regio de la irresponsabilidad."

Hasta aquí, la palabra magistral de José Enrique Rodó. Pero antes, en el tiempo, están las "palabras liminares" puestas por Rubén Darío al frente de sus *Prosas profanas*. También se deben recoger en este sitio, como otras que las seguirán, a fin de proporcionar a nuestros lectores la mayor suma posible de elementos para enjuiciar debidamente la producción literaria del hombre de quien tratamos, con su consiguiente significación.

De los libros de versos publicados por Darío, tres llevan proemios (naturalmente en prosa) en los cuales el autor explana y razona sus intenciones estéticas, su posición en el rumbo de la poesía, y explica aquello que él considera de necesaria explicación para no dejarle a su

público nada en el aire de lo dudoso, nada que pueda
agazaparse bajo el rótulo de lo "incomprensible".

El proemio del libro que ahora tenemos en la mano
es el primero de esos tres que Rubén lanzó a sus lectores. Es digno de traerse aquí en sus párrafos esenciales.

"Después de *Azul...*, después de *Los raros*, voces *in-
sinuantes*, buena y mala intención, entusiasmo sonoro y
envidia subterránea —todo bella cosecha— solicitaron lo
que, en conciencia, no he creído fructuoso ni oportuno:
un manifiesto.

"Ni fructuoso ni oportuno:

a) Por la absoluta falta de elevación mental de la
mayoría pensante de nuestro continente, en la cual impera el universal personaje clasificado por Remy de Gourmont con el nombre de *Celui-qui-ne-comprend-pas. Celui-qui-ne-comprend-pas* es entre nosotros profesor, académico correspondiente de la Real Academia Española,
periodista, abogado, poeta, *rastaquouère*.

b) Porque la obra colectiva de los nuevos de América es aún vana, estando muchos de los mejores talen-
tos en el limbo de un completo desconocimiento del
mismo Arte a que se consagran.

c) Porque proclamando, como proclamo, una estética acrática, la imposición de un modelo o de un código
implicaría una contradicción.

"Yo no tengo literatura "mía" —como lo ha manifestado una magistral autoridad—, para marcar el rumbo
de los demás; mi literatura es *mía en mí;* quien siga ser-
vilmente mis huellas perderá su tesoro personal y, paje
o esclavo, no podrá ocultar sello o librea. Wagner, a Augusta Holmes, su discípula, dijo un día: "Lo primero,
no imitar a nadie, y sobre todo, a mí." Gran decir.

"¿Hay en mi sangre alguna gota de sangre de Africa,
o de indio chorotega o nagrandano? Pudiera ser, a des-

pecho de mis manos de marqués; mas he aquí que veréis en mis versos princesas, reyes, cosas imperiales, visiones de países lejanos o imposibles: ¡qué queréis!, yo detesto la vida y el tiempo en que me tocó nacer; y a un Presidente de República no podré saludarle en el idioma en que te cantaría a ti, ¡oh Halagabal!, de cuya corte —oro, seda, mármol— me acuerdo en sueños...

"(Si hay poesía en nuestra América, ella está en las cosas viejas: en Palenke y Utatlan, en el indio legendario y el inca sensual y fino, y en el gran Moctezuma de la silla de oro. Lo demás es tuyo, demócrata Walt Whitman.)

* * *

"El abuelo español de barba blanca me señala una serie de retratos ilustres. "Este —me dice— es el gran don Miguel de Cervantes Saavedra, genio y manco; éste es Lope de Vega; éste, Garcilaso; éste, Quintana." Yo le pregunto por el noble Gracián, por Teresa la Santa, por el bravo Góngora y el más fuerte de todos: don Francisco de Quevedo y Villegas. Después exclamo: "¡Shakespeare! ¡Dante! ¡Hugo!... (Y en mi interior: ¡Verlaine!...)

"Luego, al despedirme: "Abuelo, preciso es decíroslo: mi esposa es de mi tierra; mi querida, de París."

* * *

"¿Y la cuestión métrica? ¿Y el ritmo?

"Como cada palabra tiene un alma, hay en cada verso, además de la armonía verbal, una melodía ideal. La música es sólo de la idea muchas veces.

* * *

"La gritería de trescientas ocas no te impedirá, silvano, tocar tu encantadora flauta, con tal de que tu amigo el ruiseñor esté contento de tu melodía. Cuando él no esté para escucharte, cierra los ojos y toca para los habitantes de tu reino interior.

* * *

"Y la primera ley, creador, crear. Bufe el eunuco. Cuando una musa te dé un hijo, queden las otras ocho encinta."

Reiteradamente se ha sostenido por algunos críticos que la renovación de la poesía de lengua española en tierras de América, adelantándose a la que había de verificarse también entre nosotros, contó con los nombres de unos cuantos poetas nacidos antes que Rubén Darío. (Debe recordarse que la prioridad en el nacimiento no significa forzosamente prioridad en la creación artística.) Se dan seis nombres, que son los de José Martí, cubano; Salvador Díaz Mirón, mejicano; Manuel Gutiérrez Nájera, mejicano; José Asunción Silva, colombiano; Julián del Casal, cubano, y Francisco Gavidia, salvadoreño. Los dos primeros nacieron en 1853; el tercero, en el 59; del 61 era Silva; del 63, Casal, y del 64, Gavidia. El más joven, pues, le llevaba a Rubén tres años. Menos Díaz Mirón, que murió a los setenta y tantos de su edad, en 1928, los otros fallecieron dentro de su siglo XIX. Al publicarse, a fines de 1896, *Prosas profanas,* habían muerto ya, todos jóvenes, Casal, Nájera, Martí y Silva. (Casal, a los treinta años; Nájera, a los treinta y seis; Martí, fusilado, a los cuarenta y dos, y Silva, suicidándose, a los treinta y cinco.) A los cuatro, en realidad, cabe el calificativo de malogrados. Pudieron, en mayor o menor medida, anunciar con sus versos algo de lo que muy poco después realizaría, con todo vigor y en plena madurez, el nicaragüense Rubén Darío. Pero sería extraordinariamente difícil hallar los puntos en que fundar la suposición de que esos cuatro notables poetas "compartieron" con Rubén el movimiento renovador del verso hispanoamericano. El estandarte de ese movimiento no es posible desprenderlo de la mano de quien, antes de concluir el siglo xix, con sus *Prosas profanas,* levantó la tendencia por unos y otros llamada "modernista"; marcó la ruta para quienes hubieran de seguirle; resistió con denuedo los ataques que le dirigieron, no "trescientas ocas", sino muchísimas más; perseveró en el camino emprendido; trató siempre de "justificarlo", explicarlo y razonarlo; logró para él continuadores, y no en corto número, y pudo ver, al fin, en el ancho mapa de América y en el solar de la raza española la consagración y el triunfo de su nombre y de su obra.

Desaparecidos en la muerte Casal, Martí, Silva y Nájera, cuyos estros hubieran podido competir victoriosamente con el de Rubén, éste quedó —afirma uno de sus biógrafos— "como jefe único e indiscutible del movimiento". Y añade el mismo comentarista: "Las filas engrosaban cada día y, si, víctima del plomo suicida, caía José Asunción Silva, surgía Leopoldo Lugones, deslumbrador y magnífico; aparecían como estrellas nuevas en el horizonte Leopoldo Díaz y Julio Herrera y Reissig; destacaba Ricardo Jaimes Freire, por su sabio espíritu innovador; esculpía versos impecables Guillermo Valencia y, merced a esas influencias, renovaban más tarde su primitiva forma Salvador Díaz Mirón, José Santos Chocano y Luis Urbina, y se anunciaban Amado Nervo, José Juan Tablada y tantos más".

Pasados más de diez años de la aparición de *Prosas profanas,* y ya navegando este libro "proceloso" con más bonanzas que tormentas, su autor volvió a escribir sobre

él algunos párrafos. Los poemas que en ese libro se con-
tienen —dice Rubén— "corresponden al período de ardua
lucha intelectual que hube de sostener, en unión de mis
compañeros y seguidores, en Buenos Aires, defendiendo
las ideas nuevas, la libertad del arte, la acracia o, si se
piensa bien, la aristocracia literaria".

Y añade: "Asqueado y espantado de la vida social y
política en que mantuviera a mi país original un lamentable estado de civilización embrionaria, no mejor en tierras vecinas, fue para mí un magnífico refugio la República Argentina, en cuya capital, aunque llena de tráfagos
comerciales, había una tradición intelectual y un medio
más favorable al desenvolvimiento de mis facultades estéticas. Y, si la carencia de una fortuna básica me obli-
gaba a trabajar periodísticamente, podía dedicar mis va-
gares al ejercicio del puro arte y de la creación mental.
Mas, abominando la democracia funesta a los poetas, así
sean sus adoradores como Walt Whitman, tendí hacia el
pasado, a las antiguas mitologías y a las espléndidas historias, incurriendo en la censura de los miopes. Pues no
se tenía en toda la América española, como fin y objeto
poéticos, más que la celebración de las glorias criollas,
los hechos de la Independencia y la naturaleza americana: un eterno canto a Junín, una inacabable oda a la
agricultura de la zona tórrida y décimas patrióticas. No
negaba yo que hubiese un gran tesoro de poesía en nuestra épica prehistórica, en la conquista y aun en la colonia; mas con nuestro estado social y político posterior
llegó la chatura intelectual y períodos históricos más a
propósitos para el folletín sangriento que para el noble
canto."

Gustaba Rubén Darío de repasar sus *Prosas profanas,*
poniendo al lado de ellas, con cierto tono de nostalgia,
algunas líneas: "En *Era un aire suave...*, que es un aire

suave, sigo el precepto de Verlaine: *De la musique avant tout de chose.* Escribí como escuchando los violines del rey. En *Divagación...,* curso de geografía erótica, la invitación al amor bajo todos los soles, la pasión de todos los colores y de todos los tiempos. Allí flexibilicé hasta donde pude el endecasílabo. La *Sonatina* es la más rítmica y musical de todas estas composiciones y la que más boga ha logrado en España y América. Es que contiene el sueño cordial de toda adolescente... En *Del campo* me amparaba la sombra de Banville, en un tema y en una atmósfera criollos. La *Canción de Carnaval* es también a lo Banville, una oda funambulesca, de sabor argentino. *El faisán,* en tercetos monorrimos, es un producto parisiense, ideado en París, escrito en París... *El país del sol,* formulado a la manera de los *lieds de France,* de Catulle Mendès, y como un eco de Gaspard de la Nuit, concreta la nostalgia de una niña de las islas del trópico, animada de arte, en el medio frígido y duro de Mannahatan, en la imperial Nueva York. *Margarita,* que ha tenido la explicable suerte de estar en tantas memorias, es un melancólico recuerdo pasional, vivido, aunque en la verdadera historia la amada sensual no fue alejada por la muerte, sino por la separación. En *Heraldo* demuestro la teoría de la melodía interior. Puede decirse que en este poemita el verso no existe, bien que se imponga la notación ideal. El juego de las sílabas, el sonido y color de las vocales, el nombre clamado heráldicamente, evocan la figura oriental, bíblica, legendaria, y el tributo y la correspondencia.

"El *Coloquio de los centauros* es otro "mito" que exalta las fuerzas naturales, el misterio de la vida universal, la ascensión perpetua de Psique, y luego plantea el arcano fatal y pavoroso de nuestra ineludible finalidad. Mas, renovando un concepto pagano, Thanatos no

se presenta como en la visión católica, armado de su guadaña, larva o esqueleto, de la medieval reina de la peste
y emperatriz de la guerra; antes bien, surge bella, casi
atrayente, sin rostro angustioso, sonriente, pura, casta y
con el Amor dormido a sus pies... Como en ese tiempo
visitase yo la que es llamada harto popularmente "tierra
de María Santísima", no dejé de pagar tributo, conta-
giado de la alegría de las castañuelas, panderos y guitarras, a aquella encantada región solar. Y escribí, entre
otras cosas, el *Elogio de la seguidilla. La página blanca*
es como un sueño cuyas visiones simbolizaran las bregas, las angustias, las penalidades del existir... y el irre-
misible epílogo de la sombra eterna... La *Sinfonía en gris
mayor* trae necesariamente el recuerdo del mágico Theo,
del exquisito Gautier y su *Symphonie en blanc majeur.*
La mía es anotada *d'après nature,* bajo el sol de mi patria tropical. El *Responso a Verlaine* hace ver las dos
faces de su alma pánica: la que da a la carne y la que
da al espíritu. En el *Canto a la sangre* hay una sucesión
de correspondencia y equivalencias simbólicas, bajo el
enigma del licor sagrado que mantiene la vitalidad de
nuestro cuerpo mortal. En *Friso* recurro al elegante verso
libre, cuya última realización plausible en España es la
célebre *Epístola a Horacio* de Menéndez Pelayo. Hay más
arquitectura y escultura que música; más cincel que cuerda o flauta. Lo propio en *Palimpsesto,* en donde el ritmo
se acerca a la repercusión de los números latinos. En *El
reino interior* se siente la influencia de la poesía inglesa,
de Dante Gabriel Rosetti y de algunos de los corifeos del
simbolismo francés. *Cosas del Cid* encierra una leyenda
que narra en prosa Barbey d'Aurevilly... *Decires, layes
y canciones* renuevan antiguas formas poémicas y estróficas, y así expreso amores nuevos con versos com-
puestos y arreglados a la manera de Joan de Duenyas,

de Joan de Torres, de Valtierra, de Santa Fe, con inusitados y sugerentes escogimientos verbales y rítmicas combinaciones que dan un gracioso y eufónico resultado, y con el aditamento de finidas y tornadas."

Concluía Rubén Darío diciendo que a la aparición de sus *Prosas profanas* "se animó en nuestro continente toda una cordillera de poesía poblada de magníficos y jóvenes espíritus. Y nuestra alba se reflejó en el viejo solar".

Ciertamente, el muy discutido libro de Rubén no tardó en abrirse paso apasionado por entre los comentarios de la crítica española. Se señaló por la generalidad de los críticos, casi sin una discrepancia, lo mismo que el propio autor no negaba, ni negó jamás: la filiación afrancesada de su obra, las influencias que él había recibido de los poetas franceses. Iba a cumplir el debatido poeta sus treinta y un años cuando dejaba ya en el plano de lo realizado dos libros de innegable excelencia: el de versos que venimos examinando y el de artículos de crítica literaria bautizado con este título: *Los raros*. Terminada, años más tarde, con la muerte, su producción, en ella destacan con firme perfil esos dos libros. Los dos, a poco de salir al mundo, conocieron la fama. A sus setenta años de vida siguen siendo famosos, aunque el de prosa haya envejecido un poco. Claro está que los versos de *Prosas profanas* y, poco antes, los artículos de *Los raros* no podían pasar en el ambiente argentino, al que debieron la luz pública, sin censuras y protestas. Fue uno de los destacados en este bando de los detractores del renovador el notable crítico Paul Groussac, francés de origen y argentino de adopción. Este crítico, que en Buenos Aires gozaba de extendido prestigio, escribió lo siguiente: "En principio, la tentativa del señor Darío no difiere esencialmente, no digamos de la de Echeverría o Gutié-

rrez, románticos de segunda o tercera mano, sino de la
de todos los *yankees,* desde Coop, reflejo de Walter
Scott, hasta Emerson, luna de Carlyle. Pero, en la especie, dicha tentativa es provisoriamente estéril, como lo
tengo dicho y no necesito repetirlo, porque es del todo
exótica y no allega al intelecto americano elementos asi-
milables y útiles para su desarrollo ulterior."

Darío contestó a Groussac, diciéndole, entre otras
cosas: "La sonoridad oratoria, los cobres castellanos, sus
fogosidades ¿por qué no podrán adquirir las notas inter-
mediarias y revestir las ideas indecisas en que el alma
tiende a manifestarse con mayor frecuencia? Luego, ambos idiomas (el castellano y el francés) están, por decirlo
así, construidos con el mismo material. En cuanto a las
formas, en ambos puede haber idénticos artífices. La evolución que llevara al castellano a ese renacimiento habría
de verificarse en América, puesto que España está amu-
rallada de tradición, cercada y erizada de españolismo.
Y he aquí cómo, pensando en francés y escribiendo en
castellano, que alabaran, por lo castizo, académicos de
la Española, publiqué el pequeño libro que iniciaría el
actual movimiento literario americano, del cual saldrá,
según José María de Heredia, el renacimiento mental de
España."

Recorriendo las composiciones que dan más relieve al
libro de las *Prosas profanas,* sentimos ya todo el acento
de lo típicamente rubendariano: acento, perfume, escor-
zo, juegos de voces y ritmos positivamente "nuevos". Un
lector de las poesías que por aquellos finales del pasado
siglo componían los vates de España y América, al encon-
trarse con las de Rubén no podrá por menos de mani-
festar el asombro que acompaña a lo no habitual, a lo
inédito, a lo "raro", a lo insólito. Comprendemos la sorpresa que recibirían nuestros padres ante lo dicho por

quien llegaba del suelo americano, mostrando "rarezas"
del tipo de las que siguen:

Era un aire suave, de pausados giros;
el hada Harmonía ritmaba sus vuelos,
e iban frases vagas y tenues suspiros
entre los sollozos de los violonchelos.
. . . .

La marquesa Eulalia, risas y desvíos
daba a un tiempo mismo para dos rivales:
el vizconde rubio de los desafíos
y el abate joven de los madrigales.
. . . .

La orquesta perlaba sus mágicas notas;
un coro de sones alados se oía;
galantes pavanas, fugaces gavotas
cantaban los dulces violines de Hungría.
. . . .

¡Ay de quien sus mieles y frases recoja!
¡Ay de quien del canto de su amor se fíe!
Con sus ojos lindos y su boca roja,
la divina Eulalia ríe, ríe, ríe.

Tiene azules ojos, es maligna y bella;
cuando mira, vierte viva luz extraña;
se asoma a sus húmedas pupilas de estrella
el alma del rubio cristal de Champaña.
. . . .

El teclado armónico de su risa fina
a la alegre música de un pájaro iguala,
con los staccati de una bailarina
y las locas fugas de una colegiala.

¡Amoroso pájaro que trinos exhala
bajo el ala a veces ocultando el pico;
que desdenes rudos lanza bajo el ala,
bajo el ala aleve del leve abanico!
. . . .

¿Fue acaso en el tiempo del rey Luis de Francia,
sol con corte de astros en campos de azur,

cuando los alcázares llenó de fragancia
la regia y pomposa rosa Pompadour?

¿Fue cuando la bella su falda cogía
con dedos de ninfa, bailando el minué,
y de los compases el ritmo seguía,
sobre el tacón rojo, lindo y leve el pie?
....

A la poesía titulada *Divagación* pertenecen, cogidas
al azar, estas estrofas.

¿Te gusta amar en griego? Yo las fiestas
galantes busco, en donde se recuerde,
al suave son de rítmicas orquestas,
la tierra de la luz y el mirto verde.

Amo más que la Grecia de los griegos
la Grecia de la Francia, porque en Francia,
el eco de las Risas y los Juegos,
su más dulce licor Venus escancia.

Demuestran más encantos y perfidias,
coronadas de flores y desnudas,
las diosas de Clodion que las de Fidias;
unas cantan francés; otras son mudas.

Y sobre el agua azul, el caballero
Lohengrin; y su cisne, cual si fuese
un cincelado témpano viajero,
con su cuello enarcado en forma de ese.

Diré que eres más bella que la luna;
que el tesoro del cielo es menos rico
que el tesoro que vela la importuna
caricia de marfil de tu abanico.

Amor, en fin, que todo diga y cante,
amor que cante y deje sorprendida
a la serpiente de ojos de diamante
que está enroscada al árbol de la vida.

La *Sonatina* —tal vez la poesía más conocida de Rubén— empieza de este modo:

La princesa está triste... ¿Qué tendrá la princesa?
Los suspiros se escapan de su boca de fresa
que ha perdido la risa, que ha perdido el color.
La princesa está pálida en su silla de oro;
está mudo el teclado de su clave sonoro
y en un vaso, olvidada, se desmaya una flor.

El jardín puebla el triunfo de los pavos reales.
Parlanchina, la dueña dice cosas banales,
y vestido de rojo, piruetea el bufón...

Versos más adelante leemos:

¡Ay!, la pobre princesa de la boca de rosa
quiere ser golondrina, quiere ser mariposa,
tener alas ligeras, bajo el cielo volar;
ir al sol por la escala luminosa de un rayo,
saludar a los lirios con los versos de mayo,
o perderse en el viento sobre el trueno del mar.

La composición termina así:

"Calla, calla, princesa—dice el hada madrina—;
en caballo con alas, hacia acá se encamina,
en el cinto la espada y en la mano el azor,
el feliz caballero que te adora sin verte,
y que llega de lejos, vencedor de la Muerte,
a encenderte los labios con su beso de amor."

Blasón empieza así:

El olímpico cisne de nieve
con el ágata rosa del pico
lustra el ala eucarística y breve
que abre al sol como un casto abanico.

Después:

> Es el cisne, de estirpe sagrada,
> cuyo beso, por campos de seda,
> ascendió hasta la cima rosada
> de las dulces colinas de Leda.

> Rimador de ideal florilegio,
> es de armiño su lírico manto
> y es el mágico pájaro regio
> que al morir rima el alma en un canto.

De la "banvillesca" *Canción de Carnaval:*

> Musa, la máscara apresta,
> ensaya un aire jovial
> y goza y ríe en la fiesta
> del Carnaval.

> Ríe en la danza que gira,
> muestra la pierna rosada
> y suene, como una lira,
> tu carcajada.

> Para volar más ligera
> ponte dos hojas de rosa,
> como hace tu compañera,
> la mariposa.

> Y que en tu boca risueña
> que se une al alegre coro
> deje la abeja porteña
> su miel de oro.
> ....
> Di a Colombina la bella
> lo que de ella pienso yo,
> y descorcha una botella
> para Pierrot.

> Que él te cuente cómo rima
> sus amores con la luna
> y te haga un poema en una
> pantomima.

De la poesía *Bouquet:*

> Hoy, que tú celebras tus bodas de nieve
> (tus bodas de virgen con el sueño son),
> todas sus blancuras Primavera llueve
> sobre la blancura de tu corazón.

Dos de los tercetos monorrimos que componen *El faisán:*

> La careta negra se quitó la niña,
> y tras el preludio de una alegre riña
> apuró mi boca vino de su viña,

> Vino de la viña de la boca loca
> que hace arder el beso, que el mordisco invoca.
> ¡Oh, los blancos dientes de la loca boca!

Uno de los dos o tres sonetos más celebrados de Rubén Darío es éste que lleva por título un nombre femenino: Margarita. Su comienzo es famoso:

> ¿Recuerdas que querías ser una Margarita
> Gautier? Fijo en mi mente tu extraño rostro está,
> cuando cenamos juntos, en la primera cita,
> en una noche alegre que nunca volverá...

El *Coloquio de los centauros* es poema de mayores alientos, mucho más ambicioso de contenido.

> En la isla en que detiene su esquife el argonauta
> del inmortal Ensueño, donde la eterna pauta
> de las eternas liras se escucha—Isla de Oro

en que el tritón erige su caracol sonoro
y la sirena blanca va a ver el sol—un día
se oye un tropel vibrante de fuerza y de armonía.

Son los Centauros. Cubren la llanura. Les siente
la montaña. De lejos forman son de torrente
que cae; su galope al aire que reposa
despierta, y estremece la hoja del laurel-rosa.

Son los Centauros. Unos, enormes, rudos; otros
alegres y saltantes como jóvenes potros;
unos, con largas barbas, como los padres-ríos;
otros, imberbes, ágiles y de piafantes bríos
y de robustos músculos, brazos y lomos, aptos
para portar las ninfas rosadas en los raptos.

Van en galope rítmico. Junto a un fresco boscaje,
frente al gran Océano, se paran. El paisaje
recibe, de la urna matinal, luz sagrada
que el vasto azul suaviza con límpida mirada.
Y oyen seres terrestres y habitantes marinos
la voz de los crinados cuadrúpedos divinos.

Hablan a continuación dieciocho centauros. A más de
Quirón, el principal de todos, que es el que lleva la voz
cantante en el coloquio, Reto, Abantes, Folo, Orneo, As-
tilo, Neso, Eurito, Hipea, Odites, Clito, Caumantes, Gri-
neo, Licidas, Arneo, Medon, Amico y Eureto. De Quirón
son estas palabras:

¡Himnos! Las cosas tienen un ser vital; las cosas
tienen raros aspectos, miradas misteriosas;
toda forma es un gesto, una cifra, un enigma;
en cada átomo existe un incógnito estigma;
cada hoja de cada árbol canta un propio cantar
y hay un alma en cada una de las gotas del mar...

Versos más adelante:

Cuando del sacro abuelo la sangre luminosa
con la marina espuma formara nieve y rosa,

hecha de rosa y nieve nació la Anadiomena.
Al cielo alzó los brazos la lírica sirena;
los curvos hipocampos sobre las verdes ondas
lavaron los hocicos; y caderas redondas,
tritónicas melenas y dorsos de delfines
junto a la Reina nueva se vieron. Los confines
del mar llenó el grandioso clamor; el universo
sintió que un nombre armónico, sonoro como un verso,
llenaba el hondo hueco de la altura; ese nombre
hizo gemir la tierra de amor; fue para el hombre
más alto que el de Jove, y los númenes mismos
lo oyeron asombrados; los lóbregos abismos
tuvieron una gracia de luz. ¡VENUS impera!
Ella es entre las reinas celestes la primera,
pues es quien tiene el fuerte poder de la Hermosura.
¡Vaso de miel y mirra brotó de la amargura!

Habla Hipea:

Yo sé de la hembra humana la original infamia.
Venus anima artera sus máquinas fatales;
tras los radiantes ojos ríen traidores males;
de su floral perfume se exhala sutil daño;
su cráneo oscuro alberga bestialidad y engaño.
Tiene las formas puras del ánfora, y la risa
del agua que la brisa riza y el sol irisa...

Habla Medon:

¡La Muerte! Yo la he visto. No es demacrada y mustia,
ni ase curva guadaña, ni tiene faz de angustia.
Es semejante a Diana, casta y virgen como ella;
en su rostro hay la gracia de la núbil doncella
y lleva una guirnalda de rosas siderales.
En su siniestra tiene verdes palmas triunfales
y en su diestra una copa con agua del olvido.
A sus pies, como un perro, yace un amor dormido.

Del *Pórtico* escrito en endecasílabos para el libro titulado *En tropel*, de Salvador Rueda, son estas estrofas:

Griega es su sangre, su abuelo era ciego;
sobre la cumbre del Pindo sonoro
el sagitario del carro de fuego
puso en su lira las cuerdas de oro.

....

Y con la gente morena y huraña
que a los caprichos del aire se entrega,
hace su entrada triunfal en España,
fresca y riente, la rítmica griega.

Mira las cumbres de Sierra Nevada,
las bocas rojas de Málaga, lindas,
y en un pandero su mano rosada
fresas recoge, claveles y guindas.

Canta y resuena su verso de oro,
ve de Sevilla las hembras de llama,
sueña y habita en la Alhambra del moro
y en sus cabellos perfumes derrama.

Busca del pueblo las penas, las flores,
mantos bordados de alhajas de seda,
y la guitarra que sabe de amores,
cálida y triste querida de Rueda.

Urna amorosa de voz femenina,
caja de música, duelo y placer;
tiene el acento de un alma divina,
talle y caderas como una mujer.

Va del tablado flamenco a la orilla
y ase en sus palmas los crótalos negros,
mientras derrocha la audaz seguidilla
bruscos acordes y raudos alegros.

Joven homérida, un día su tierra
vióle que alzaba soberbio estandarte,
buen capitán de la lírica guerra,
regio cruzado del reino del arte.

Y de la brega tornar vióle un día
de su victoria en los bravos tropeles,
bajo el gran sol de la eterna Harmonía,
dueño de verdes y nobles laureles.

Fue aborrecido de Zoilo, el verdugo.
Fue por la gloria su estrella encendida.
Y esto pasó en el reinado de Hugo,
emperador de la barba florida.

En el *Elogio de la seguidilla* escribe Rubén:

La andaluza hechicera, paloma arisca,
por ti irradia, se agita, vibra y se quiebra,
con el lánguido gesto de la odalisca
o las fascinaciones de la culebra.

En la *Sinfonía en gris mayor:*

La siesta del trópico. La vieja cigarra
ensaya su ronca guitarra senil,
y el grillo preludia su solo monótono
en la única cuerda que está en su violín.

Altamente celebrado es el *Responso a Verlaine.*

Padre y maestro mágico, liróforo celeste
que al instrumento olímpico y a la siringa agreste
diste tu acento encantador;
¡Panida! ¡Pan tú mismo, que coros condujiste
hacia el propíleo sacro que amaba tu alma triste,
al son del sistro y del tambor!

Que tu sepulcro cubra de flores Primavera;
que se humedezca el áspero hocico de la fiera,
de amor, si pasa por allí;
que el fúnebre recinto visite Pan bicorne;
que de sangrientas rosas el fresco abril te adorne
y de claveles de rubí.

. . . .

Que púberes canéforas te ofrenden el acanto;
que sobre tu sepulcro no se derrame el llanto,
    sino rocío, vino, miel;
que el pámpano allí brote, las flores de Citeres
¡y que se escuchen vagos suspiros de mujeres
    bajo un simbólico laurel!
....

Y huya el tropel equino por la montaña vasta;
tu rostro de ultratumba bañe la luna casta
    de compasiva y blanca luz;
y el Sátiro contemple, sobre un lejano monte,
una cruz que se eleve cubriendo el horizonte,
    ¡y un resplandor sobre la cruz!

He aquí ahora unos versos del *Palimpsesto:*

"...cuando en las vírgenes y verdes parras
sus secas notas dan las cigarras,
y en los panales de Himeto deja
su rubia carga la leve abeja
que en bocas rojas chupa la miel,
junto a los mirtos, bajo los lauros,
en grupos líricos van los centauros
con la harmonía de su tropel.

Uno las patas rítmicas mueve,
otro alza el cuello con gallardía,
como en hermoso bajo-relieve
que a golpes mágicos Scopas haría;
otro alza al aire las manos blancas,
mientras le dora las finas ancas
con baño cálido la luz del sol;
y otro, saltando piedras y troncos,
va dando alegre sus gritos roncos
como el ruido de un caracol.

Silencio. Señas hace ligero
el que en la tropa va delantero;
porque a un recodo de la campaña
llegan, en donde Diana se baña.

Se oye el ruido de claras linfas
y la algazara que hacen las ninfas.
Risa de plata que el aire riega
hasta sus ávidos oídos llega;
golpes en la onda, palabras locas,
gritos joviales de frescas bocas,
y los ladridos de la traílla
que Diana tiene junto a la orilla
del fresco río, donde está ella,
blanca y desnuda como una estrella.

Versos tomados de *El reino interior:*

¿Qué son se escucha, son lejano, vago y tierno?
Por el lado derecho del camino, adelante
el paso leve, una adorada teoría
virginal. Siete blancas doncellas, semejantes
a siete blancas rosas de gracia y de harmonía
que el alba constelara de perlas y diamantes.

Sus vestes son tejidas del lino de la luna.
Van descalzas. Se mira que posan el pie breve
sobre el rosado suelo, como una flor de nieve.
Y los cuellos se inclinan, imparciales, en una
manera que lo excelso pregona de su origen.
Como al compás de un verso, su paso suave rigen,
tal el divino Sandro dejara en sus figuras
esos graciosos gestos en esas líneas puras.
Como a un velado son de liras y laúdes,
divinamente blancas y castas pasan esas
siete bellas Princesas. Y esas bellas Princesas
son las siete Virtudes.

Al lado izquierdo del camino y paralelamente siete mancebos—oro, seda, escarlata,
armas ricas de Oriente—, hermosos, parecidos
a los satanes verlenianos de Ecbatana,
vienen también. Sus labios sensuales y encendidos,
de efebos criminales, son cual rosas sangrientas;
sus puñales, de piedras preciosas revestidos

—ojos de víboras de luces fascinantes—,
al cinto penden; arden las púrpuras violentas
en los jubones; ciñen las cabezas triunfantes
oro y rosas; sus ojos, ya lánguidos, ya ardientes,
son dos carbunclos mágicos de fulgor sibilino,
y en sus manos de ambiguos príncipes decadentes
relucen como gemas las uñas de oro fino.

    Bellamente infernales,
llenan el aire de hechiceros beneficios
esos siete mancebos. Y son los siete Vicios,
los siete poderosos Pecados capitales.

A los cinco años de publicada la primera edición de
Prosas profanas, que costeó el argentino don Carlos Vega
Belgrano, a quien va dedicado el libro, hízose en París
la segunda edición. Además del estudio de Rodó, entraron en ella no menos de veintiuna nuevas piezas poéticas. Lo más notable de estas adiciones, a nuestro juicio,
son los doce sonetos agrupados bajo el título *Las ánfo-
ras de Epicuro.* De ellos, podemos traer aquí los cuatro
que siguen.

LA FUENTE

    Joven, te ofrezco el don de esta copa de plata,
para que un día puedas calmar la sed ardiente,
la sed que con su fuego más que la muerte mata.
Mas debes abrevarte tan sólo en una fuente.

    Otra agua que la suya tendrá que serte ingrata;
basta su oculto origen en la gruta viviente
donde la interna música de su cristal desata
junto al árbol que llora y la roca que siente.

    Guíete el misterioso eco de su murmullo;
asciende por los riscos ásperos del orgullo;
baja por la constancia y desciende al abismo,

cuya entrada sombría guardan siete panteras:
son los siete Pecados, las siete bestias fieras.
Llena la copa y bebe: la fuente está en ti mismo.

A LOS POETAS RISUEÑOS

Anacreonte, padre de la sana alegría;
Ovidio, sacerdote de la ciencia amorosa;
Quevedo, en cuyo cáliz licor jovial rebosa;
Banville, insigne orfeo de la sacra Harmonía;

y con vosotros, toda la grey hija del día,
a quien habla el amante corazón de la rosa,
abejas que fabrican sobre la humana prosa
en sus Himetos mágicos mieles de poesía:

prefiero vuestra risa sonora, vuestra musa
risueña, vuestros versos perfumados de vino,
a los versos de sombra y a la canción confusa

que opone el numen bárbaro al resplandor latino;
y ante la fiera máscara de la fatal Medusa,
medrosa huye mi alondra de canto cristalino.

AL MAESTRO GONZALO DE BERCEO

Amo tu delicioso alejandrino,
como el de Hugo, espíritu de España;
éste vale una copa de champaña,
como aquél vale "un vaso de bon vino".

Mas a uno y otro pájaro divino
la primitiva cárcel es extraña;
el barrote maltrata, el grillo daña,
que vuelo y libertad son su destino.

Así procuro que en la luz resalte
tu antiguo verso, cuyas alas doro
y hago brillar con mi moderno esmalte;

tiene la libertad con el decoro
y vuelve, como al puño el gerifalte,
trayendo del azul rimas de oro.

YO PERSIGO UNA FORMA...

Yo persigo una forma que no encuentra mi estilo,
botón de pensamiento que busca ser la rosa;
se anuncia con un beso que en mis labios se posa
al abrazo imposible de la Venus de Milo.

Adornan verdes palmas el blanco peristilo;
los astros me han predicho la visión de la Diosa;
y en mi alma reposa la luz, como reposa
el ave de la luna sobre un lago tranquilo.

Y no hallo sino la palabra que huye,
la iniciación melódica que de la flauta fluye
y la barca del sueño que en el espacio boga;

y bajo la ventana de mi Bella-Durmiente,
el sollozo continuo del chorro de la fuente
y el cuello del gran cisne blanco que me interroga.

No se deje sin mención tampoco la poesía *Cosas del Cid.* De ella son estos alejandrinos:

Cuando su guantelete hubo vuelto a la mano,
el Cid siguió su rumbo por la primaveral
senda. Un pájaro daba su nota de cristal
en un árbol. El cielo profundo desleía
un perfume de gracia en la gloria del día.
Las ermitas lanzaban en el aire sonoro
su melodiosa lluvia de tórtolas de oro;
el alma de las flores iba por los caminos
a unirse a la piadosa voz de los peregrinos,
y el gran Rodrigo Díaz de Vivar, satisfecho,
iba cual si llevase una estrella en el pecho.

Imitando antiguas tonadas de Castilla, hizo Rubén unas "canciones" cuya inclusión en el libro dan a éste variedad y riqueza. De una de ellas. escrita a la manera de Johan de Duenyas:

> Di al olvido el turbulento
> sentimiento,
> y hallé un sátiro ladino
> que dio a mi labio sediento
> nuevo aliento,
> nueva copa y nuevo vino.
> Y al llegar la primavera,
> en mi roja sangre fiera
> triple llama fue encendida.
> Yo al flamante amor entrego
> la vendimia de mi vida
> bajo pámpanos de fuego.

Un "lay" hecho al modo de Johan de Torres:

> ¿Qué pude yo hacer
> para merecer
> la ofrenda de ardor
> de aquella mujer
> a quién, como a Ester,
> maceró el Amor?

> Intenso licor,
> perfume y color
> me hiciera sentir
> su boca de flor;
> dile el alma por
> tan dulce elixir.

"CANTOS DE VIDA Y ESPERANZA"

Entre *Prosas profanas* (fines de 1896) y *Cantos de vida y esperanza* (1905) salen cuatro libros de Rubén, pero ninguno de versos. Son libros de artículos periodísticos hechos con impresiones de viajes. El último de ellos, *Tierras solares,* acaso el mejor de sus volúmenes de prosa, es el primero que Darío entrega a un editor de Madrid. El segundo de los editados en Madrid es éste de los *Cantos;* sin duda, el libro culminante del poeta, el que recoge lo más granado de su cosecha lírica. Costeó la edición, de 500 ejemplares, el propio autor. Parvo negocio hizo.

Así como en *Prosas profanas* se refleja, por encima de todo, al poeta afrancesado, en los *Cantos* vive, de cuerpo entero, el españolismo de aquel que se llamó, precisamente hablando de este libro, "español de América y americano de España". Ved la *Salutación del optimista,* las poesías *Al rey Oscar* y *A Roosevelt,* la titulada *Cyrano en España,* los *Retratos,* el *Trébol, Los cisnes,* el *Soneto a Cervantes,* los tercetos *A Goya* y la *Letanía de Nuestro Señor Don Quijote.*

Está dedicado el volumen a dos países: Nicaragua y la República Argentina; la tierra natal y aquella que tuvo siempre para el poeta delicadezas maternales; "su segunda patria", como llegó a decir él más de una vez.

Diecisiete de las poesías del libro llevan dedicatorias; la primera, a Rodó; las otras, a Juan Ramón Jiménez, Adolfo Altamirano, Martínez Sierra, Ricardo Calvo, Adela Villagrán, Vargas Vila (dos), Díaz Romero, Domingo Bolívar, Manuel Machado, Antonio Machado, Valle Inclán, Mariano de Cavia, Antonino Lamberti, Navarro Ledesma y René Pérez; escritores, en su mayoría; alternando españoles e hispanoamericanos.

No todo el contenido de esta famosa obra pertenece a los primeros años de nuestro siglo; hay composiciones escritas en los últimos del siglo XIX. He aquí algunos datos sobre algunas de ellas.

La primera —*Yo soy aquel que ayer no más decía...*— se escribió en París, en 1904, y en junio de ese año la publicó una revista chilena. La *Salutación del optimista* la leyó su autor en el Ateneo de Madrid el 28 de marzo de 1905; la había compuesto en la madrugada anterior a ese día. *Al rey Oscar* y *Trébol* publicáronse en *La Ilustración Española y Americana* en abril y mayo de 1899, respectivamente. *Cyrano en España* la insertó, en enero del 99, *La Vida Literaria,* de Madrid, días después del estreno, en la capital española, del *Cyrano de Bergerac,* poema dramático de Rostand. Rubén añadió su poesía a una de sus crónicas de entonces hechas para *La Nación*. En este diario, el año 1895, se dio a conocer la *Marcha triunfal,* que el autor dedicó "al Ejército argentino" (dedicatoria felizmente suprimida luego, al pasar al libro la *Marcha);* alcanzó ésta gran éxito; Mitre se apresuró a felicitar a su ilustre colaborador. *En la muerte de Rafael Núñez* se escribiría, lógicamente, poco después del 18 de septiembre de 1894, fecha del fallecimiento de dicho político colombiano. La composición *A Roosevelt,* fechada en 1904, hízola Rubén en Málaga, y en mayo de tal año la publicó una revista de Chile. Muy anterior es la poesía *Leda,* escrita en América en 1892, y publicada, en noviembre del 99, en *La España Moderna*. También del 92 es la *Tarde del Trópico,* que se compuso a mediados de mayo, yendo el autor a bordo del barco en que salió de Costa Rica. En París, en 1903, fechó Darío su *Soneto a Cervantes,* inserto en una revista de Méjico a comienzos de 1904. *Caracol* salió en *Caras y Caretas,* en abril de 1903, y *Por el influjo de la primavera,* en *Blanco y Negro,* en mayo de 1905. El

Soneto autumnal al Marqués de Bradomín apareció, en 1904, al frente de la *Sonata de primavera,* de Valle Inclán. Los versos *A Phocas, el campesino* van dirigidos al primer hijo varón que tuvo el poeta con Francisca Sánchez, y al que llamaba familiarmente de esa extraña manera. Nacido el niño —Rubén de nombre— en Madrid, en abril de 1903, murió en junio de 1905, de una bronquitis, en Navalsáuz, viviendo con sus abuelos. La *Letanía de Nuestro Señor Don Quijote,* escrita en 1905, la leyó Martínez Sierra (por hallarse Rubén enfermo) en el paraninfo de la Universidad de Madrid, en uno de los actos celebrados para conmemorar el tricentenario de la aparición del *Quijote.* En tales actos, Darío representaba a Nicaragua. Se leyó también la composición, por los mismos días, en acto similar del Ateneo madrileño y se publicó en el libro que editó el Ateneo con todos los trabajos leídos en las varias sesiones organizadas allí para la citada conmemoración.

He aquí ahora, por su innegable interés, parte del Prefacio de los *Cantos de vida y esperanza:*

"Mi antiguo aborrecimiento a la mediocridad, a la mulatez intelectual, a la chatura estética, apenas si se aminora hoy con una razonada indiferencia.

"El movimiento de libertad que me tocó iniciar en América se propagó hasta España, y tanto aquí como allá el triunfo está logrado. Aunque respecto a técnica tuviese demasiado que decir en el país en donde la expresión poética está anquilosada, a punto de que la momificación del ritmo ha llegado a ser un artículo de fe, no haré sino una corta advertencia. En todos los países cultos de Europa se ha usado del hexámetro absolutamente clásico, sin que la mayoría letrada y, sobre todo, la minoría leída, se asustasen de semejante manera de cantar. En cuanto al verso libre moderno, ¿no es verdaderamente singular que

en esta tierra de Quevedos y Góngoras los únicos innovadores del instrumento lírico, los únicos libertadores del
ritmo, hayan sido los poetas del *Madrid Cómico* y los li-
bretistas del género chico?

"Hago esta advertencia porque la forma es lo que
primeramente toca a las muchedumbres. Yo no soy un
poeta para las muchedumbres. Pero sé que indefectible-
mente tengo que ir a ellas.

"...voy diciendo mi verso con una modestia tan orgullosa, que solamente las espigas comprenden, y cultivo,
entre otras flores, una rosa rosada, concreción de alba,
capullo de porvenir, entre el bullicio de la literatura.

"Si en estos cantos hay política, es porque aparece
universal. Y si encontráis versos a un presidente, es porque son un clamor continental. Mañana podremos ser
yanquis (y es lo más probable); de todas maneras, mi
protesta queda escrita sobre las alas de los inmaculados
cisnes, tan ilustres como Júpiter."

Los aludidos versos "a un presidente" son los dedicados a Teodoro Roosevelt; viril apóstrofe al imperialismo
de los yanquis, que figura entre las poesías más conocidas
de Rubén.

Léase:

> Es con voz de la Biblia o verso de Walt Whitman,
> que habría que llegar hasta ti, Cazador,
> primitivo y moderno, sencillo y complicado,
> con un algo de Washington y cuatro de Nemrod.

> Eres los Estados Unidos,
> eres el futuro invasor
> de la América ingenua que tiene sangre indígena,
> que aún reza a Jesucristo y aún habla en español.

> Eres soberbio y fuerte ejemplar de tu raza;
> eres culto, eres hábil; te opones a Tolstoi.

Y domando caballos o asesinando tigres,
eres un Alejandro-Nabucodonosor.
(Eres un profesor de energía,
como dicen los locos de hoy.)

Crees que la vida es incendio,
que el progreso es erupción,
que en donde pones la bala
el porvenir pones.
                        No.

Los Estados Unidos son potentes y grandes.
Cuando ellos se estremecen, hay un hondo temblor
que pasa por las vértebras enormes de los Andes.
Si clamáis, se oye como el rugir del león.

Ya Hugo a Grant le dijo: "Las estrellas son vuestras."
(Apenas brilla, alzándose, el argentino sol
y la estrella chilena se levanta...) Sois ricos.
Juntáis al culto de Hércules el culto de Mammón,
y alumbrando el camino de la fácil conquista,
la Libertad levanta su antorcha en Nueva York.

Mas la América nuestra, que tenía poetas
desde los viejos tiempos de Netzahualcoyolt,
que ha guardado las huellas de los pies del gran Baco,
que el alfabeto pánico en un tiempo aprendió;
que consultó los astros, que conoció la Atlántida,
cuyo nombre nos llega resonando en Platón,
que desde los remotos momentos de su vida
vive de luz, de fuego, de perfume, de amor;
la América del grande Moctezuma, del Inca,
la América fragante de Cristóbal Colón,
la América católica, la América española,
la América en que dijo el noble Guatemoc:
"Yo no estoy en un lecho de rosas"; esa América
que tiembla de huracanes y que vive de amor,
hombres de ojos sajones y alma bárbara, vive.
Y sueña. Y ama, y vibra, y es la hija del Sol.
Tened cuidado. ¡Vive la América española!
Hay mil cachorros sueltos del León español.

> Se necesitaría, Roosevelt, ser, por Dios mismo,
> el Riflero terrible y el fuerte Cazador,
> para poder tenernos en vuestras férreas garras.

> Y, pues contáis con todo, falta una cosa: ¡Dios!

Mucho habría que reproducir de esos *Cantos de vida y esperanza,* para dar aquí una idea cabal de ellos. No es posible, dado el espacio de que disponemos, sino recoger aisladas expresiones, breves muestras. Ya es hermoso y musical el comienzo del libro:

> Yo soy aquel que ayer no más decía
> el verso azul y la canción profana,
> en cuya noche un ruiseñor había
> que era alondra de luz por la mañana.

Luego:

> y muy siglo diez y ocho, y muy antiguo
> y muy moderno; audaz, cosmopolita;
> con Hugo fuerte y con Verlaine ambiguo,
> y una sed de ilusiones infinita.

> Yo supe de dolor desde mi infancia;
> mi juventud... ¿fue juventud la mía?,
> sus rosas aún me dejan su fragancia,
> una fragancia de melancolía...

> Potro sin freno se lanzó mi instinto,
> mi juventud montó potro sin freno;
> iba embriagada y con puñal al cinto;
> si no cayó, fue porque Dios es bueno.

> En mi jardín se vio una estatua bella;
> se juzgó mármol y era carne viva;
> un alma joven habitaba en ella,
> sentimental, sensible, sensitiva.
> ....

Como la Galatea gongorina
me encantó la marquesa verleniana,
y así juntaba a la pasión divina
una sensual hiperestesia humana;

todo ansia, todo ardor, sensación pura
y vigor natural; y sin falsía,
y sin comedia y sin literatura...
si hay un alma sincera, ésa es la mía.

La torre de marfil tentó mi anhelo;
quise encerrarme dentro de mí mismo
v tuve hambre de espacio y sed de cielo
desde las sombras de mi propio abismo.

Como la esponja que la sal satura
en el jugo del mar, fue el dulce y tierno
corazón mío, henchido de amargura
por el mundo, la carne y el infierno.

Mas, por gracia de Dios, en mi conciencia
el Bien supo elegir la mejor parte;
y si hubo áspera hiel en mi existencia,
melificó toda acritud el Arte.

Mi intelecto libré de pensar bajo,
bañó el agua castalia el alma mía,
peregrinó mi corazón y trajo
de la sagrada selva la armonía.

Después:

Y la vida es misterio; la luz ciega
y la verdad inaccesible asombra;
la adusta perfección jamás se entrega,
y el secreto ideal duerme en la sombra.

Por eso ser sincero es ser potente;
de desnuda que está, brilla la estrella;
el agua dice el alma de la fuente
en la voz de cristal que fluye de ella.

> Tal fue mi intento: hacer del alma pura
> mía, una estrella, una fuente sonora,
> con el horror de la literatura
> y loco de crepúsculo y de aurora.

El último serventesio de la composición dice:

> La virtud está en ser tranquilo y fuerte;
> con el fuego interior todo se abrasa;
> se triunfa del rencor y de la muerte,
> y hacia Belén... ¡la caravana pasa!

Cuando, a fines de marzo de 1905, Rubén Darío subió a la tribuna del Ateneo madrileño, para leer versos suyos, el auditorio pudo oír los vigorosos hexámetros que el poeta de América dirigía a los españoles, como expresión de su optimismo y su fe en los destinos de la que, por entonces, tantos hombres llamaban "nación moribunda, nación sin pulso"...

Inclitas razas ubérrimas, sangre de Hispania fecunda,
espíritus fraternos, luminosas almas, ¡salve!
Porque llega el momento en que habrán de cantar nuevos himnos
lenguas de gloria. Un vasto rumor llena los ámbitos...
....
Siéntense sordos ímpetus en las entrañas del mundo;
la inminencia de algo fatal hoy conmueve la tierra;
fuertes colosos caen, se desbandan bicéfalas águilas
y algo se inicia como vasto social cataclismo
sobre la faz del orbe. ¿Quién dirá que las savias dormidas
no despierten entonces en el tronco del roble gigante,
bajo el cual se exprimió la ubre de la loba romana?
¿Quién será el pusilánime que al vigor español niegue músculos
y que al alma española juzgue áptera y ciega y tullida?
No es Babilonia ni Nínive enterrada en olvido y en polvo,
ni entre momias y piedras, reina que habita el sepulcro,
la nación generosa, coronada de orgullo inmarchito,
que hacia el lado del alba fija las miradas ansiosas,

ni la que, tras los mares en que yace sepulta la Atlántida,
tiene su coro de vástagos, altos, robustos y fuertes.

Unanse, brillen, secúndense tantos vigores dispersos;
formen todos un solo haz de energía ecuménica.
Sangre de Hispania fecunda, sólidas, ínclitas razas
muestren los dones pretéritos que fueron antaño su triunfo.
....

La latina estirpe verá la gran alba futura;
en un trueno de música gloriosa, millones de labios
saludarán la espléndida luz que vendrá del Oriente...

Y así sea Esperanza la visión permanente en nosotros,
¡ínclitas razas ubérrimas, sangre de Hispania fecunda!

Siguen, en este libro que examinamos, los vibrantes
acentos de noble y limpio españolismo en la poesía *Al
Rey Oscar*. Este rey —el que lo era entonces de Suecia
y Noruega—, en viaje que hizo a España, en marzo de
1899, al pisar, por Irún, el suelo de nuestra patria, dicen
que dijo: "Vive l'Espagne!" Comentado el saludo en la
Prensa, Rubén se apresuró a versificar.

Así, Sire, en el aire de la Francia nos llega
la paloma de plata de Suecia y de Noruega
que trae en vez de olivo una rosa de fuego.

Un búcaro latino y un noble vaso griego
reciben el regalo del país de la nieve.
Que a los reinos boreales el patrio viento lleve
otra rosa de sangre y de luz españolas,
pues, sobre la sublime hermandad de las olas,
al brotar tu palabra, un saludo le envía
al sol de medianoche el sol de Mediodía.
....

Sire de ojos azules, gracias: por los laureles
de cien bravos vestidos de honor; por los claveles
de la tierra andaluza y la Alhambra del moro;
por la sangre solar de una raza de oro;

por la armadura antigua y el yelmo de la gesta;
por las lanzas que fueron una vasta floresta
de gloria y que pasaron Pirineos y Andes;
por Lepanto y Otumba; por el Perú, por Flandes;
por Isabel que cree, por Cristóbal que sueña,
y Velázquez que pinta, y Cortés que domeña;
por el país sagrado en que Herakles afianza
sus macizas columnas de fuerza y esperanza,
mientras Pan trae el ritmo con la egregia siringa
que no hay trueno que apague ni tempestad que extinga;
por el León simbólico y la Cruz, gracias, Sire.

Mientras el mundo aliente, mientras la esfera gire,
mientras la onda cordial alimente un ensueño,
mientras haya una viva pasión, un noble empeño,
un buscado imposible, una imposible hazaña,
una América oculta que hallar, ¡vivirá España!

Y pues tras la tormenta vienes, de peregrino
real, a la morada que estristeció el destino,
la morada que viste luto sus puertas abra
al purpúreo y ardiente vibrar de tu palabra;
y que sonría, oh rey Oscar, por un instante,
y tiemble en la flor áurea el más puro brillante
para quien, sobre brillos de corona y de nombre,
con labios de monarca lanza un grito de hombre.

En la breve poesía que comienza "¡*Torres de Dios!
¡Poetas!* se dirige Rubén a sus hermanos:

Esperad todavía.
El bestial elemento se solaza
en el odio a la sacra poesía
y se arroja baldón de raza a raza.
La insurrección de abajo
tiende a los Excelentes.
El caníbal codicia su tasajo
con roja encía y afilados dientes.

Torres, poned al pabellón sonrisa.
Poned, ante ese mal y ese recelo,
una soberbia insinuación de brisa
y una tranquilidad de mar y cielo...

Viene luego su *Canto de esperanza:*

Un gran vuelo de cuervos mancha el azul celeste.
Un soplo milenario trae amagos de peste.
Se asesinan los hombres en el extremo Este.

¿Ha nacido el apocalíptico Anticristo?
Se han sabido presagios y prodigios se han visto,
y parece inminente el retorno del Cristo.

La tierra está preñada de dolor tan profundo,
que el soñador, imperial meditabundo,
sufre con las angustias del corazón del mundo.

Verdugos de ideales afligieron la tierra;
en un pozo de sombras la humanidad se encierra,
con los rudos molosos del odio y de la guerra.

¡Oh, Señor Jesucristo!, ¿por qué tardas, qué esperas
para tender tu mano de luz sobre las fieras,
y hacer brillar al sol tus divinas banderas?

Surge de pronto y vierte la esencia de la vida
sobre tanta alma loca, triste o empedernida
que, amante de tinieblas, tu dulce aurora olvida.

Ven, Señor, para hacer la gloria de ti mismo;
ven, con temblor de estrellas y horror de cataclismo
Ven a traer amor y paz sobre el abismo.

Y tu caballo blanco, que miró el visionario,
pase. Y suene el divino clarín extraordinario.
Mi corazón será brasa de tu incensario.

En *Spes* se dirige a Jesús:

> Jesús, incomparable perdonador de injurias,
> óyeme: Sembrador de trigo, dame el tierno
> pan de tus hostias; dame, contra el sañudo infierno,
> una gracia lustral de iras y lujurias.
>
> Dime que este espantoso horror de la agonía
> que me obsede, es no más de mi culpa nefanda;
> que al morir hallaré la luz de un nuevo día
> y que entonces oiré mi "¡levántate y anda!".

La celebérrima *Marcha triunfal* no hay por qué traerla aquí; basten su principio y su fin:

> ¡Ya viene el cortejo!
> ¡Ya viene el cortejo! Ya se oyen los claros clarines.
> La espada se anuncia con vivo reflejo.
> Ya viene, oro y hierro, el cortejo de los paladines.
> ....
> ¡Y al sol que hoy alumbra las nuevas victorias ganadas,
> y al héroe que guía su grupo de jóvenes fieros;
> al que ama la insignia del suelo materno,
> al que ha desafiado, ceñido el acero y el arma en la mano,
> los soles del rojo verano,
> las nieves y vientos del gélido invierno,
> la noche, la escarcha
> y el odio y la muerte, por ser por la patria inmortal,
> saludan con voces de bronce las trompas de guerra que tocan la
> [marcha
> triunfal!...

Para la metrificación de esta *Marcha* Rubén tomó la pauta de José Asunción Silva.

La poesía titulada *Los cisnes,* en cuartetas de catorce sílabas, presenta algunas muy bellas:

> La América española, como la España entera,
> fija está en el Oriente de su fatal destino;
> yo interrogo a la Esfinge que el porvenir espera
> con la interrogación de tu cuello divino.

¿Seremos entregados a los bárbaros fieros?
¿Tantos millones de hombres hablaremos inglés?
¿Ya no hay nobles hidalgos ni bravos caballeros?
¿Callaremos ahora para llorar después?

He lanzado mi grito, cisnes, entre vosotros.
que habéis sido los fieles en la desilusión,
mientras siento una fuga de americanos potros
y el estertor postrero de un caduco león...

... Y un cisne negro dijo: "La noche anuncia el día."
Y uno blanco: "¡La aurora es inmortal, la aurora
es inmortal!" ¡Oh, tierras de sol y de armonía,
aún guarda la Esperanza la caja de Pandora!

Véase un *Retrato:*

Don Gil, Don Juan, Don Lope, Don Carlos, Don Rodrigo,
¿cuya es esta cabeza soberbia?, ¿esa faz fuerte?,
¿esos ojos de jaspe?, ¿esa barba de trigo?
Este fue un caballero que persiguió a la Muerte.

Cien veces hizo cosas tan sonoras y grandes,
que de águilas poblaron el campo de su escudo,
y ante su rudo tercio de América o de Flandes
quedó el asombro ciego, quedó el espanto mudo.

La coraza revela fina labor; la espada
tiene la cruz que erige sobre su tumba el miedo;
y bajo el puño firme que da su luz dorada
se afianza el rayo sólido del yunque de Toledo.

Tiene labios de Borgia, sangrientos labios dignos
de exquisitas calumnias, de rezar oraciones
y de decir blasfemias; rojos labios malignos
florecidos de anécdotas en cien Decamerones.

Y con todo, este hidalgo de un tiempo indefinido
fue el abad solitario de un ignoto convento,
y dedicó en la muerte sus hechos: ¡al olvido!
y el grito de su vida luciferina: ¡al viento!

La *Canción de otoño en primavera* empieza con los famosos versos:

> Juventud, divino tesoro,
> ¡ya te vas para no volver!
> Cuando quiero llorar, no lloro...
> y a veces lloro sin querer.

Los eneasílabos, tan del gusto de Rubén, van sonando, melancólicos, a lo largo de la "canción":

> ¡Y las demás!, en tantos climas,
> en tantas tierras, siempre son,
> si no pretexto de mis rimas,
> fantasmas de mi corazón.

> En vano busqué a la princesa
> que estaba triste de esperar.
> La vida es dura; amarga y pesa.
> ¡Ya no hay princesa que cantar!

> Mas, a pesar del tiempo terco,
> mi sed de amor no tiene fin;
> con el cabello gris me acerco
> a los rosales del jardín...

El último de los tres sonetos que forman el *Trébol,* tan hondamente influido por la poesía barroca de nuestro siglo de oro, dice así:

> En tanto *pace estrellas* el Pegaso divino
> y vela tu hipogrifo, Velázquez, la Fortuna,
> en los celestes parques al Cisne gongorino
> deshoja sus sutiles margaritas la luna.

> Tu castillo, Velázquez, se eleva en el camino
> del Arte, como torre que de águilas es cuna,
> y tu castillo, Góngora, se alza al azul cual una
> jaula de ruiseñores labrada en oro fino.

> Gloriosa la península que abriga tal colonia.
> ¡Aquí bronce corintio, y allá mármol de Jonia!
> Las rosas a Velázquez, y a Góngora claveles.
>
> De ruiseñores y águilas se pueblan las encinas,
> y mientras pasa Angélica sonriendo a las Meninas,
> salen las nueve Musas de un bosque de laureles.

A *Phocas, el campesino,* su hijito enfermo, le dice el poeta:

> duerme bajo los ángeles, sueña bajo los santos,
> que ya tendrás la Vida para que te envenenes...

El hombre incorregiblemente sensual canta a la carne femenina con cálidos versos:

> ¡Carne, celeste carne de la mujer! Arcilla
> —dijo Hugo—. Ambrosía, más bien, ¡oh, maravilla!
> La vida se soporta,
> tan doliente y tan corta,
> solamente por eso:
> roce, mordisco o beso
> en ese pan divino
> para el cual nuestra sangre es nuestro vino.
> ....
> Cuando el áureo Pegaso
> en la victoria matinal se lanza
> con el mágico ritmo de su paso
> hacia la vida y hacia la esperanza,
> si alza la crin y las narices hincha,
> y sobre las montañas pone el casco sonoro,
> y hacia la mar relincha,
> y el espacio se llena
> de un gran temblor de oro,
> es que ha visto desnuda a Anadiomena.
>
> Gloria, ¡oh Potente a quien las sombras temen!
> ¡Que las más blancas tórtolas te inmolen,
> pues por ti la floresta está en el polen
> y el pensamiento en el sagrado semen!

El primer cuarteto del *Soneto a Cervantes* merece transcribirse:

> Horas de pesadumbre y de tristeza
> paso en mi soledad. Pero Cervantes
> es buen amigo. Endulza mis instantes
> ásperos y reposa mi cabeza.

Otro soneto, el titulado *Melancolía,* dice:

> Hermano, tú que tienes la luz, dime la mía.
> Soy como un ciego. Voy sin rumbo y ando a tientas.
> Voy bajo tempestades y tormentas,
> ciego de ensueño y loco de armonía.
>
> Ese es mi mal: soñar. La poesía
> es la camisa férrea de mil puntas cruentas
> que llevo sobre el alma. Las espinas sangrientas
> dejan caer las gotas de mi melancolía.
>
> Y así voy, ciego y loco, por este mundo amargo;
> a veces me parece que el camino es muy largo,
> y a veces que es muy corto...
>
> Y en este titubeo de aliento y agonía,
> cargo lleno de penas lo que apenas soporto.
> ¿No oyes caer las gotas de mi melancolía?

Otros melancólicos versos:

> Yo sé que hay quienes dicen: ¿Por qué no canta ahora
> con aquella locura armoniosa de antaño?
> Esos no ven la obra profunda de la hora,
> la labor del minuto y el prodigio del año.
>
> Yo, pobre árbol, produje, al amor de la brisa,
> cuando empecé a crecer, un vago y dulce son.
> Pasó ya el tiempo de la juvenil sonrisa:
> ¡dejad al huracán mover mi corazón!

A Goya le dice el poeta:

> Tu loca mano dibuja
> la silueta de la bruja
> que en la sombra se arrebuja,
>
> y aprende una abracadabra
> del diablo patas de cabra
> que hace una mueca macabra.
>
> Tu pincel asombra, hechiza;
> ya en sus claros electriza,
> ya en sus sombras sinfoniza.
> ....
>
> En tu claroscuro brilla
> la luz muerta y amarilla
> de la horrenda pesadilla,
>
> o hace encender tu pincel
> los rojos labios de miel
> o la sangre del clavel.

Del *Soneto autumnal al Marqués de Bradomín* es este terceto:

> Versalles otoñal; una paloma; un lindo
> mármol; un vulgo errante municipal y espeso;
> anteriores lecturas de tus sutiles prosas...

Cuartetas del *Programa matinal:*

> Epicúreos o soñadores,
> amemos la gloriosa Vida,
> siempre coronados de flores
> ¡y siempre la antorcha encendida!
>
> Exprimamos de los racimos
> de nuestra vida transitoria
> los placeres por que vivimos
> y los champañas de la gloria.

> Devanemos de Amor los hilos,
> hagamos, porque es bello, el bien,
> y después durmamos tranquilos
> y por siempre jamás. Amén.

Comienza así la *Letanía de Nuestro Señor Don Quijote:*

> Rey de los hidalgos, señor de los tristes,
> que de fuerza alientas y de ensueños vistes,
> coronado de áureo yelmo de ilusión:
> que nadie ha podido vencer todavía,
> por la adarga al brazo, toda fantasía,
> y la lanza en ristre, toda corazón.

Prosigue:

> Noble peregrino de los peregrinos,
> que santificaste todos los caminos
> con el paso augusto de tu heroicidad...

Más adelante:

> Ruega generoso, piadoso, orgulloso;
> ruega casto, puro, celeste, animoso;
> por nos intercede, suplica por nos,
> pues casi ya estamos sin savia, sin brote,
> sin alma, sin vida, sin luz, sin Quijote,
> sin pies y sin alas, sin Sancho y sin Dios.

> De tantas tristezas, de dolores tantos,
> de los superhombres de Nietzsche, de cantos
> afonos, recetas que firma un doctor,
> de las epidemias, de horribles blasfemias,
> de las Academias,
> ¡líbranos, señor!

> De rudos malsines,
> falsos paladines
> y espíritus finos y blandos y ruines,
> del hampa que sacia
> su canallocracia

con burlar la gloria, la vida, el honor,
del puñal con gracia,
¡líbranos, señor!

La última composición del libro —trece versos— se
titula *Lo fatal*. Es la siguiente:

Dichoso el árbol, que es apenas sensitivo,
y más la piedra dura, porque ésta ya no siente,
pues no hay dolor más grande que el dolor de ser vivo
ni mayor pesadumbre que la vida consciente.

Ser, y no saber nada, y ser sin rumbo cierto,
y el temor de haber sido, y un futuro terror...
Y el espanto seguro de estar mañana muerto,
y sufrir por la vida y por la sombra y por
lo que no conocemos y apenas sospechamos,
y la carne que tienta con sus frescos racimos,
y la tumba que aguarda con sus fúnebres ramos,
¡y no saber adónde vamos,
ni de dónde venimos...!

En esta poesía —escribía su autor— "contra mi arraigada religiosidad, y a pesar mío, se levanta, como una
sombra temerosa, un fantasma de desolación y de duda.
Ciertamente, en mí existe, desde los comienzos de mi
vida, la profunda preocupación del fin de la existencia,
el terror a lo ignorado, el pavor de la tumba o, más bien,
del instante en que cesa el corazón su ininterrumpida tarea y la vida desaparece de nuestro cuerpo. En mi desolación, me he lanzado a Dios como a un refugio; me he
asido de la plegaria como de un paracaídas. Me he llenado de congoja cuando he examinado el fondo de mis
creencias y no he encontrado suficientemente maciza y
fundamentada mi fe, cuando el conflicto de las ideas me
ha hecho vacilar, y me he sentido sin un constante y seguro apoyo.

"Todas las filosofías me han parecido impotentes; y algunas, abominables y obra de locos y malhechores. En cambio, desde Marco Aurelio hasta Bergson, he saludado con gratitud a los que dan alas, tranquilidad, vuelos apacibles, y enseñan a comprender de la mejor manera posible el enigma de nuestra estancia sobre la tierra".

"EL CANTO ERRANTE"

Después de sus *Cantos de vida y esperanza,* Rubén Darío publicó otros tres libros de versos; los tres, en Madrid; muy cortos, los dos últimos.

El canto errante, lanzado a finales de 1907 y dedicado "A los nuevos poetas de las Españas", no supera a su hermano anterior, ni aun le iguala; pero mantiene con dignidad la elevada estatura que ya había conquistado su autor. También en este volumen se recogen unas cuantas composiciones viejas, como la décima dedicada a Campoamor, que data de 1886 (¡veinte años largos de vejez!); los dodecasílabos a Colón, que Rubén leyó en Madrid, cuando vino por vez primera a nuestra capital; las quintillas que llevan el título de *Caso* (de 1890); el poema *Tutecotzimí,* del mismo año; el soneto *A Francia* y las composiciones *Flirt* y *Metempsícosis* (las tres de 1893); la *Esquela a Charles de Soussens* (de 1895), y *Desde la pampa* (del 98). En cuanto al *Elogio del obispo Esquiú,* consta que fue leído por su autor, en el Ateneo de la argentina Córdoba, el 15 de octubre de 1896. Por cierto que la presencia de Darío en la docta ciudad rioplatense solivió a algunos intelectuales del bando academizante, como los señores Gil Guerra y Rodríguez del Busto. El primero de ellos afirmó, según nos refiere el cordobés

Arturo Capdevila: "Rubén Darío no es en modo alguno
ese gran poeta que dicen, ni mucho menos. No es más
que el representante del disloque de la lengua y del mero
verbalismo poético. Su brillo es brillo de talco. Sus pre-
tendidas galas, simples extravíos de la escuela decadente
de la que es corifeo, al igual que Lugones, otro secuaz,
digno de mejor suerte."

Hallábase Rubén en la paz de Mallorca cuando decidió escribir, a propósito de su poesía, unas *Dilucidaciones*
que le habían pedido para los prestigiosos *Lunes de El Imparcial,* donde se publicaron. Son las mismas que meses
después lleváronse, como prólogo, a la página primera de
El Canto errante. Se dice que en tal escrito respondía el
poeta a las censuras que Unamuno, Salvador Rueda y
algunos otros españoles le dirigían por entonces. Eché-
mosle un vistazo.

Escribe Darío:

"Hay quienes, equivocados, juzgan en decadencia el
noble oficio de rimar y casi desaparecida la consoladora
vocación de soñar. Esto no es ocasionado por el *sport,*
hoy en creciente auge. Las más ilustres escopetas dejan
en paz a los cisnes. La culpa de ese temor, de esa duda
sobre la supervivencia de los antiguos ideales, la tiene,
entre nosotros, una hora de desencanto que, en la flor de
la juventud —hace ya algunos lustros— sufrió un eminente colega —he nombrado a *Gedeón*—, cuando, entre
los intelectuales de su cenáculo, presentó la célebre pro-
posición sobre 'si la forma poética está llamada a desaparecer'.

"No. La forma poética no está llamada a desaparecer,
antes bien, a extenderse, a modificarse, a seguir su desenvolvimiento en el eterno ritmo de los siglos. Podrá
no haber poetas, pero siempre habrá poesía, dijo uno de
los puros. Siempre habrá poesía y siempre habrá poetas.

Lo que siempre faltará será la abundancia de los comprendedores...

"Quizá porque entre nosotros no es frecuentemente servida la divina, la buena, la suprema, se usa, por lo general, la *mesure basse.*

"El movimiento que en buena parte de las flamantes letras españolas me tocó iniciar, a pesar de mi condición de 'meteco', echada en cara de cuando en cuando por escritores poco avisados...

"Creía yo a España impermeable a todo rocío artístico que no fuera el que cada mañana primaveral hacía reverdecer los tallos de las antiguas flores de retórica...

"Tanto en Europa como en América se me ha atacado con singular y hermoso encarnizamiento. Con el montón de piedras que me han arrojado pudiera bien construirme un rompeolas que retardase en lo posible la inevitable creciente del olvido... Tan solamente he contestado a la crítica tres veces, por la categoría de sus representantes, y porque mi natural orgullo juvenil ¡entonces!, recibiera también flores de los sagitarios. Por lo demás, ellos se llamaban Max Nordau, Paul Groussac y Leopoldo Alas.

"Deseo también enmendar algún punto en que han errado mis defensores, que buenos los he tenido en España. Los maestros de la generación pasada nunca fueron sino benévolos y generosos conmigo. Los que en estos asuntos se interesan no ignoran que Valera, en estas mismas columnas, fue quien dio a conocer, con un gentil entusiasmo muy superior a su ironía, la pequeña obra primigenia que inició allá en América la manera de pensar y de escribir que hoy suscita, aquí y allá, ya inefables, ya truculentas controversias. (Rubén dice a continuación cómo recibió, además, atenciones de Campoamor, Castelar, Núñez de Arce, Cánovas del Castillo, Salvador Rueda, la Pardo Bazán, Menéndez Pelayo y otros que cita.)

"Desde entonces hasta hoy —agrega— jamás me he propuesto ni asombrar al burgués, ni martirizar mi pensamiento en potros de palabras. No gusto de *moldes* nuevos ni viejos... Mi verso ha nacido siempre con su cuerpo y su alma, y no le he aplicado ninguna clase de ortopedia. He, sí, cantado aires antiguos; y he querido ir hacia el porvenir, siempre bajo el divino imperio de la música —música de las ideas, música del verbo.

"Andan por el mundo tantas flamantes teorías y enseñanzas estéticas... Las venden al peso, adobadas de ciencia fresca, de la que se descompone más pronto, para aparecer renovada en los catálogos y escaparates pasado mañana.

"He expresado lo expresable de mi alma y he querido penetrar en el alma de los demás, y hundirme en la vasta alma universal... He cantado en mis diferentes modos el espectáculo multiforme de la Naturaleza y su inmenso misterio. He celebrado el heroísmo, las épocas bellas de la Historia, los poetas, los ensueños, las esperanzas. He impuesto al instrumento lírico mi voluntad del momento, siendo a mi vez órgano de los instantes, vario y variable, según la dirección que imprime el inexplicable Destino.

"Amador de la lectura clásica, me he nutrido de ella, mas siguiendo el paso de mis días. He comprendido la fuerza de las tradiciones en el pasado y de las previsiones en lo futuro... He celebrado las conquistas humanas y he, cada día, afianzado más mi seguridad de Dios. De Dios y de los dioses. Como hombre, he vivido en lo cotidiano; como poeta, no he claudicado nunca, pues siempre he tendido a la eternidad. Todo ello para que, fuera de la comprensión de los que me entienden con intelecto de amor, haga pensar a determinados profesores en tales textos; a la cuquería literaria, en escuelas y modas; a este ciudadano, en el ajenjo del Barrio Latino, y al otro, en las decoraciones "arte nuevo" de los bares y *music-halls*. He comprendido la inanidad de la crítica. Un diplomado os alaba por lo menos alabable que tenéis, y otro os censura en mal latín o en esperanto. Este doctor de fama universal os llama aquí 'ese gran talento de Rubén Darío', y allá os inflige un estupefaciente desdén... Este amigo os defiende temeroso. Este enemigo os cubre de flores, pidiéndoos por bajo una limosna. Eso es la literatura... Eso es lo que yo abomino. Maldígame la potencia divina si alguna vez, después de un roce semejante, no he ido al baño de luz lustral que todo lo purifica: la autoconfesión ante la única Norma.

"Jamás he manifestado el culto exclusivo de la palabra por la palabra...

"Yo no soy iconoclasta. ¿Para qué? Hace siempre falta a la creación el tiempo perdido en destruir. Mal haya la filosofía que viene de Alemania, que viene de Inglaterra o que viene de Francia, si ella viene a quitar, y no a dar. Sepamos que muchas de esas cosas flamantes importadas yacen, entre polillas, en ancianos infolios españoles. Y las que no, son pruebas por corregir para la edición de mañana, en espera de una sucesión de correcciones.

"Resumo: La poesía existirá mientras exista el problema de la vida y de la muerte. El don de arte es un don superior que permite entrar en lo desconocido de antes y en lo ignorado de después, en el ambiente del ensueño o de la meditación. Hay una música ideal, como hay una música verbal. No hay escuelas; hay poetas. El verdadero artista comprende todas las maneras y halla la belleza bajo todas las formas. Toda la gloria y toda la eternidad están en nuestra conciencia."

Comienza *El canto errante* con unos eneasílabos pareados :

> El cantor va por todo el mundo,
> sonriente o meditabundo.
>
> El cantor va sobre la tierra
> en blanca paz o en roja guerra.
>
> Sobre el lomo del elefante
> por la enorme India alucinante.
>
> En palanquín y en seda fina
> por el corazón de la China.
>
> En automóvil en Lutecia;
> en negra góndola en Venecia.
>
> Sobre las pampas y los llanos
> en los potros americanos...

La *Metempsícosis,* en verso libre, es de sobria intensidad evocadora:

> Yo fui un soldado que durmió en el lecho
> de Cleopatra, la reina. Su blancura
> y su mirada astral y omnipotente.
> Eso fue todo.
> ....
>
> Yo, Rufo Galo, fui soldado, y sangre
> tuve de Galia, y la imperial becerra
> me dio un minuto audaz de su capricho.
> Eso fue todo.
>
> ¿Por qué en aquel espasmo las tenazas
> de mis dedos de bronce no apretaron
> el cuello de la blanca reina en broma?
> Eso fue todo.

> Yo fui llevado a Egipto. La cadena
> tuve al pescuezo. Fui comido un día
> por los perros. Mi nombre, Rufo Galo.
> Eso fue todo.

Atrevimiento fue de Darío, y no pequeño, el dar a conocer en Madrid, por los días colombinos de 1892, cuando en España se exaltaba al Almirante y al continente por él descubierto, los versos que empiezan:

> ¡Desgraciado Almirante! Tu pobre América,
> tu india virgen y hermosa de sangre cálida,
> la perla de tus sueños, es una histérica
> de convulsivos nervios y frente pálida.

Siguen:

> Un desastroso espíritu posee tu tierra;
> donde la tribu unida blandió sus mazas,
> hoy se enciende entre hermanos perpetua guerra,
> se hieren y destrozan las mismas razas.

> Al ídolo de piedra reemplaza ahora
> el ídolo de carne que se entroniza,
> y cada día alumbra la blanca aurora
> en los campos fraternos sangre y ceniza.

> Desdeñando a los reyes, nos dimos leyes
> al son de los cañones y los clarines,
> y hoy, al favor siniestro de negros reyes,
> fraternizan los Judas con los Caínes.

> Bebiendo la esparcida savia francesa
> con nuestra boca indígena semi-española,
> día a día cantamos la *Marsellesa,*
> para acabar danzando la *Carmañola.*

> Las ambiciones pérfidas no tienen diques,
> soñadas libertades yacen deshechas.
> ¡Eso no hicieron nunca nuestros Caciques
> a quienes las montañas daban las flechas!

Ellos eran soberbios, leales y francos,
ceñidas las cabezas de raras plumas;
¡ojalá hubieran sido los hombres blancos
como los Atahualpas y Moctezumas!

Cuando en vientres de América cayó semilla
de la raza de hierro que fue de España,
mezcló su fuerza heroica la gran Castilla
con la fuerza del indio de la montaña.

¡Pluguiera a Dios las aguas antes intactas
no reflejaran nunca las blancas velas,
ni vieran las estrellas estupefactas
arribar a la orilla tus carabelas!
....

La cruz que nos llevaste padece mengua,
y, tras encanalladas revoluciones,
la canalla escritora mancha la lengua
que escribieron Cervantes y Calderones.

Duelos, espantos, guerras, fiebre constante
en nuestra senda ha puesto la suerte triste:
¡Cristóforo Colombo, pobre Almirante,
ruega a Dios por el mundo que descubriste!

Con dos decenios de adelanto, Rubén parece anunciar la tremenda guerra europea del año 14, cuando traza su soneto a Francia:

¡Los bárbaros, Francia! ¡Los bárbaros, cara Lutecia!
Bajo áurea rotonda reposa tu gran Paladín.
Del cíclope al golpe, ¿qué pueden las risas de Grecia?
¿Qué pueden las Gracias, si Herakles agita su crín?

En locas faunalias no sientes el viento que arrecia,
el viento que arrecia del lado del férreo Berlín,
y allí, bajo el templo que tu alma pagana desprecia,
tu vate, hecho polvo, no puede sonar su clarín.

Suspende, Bizancio, tu fiesta mortal y divina;
¡oh, Roma, suspende la fiesta divina y mortal!
Hay algo que viene como una invasión aquilina

que aguarda temblando la curva del Arco Triunfal.
¡Tannhäuser! Resuena la marcha marcial y argentina
y vese a lo lejos la gloria de un casco imperial.

Nada, en verdad, sobresaliente nos brinda la *Oda a Mitre*. No fue la primera ni la última vez que Darío escribió "versos de circunstancias". Sentía él, lógicamente, un vivo afecto por la figura del general, político y publicista que le había puesto en las manos las hojas de su difundido diario. Como ningún otro periódico, *La Nación* contribuyó a levantar y mantener sin ocaso la celebridad de Rubén; le ayudó, además, con sus pesos, en numerosas ocasiones, a salir a flote. (Ya conocemos los tropezones económicos que amargaron tantos días del poeta.) Así, al saber la muerte de aquel a quien tuvo siempre por su "primer protector" (Bartolomé Mitre murió, teniendo ochenta y cuatro años, el 19 de enero de 1906), Rubén consideró de su deber esta alabanza póstuma. Hízose de ella una edición, en opúsculo aparecido en París ese año; al siguiente, pasó a las páginas de *El canto errante,* precedida la oda de una poesía en honor de Mitre, que en 1898 había publicado *La Nación,* el día del cumpleaños de su fundador: el 27 de junio.

A los dos años de escribir en Málaga su poesía a Roosevelt, escribe Rubén en Río de Janeiro su *Salutación al águila*. En ella, campanudamente, toma la posición opuesta a la que había tomado antes. Quien denunciara los apetitos del imperialismo yanqui, claudicaba ahora su noble postura viril y se inclinaba desdichadamente, delante del "Aguila mágica de alas enormes y fuertes". Y le dice al Aguila que "bien venga a extender sobre el Sur

su gran sombra continental, a traer en sus garras, anilla-
das de rojos brillantes, una palma de gloria, del color
de la inmensa esperanza, y en su pico la oliva de una
vasta y fecunda paz".

Luego se arranca en esta forma:

> ¡Precisión de la fuerza! ¡Majestad adquirida del trueno!
> Necesidad de abrirle el gran vientre fecundo a la tierra,
> para que en ella brote la concreción de oro de la espiga,
> y tenga el hombre el pan con que mueve su sangre.
>
> No es humana la paz con que sueñan ilusos profetas,
> la actividad eterna hace precisa la lucha,
> y desde tu etérea altura, tú contemplas, divina Aguila,
> la agitación combativa de nuestro globo vibrante.
>
> Tráenos los secretos de las labores del Norte,
> y que los hijos nuestros dejen de ser los retores latinos
> y aprendan de los yanquis la constancia, el vigor, el carácter.

El comentario puesto por Francisco Contreras a esta
lamentable "debilidad" de su amigo bien puede recordarse aquí:

"¡Cómo! El poeta que expresaba ayer con tan enér-
gico acento su fe en el porvenir de la raza, ¿desespera hoy
de su causa, hasta el extremo de saludar al agresor y lla-
marlo a una unión imposible? La explicación de cambio
tan brusco está en el carácter de este hombre débil, tímido hasta la puerilidad y, por tanto, doblegable a todas
las sugestiones. Al asistir, como delegado de su país, a
la Conferencia Panamericana de Río de Janeiro, tuvo
miedo, sin duda, de haber ido demasiado lejos en su
apóstrofe *A Roosevelt*. Antes de partir había conversado
mucho con Leopoldo Lugones, que se hallaba en París
y hacía ostentación de un panamericanismo exaltado;
recuerdo que tuve con él conversaciones sobre este asunto, que se tornaron discusiones. Darío aprovechó, pues, la

ocasión de aquella Conferencia para desagraviar a la poderosa nación adversaria. El mismo ha confesado que panamericanizó 'con su vago temor y con muy poca fe'. Y cuando yo solía hablarle de esta *Salutación,* manifestándole mi sorpresa y mi descontento, me replicaba invariablemente: '¡Qué quiere, amigo! Ellos son los más fuertes...' Por lo demás, las ideas que expresaba eran las de la diplomacia hispanoamericana en aquel triste momento. ¡Y el pobre poeta era 'cónsul como Stendhal'! En fin, esta claudicación, sugerida por temores quiméricos, no fue sino el error de un instante. Lástima que se haya incluido [en *El canto errante*] esa *Salutación al Aguila* que, por no responder a su sentir sincero, no debió haber sido recogida en volumen."

Jugosa, amena, singularísima es la *Epístola a la señora de Lugones.* Parte de ella la hemos recogido en la sección biográfica de nuestro libro.

El *Romance* a Remy de Gourmont, escrito en Mallorca también, y por los mismos días, ha sido tachado de insignificante y vulgar por ciertos descontentadizos. No vemos la razón para ese menosprecio. Está compuesto el romance con garbosa soltura:

> Desde Palma de Mallorca,
> en donde Lulio nació,
> te dirijo este romance,
> ¡oh, Remigio de Gourmont!
> Va lleno de sal marina
> y va caliente de sol,
> del sol que gozó Cartago
> y que a Aníbal dio calor.
> Llevan las gymnesias brisas
> algo de azahar. Y son
> para ti gratas, ilustre
> nieto de conquistador.
> ....

> Raimundo fue combativo;
> tú lo eres en lo interior,
> y si él lapidado fue,
> tú mereces el honor
> de ser quemado en la hoguera
> de la Santa Inquisición.
> ....

> Aquí estaría Simona
> bajo un toronjero en flor,
> viendo las velas latinas
> en la azulada visión.
> Y tú tendrías la mente
> en un eco, en una voz,
> en un cangrejo, en la arena,
> o en una constelación.

A aquella primera estancia del poeta en la isla balear pertenece, igualmente, *La canción de los pinos*. De ella son dos cuartetas muy conocidas:

> Cuando en mis errantes pasos peregrinos
> la Isla Dorada me ha dado un rincón
> de soñar mis sueños, encontré los pinos,
> los pinos amados de mi corazón.
> ....

> Románticos somos... ¿Quién que Es, no es romántico?
> Aquel que no sienta ni amor ni dolor,
> aquel que no sepa de beso y de cántico,
> que se ahorque de un pino: será lo mejor.

Un verso durísimo, el primero de estos cuatro —en opinión de un excelente crítico de Rubén Darío—, y un verso desgraciado, el último. Dicho crítico elogia, en cambio, el poema *Tutecotzimí* —"uno de los más hermosos y personales de Rubén, en el que se capta, por primera vez en nuestra poesía, el mundo aborigen con toda su realidad y esplendor (a pesar de ciertas ligeras impropiedades), a la vez que se interpreta la naturaleza y la vida americanas con fidelidad y arte jamás vistos":

Al cavar en el suelo de la ciudad antigua,
la metálica punta de la piqueta choca
con una joya de oro, una labrada roca,
una flecha, un fetiche, un dios de forma ambigua,
o los muros enormes de un templo. Mi piqueta
trabaja en el terreno de la América ignota.
....

Cuaucmichín, el cacique sacerdotal y noble,
viene de caza. Síguele fila apretada y doble
de sus flecheros ágiles. Su aire es bravo y triunfal.
Sobre su frente lleva bruñido cerco de oro;
y vese, al sol que se alza del florestal sonoro,
que en la diadema tiembla la pluma de un quetzal.
....

Junto al verdoso charco, sobre las piedras toscas,
rubí, cristal, zafiro, las susurrantes moscas
del vaho de la tierra pasan cribando el tul;
e intacta, con su veste de terciopelo rico,
abanicando el lodo con su doble abanico,
está como extasiada la mariposa azul.

Las selvas foscas vibran con el calor del día;
al viento el pavo negro su grito agudo fía,
y el grillo aturde el verde, tupido carrizal;
un pájaro del bosque remeda un son de cuerno;
prolonga la cigarra su chincharchar eterno,
y el grito de su pito repite el pito-real.

Los altos aguacates invade ágil la ardilla;
su cola es un plumero, su ojo pequeño brilla,
sus dientes llueven fruta del árbol productor;
y con su vuelo rápido que espanta el avispero,
pasa el bribón y oscuro sanate-clarinero
llamando al compañero con áspero clamor.

> Su vasto aliento lanzan los bosques primitivos;
> vuelan al menor ruido los quetzales esquivos;
> sobre la aristoloquia revuela el colibrí;
> y junto a la parásita lujosa está la iguana,
> como hija misteriosa de la montaña indiana
> que anima el teutl oculto del sacro teocalí.

Bajando de la naturaleza tropical al campo argentino, la pluma del vate traza, unos años después, en 1898, sus versos *Desde la pampa:*

> Os saludo desde el campo lleno de hojas y de luces,
> cuya verde maravilla cruzan potros y avestruces,
>   o la enorme vaca roja,
> o el rebaño gris, que a un tiempo luz y hoja
>   busca y muerde
>   en el mágico ondular
>   que simula el fresco y verde
>   trebolar.

En la poesía *Eco y yo,* Rubén Darío nos dice:

> Tu acento es bravo, aunque seco,
>   Eco.
> Sigo, pues, mi rumbo errante,
>   ante
> los ojos de las rosadas
>   Hadas.
> Gusté de amor hidromieles,
>   mieles;
> probé de Horacio divino
>   vino;
> entretejí en mis delirios
>   lirios.
> Lo fatal con sus ardientes
>   dientes
> apretó mi conmovida
>   vida;
> mas me libró en toda parte
>   **Arte.**

Puso Rubén, como ya vimos, un prólogo poético a un libro de versos de Salvador Rueda; tal trabajo, de 1892, lo incorporó, unos años después, a sus *Prosas profanas.* En 1906 hizo otro prólogo en verso para el libro *Alma América,* de otro compañero: José Santos Chocano; éste, hispanoamericano, como él. Incorporado a *El canto errante,* véase una muestra de sus alejandrinos:

Hay un tropel de potros sobre la pampa inmensa.
¿Es Pan que se incorpora? No: es un hombre que piensa;
es un hombre que tiene una lira en la mano;
él viene del azul, del sol, del Oceano.
Trae encendida en vida su palabra potente
y concreta el decir de todo un continente.
Tal vez es desigual... (¡El Pegaso da saltos!)
Tal vez es tempestuoso... (¡Los Andes son tan altos...!)
Pero hay en ese verso tan vigoroso y terso
una sangre que apenas veréis en otro verso;
una sangre que, cuando en la estrofa circula,
como la luz penetra y como la onda ondula...
....

El sabe de Amazonas, Chimborazos y Andes.
Siempre blande su verso para las cosas grandes.
Va como Don Quijote en ideal campaña;
vive de amor de América y de pasión de España;
y envuelto en armonía y en melodía y canto,
tiene rasgos de heroe y actitudes de santo.
"¿Me permites, Chocano, que, como amigo fiel,
te ponga en el ojal esta hoja de laurel?"
Tal dije cuando don José Santos Chocano,
último de los incas, se tornó castellano.

Dos composiciones de *El canto errante* figuraron también al frente de dos volúmenes de versos de autores españoles. El soneto a Valle Inclán, al frente de *Aromas de leyenda,* y la *Balada en honor de las musas de carne y hueso,* al frente de *La Casa de la Primavera,* de Martínez Sierra.

El soneto es conocidísimo, sobre todo, su primer verso, tan afortunado:

> Este gran Don Ramón, de las barbas de chivo...

Sigue el poeta:

> cuya sonrisa es la flor de su figura,
> parece un viejo dios, altanero y esquivo,
> que se animase en la frialdad de su escultura.
>
> El cobre de sus ojos por instantes fulgura
> y da una llama roja tras un ramo de olivo.
> Tengo la sensación de que siento y que vivo
> a su lado una vida más intensa y más dura.
>
> Este gran don Ramón del Valle Inclán me inquieta
> y, a través del zodíaco de mis versos actuales,
> se me esfuma en radiosas visiones de poeta,
>
> o se me rompe en un fracaso de cristales.
> Yo le he visto arrancarse del pecho la saeta
> que le lanzan los siete pecados capitales.

Ni a las *Prosas profanas,* ni luego a los *Cantos,* llevó Rubén Darío la décima que antes de sus veinte años, hallándose en Chile, dedicó a don Ramón de Campoamor. En su acervo juvenil, es una de las composiciones más conocidas y celebradas. Pudo y debió haberla incluido en sus *Abrojos,* donde habría encajado perfectamente; pero no lo hizo, y la trajo, a destiempo, a este ya más que maduro, casi otoñal, *Canto errante.* Ni esa décima ni las quintillas puestas bajo el título de *Caso,* que datan de 1890, se amoldan al carácter de este libro.

He aquí la décima:

> Este del cabello cano
> como la piel del armiño
> juntó su candor de niño
> con su experiencia de anciano;
> cuando se tiene en la mano
> un libro de tal varón,
> abeja es cada expresión
> que, volando del papel,
> deja en los labios la miel
> y pica en el corazón.

Técnicamente, como se ve, la décima es perfecta. Su forma supera a la de tantas de las poesías que luego habían de dar a Rubén tanto renombre. Sin que esto signifique, en modo alguno, que la campoamorina décima a Campoamor debamos preferirla a esas otras poesías más incorrectas, pero mucho más originales, audaces y exquisitas.

Compárese con el romance octo-eneasílabo que lleva por título el nombre de Antonio Machado; una delicada semblanza del alto poeta, hecha por otro poeta de altura:

> Misterioso y silencioso,
> iba una y otra vez.
> Su mirada era tan profunda,
> que apenas se podía ver.

> Cuando hablaba, tenía un dejo
> de timidez y de altivez.
> Y la luz de sus pensamientos
> casi siempre se veía arder.

> Era luminoso y profundo,
> como era hombre de buena fe.
> Fuera pastor de mil leones
> y de corderos a la vez.
> Conduciría tempestades
> o traería un panal de miel.

Las maravillas de la vida
y del amor y del placer
cantaba en versos profundos
cuyo secreto era de él.

Montado en un raro Pegaso
un día al imposible fue.
Ruego por Antonio a mis dioses;
ellos le salven siempre. Amén.

El canto errante es, dentro del verso, uno de los libros
más heterogéneos de Rubén. Basta pasar los ojos por
sus páginas para advertir la gran diversidad que presenta, así en metros como en temas, así en el fondo como en
la forma. Empieza el volumen con unos pareados de
nueve sílabas y concluye con un soneto de catorce. Hay
aquí sonetos de once, catorce y quince sílabas. Hay verso
libre, romances, hexámetros, quintillas, tercetos, la décima
que se ha dicho, piezas de pie quebrado; incluso una
poesía en francés... Los hexapentasílabos del soneto
A Francia son de rarísimo empleo en nuestra poesía.

Editó el libro Pérez Villavicencio. Pagó al autor mil
pesetas.

"POEMA DEL OTOÑO Y OTROS POEMAS"

De los cuarenta años pasaba Rubén Darío cuando, en
1910, una editorial madrileña lanzaba su pequeño libro
—menos de cien páginas— que lleva por título *Poema del
otoño y otros poemas*. Por su edad, el poeta no entraba
aún en lo otoñal de su vida; pero él ya se veía y sentía
con tales otoñeces. Como había vivido hasta entonces
muy de prisa —y de prisa seguiría viviendo—, quemando
prematuramente etapas de experiencia, los oros otoñales
estaban ya sobre su frente, y su verbo cantaba acentuando,

cada vez más, el tono acibarado de quien se aproxima a la vejez.

Parecen acogerse a una sombra del Eclesiastés los quebrados versos del poema con que el libro empieza. Pero el poeta se obstina en mantener su ilusión de vivir por encima de todo lo adverso que la vida le brinde; quiere aprovechar aún su "alba de oro".

Tú, que estás, la barba en la mano,
   meditabundo,
¿has dejado pasar, hermano,
   la flor del mundo?

Te lamentas de los ayeres
   con quejas vanas:
¡aún hay promesas de placeres
   en los mañanas!

Aún puedes casar la olorosa
   rosa y el lis,
y hay mirtos para tu orgullosa
   cabeza gris.

Tú has gozado de la hora amable,
   y oyes después
la imprecación del formidable
   Eclesiastés.

El domingo de amor te hechiza,
   mas mira cómo
llega el miércoles de ceniza:
   Memento homo...

Por eso hacia el florido monte
   las almas van,
y se explican Anacreonte
   y Omar Kayam.

Huyendo del mal, de improviso
        se entra en el mal,
por la puerta del paraíso
        artificial.

Y, no obstante, la vida es bella,
        por poseer
la perla, la rosa, la estrella
        y la mujer.

....

¡Adolescencia! Amor te dora
        con su virtud;
goza del beso de la aurora,
        ¡oh, juventud!

¡Desventurado el que ha cogido
        tarde la flor!
Y ¡ay de aquel que nunca ha sabido
        lo que es amor!

....

Gozad de la carne, ese bien
        que hoy nos hechiza
y después se tornará en
        polvo y ceniza.

Gozad del sol, de la pagana
        luz de sus fuegos;
gozad del sol, porque mañana
        estaréis ciegos.

Gozad de la dulce armonía
        que a Apolo invoca;
gozad del canto, porque un día
        no tendréis boca.

Gozad de la tierra, que un
        bien cierto encierra;
gozad, porque no estáis aún
        bajo la tierra.

....

La sal del mar en nuestras venas
va a borbotones;
tenemos sangre de sirenas
y de tritones.

A nosotros encinas, lauros,
frondas espesas;
tenemos carne de centauros
y satiresas.

En nosotros la vida vierte
fuerza y calor.
¡Vamos al reino de la Muerte
por el camino del Amor!

Varios poemas de diversos géneros añadió el autor al que da título a este libro. Dos, muy conocidos: *El clavicordio de la abuela,* que por su fecha —1892— y por su estilo debió haber figurado entre los de *Prosas profanas,* y el dedicado a Margarita Debayle, la hija del médico que fue tan amigo, viejo amigo, de Darío; el que le asistió, como ya vimos, en los días postreros de su existencia.

La poesía, escrita en 1908, en la finca nicaragüense del doctor, donde el poeta pasó, descansando, corta temporada, tiene un comienzo musical que ha sido siempre muy elogiado:

Margarita, está linda la mar,
y el viento
lleva esencia sutil de azahar;
yo siento
en el alma una alondra cantar:
tu acento.
Margarita, te voy a contar
un cuento.

(Tenía la niña, en aquel año, los ocho de su edad. Andando el tiempo, se casó con un escritor, Noel Ernesto Pallais.)

El clavicordio de la abuela empieza en esta forma:

> En el castillo, fresca, linda,
> la marquesita Rosalinda,
> mientras la blanda brisa vuela,
> con su pequeña mano blanca
> una pavana grave arranca
> al clavicordio de la abuela.

Este libro de Rubén Darío está dedicado a Mariano Miguel de Val, uno de los buenos amigos y favorecedores que tuvo el poeta en Madrid. Poeta también, Val dirigía la "Biblioteca Ateneo", que fue la que editó el *Poema del otoño*.

"CANTO A LA ARGENTINA Y OTROS POEMAS"

Llegamos al último de los libros que Rubén dio a la estampa. Lo formó con doce poemas; el que figura en el título del volumen es aquel escrito en 1910, por encargo de *La Nación,* de Buenos Aires, para el número extraordinario que el 25 de mayo del dicho año, conmemorando la gran fecha argentina —centenario de su Independencia—, dio al público ese rotativo. Es el poema más largo de cuantos escribió su autor; contiene 1.001 versos; van éstos divididos en cuarenta y cinco secciones o partes. Tres páginas del diario ocupaba la composición. Rubén percibió por ella una suma espléndida, muy superior a la que le había dado cualquiera de sus libros; más aún, superior a la que había obtenido por todos sus libros juntos, algunos de los cuales no le produjeron ni un céntimo. La suma fue de diez mil francos. Celebrando con rumbo los cien años de la independencia argentina, quiso el gran diario bonaerense tener esa generosidad con su ya viejo y desde luego ilustre colaborador. Cobró Rubén su trabajo en París, donde lo escribió. (Piensen nuestros lectores lo que, en 1910, eran esos diez millares de la moneda francesa, y qué perspectivas alegres brindaban a un escritor...)

Al *Canto a la Argentina* añadió Rubén once poesías —en francés una de ellas— y dejó así preparado el libro que le editó en Madrid la llamada "Biblioteca Corona", como la anterior —"Ateneo"—, una editorial de las dedicadas a publicar libros de poetas modernos. Negocio dirigido a "las minorías", es de presumir que pagaría a los autores con poco o nada.

Al llevarlo al libro, el poema inicial fue sometido a atento análisis, lo que produjo en él varias modificaciones. Empieza:

> ¡Argentina! ¡Argentina!
> ¡Argentina! El sonoro
> viento arrebata la gran voz de oro.
> Ase la fuerte diestra la bocina
> y el pulmón fuerte, bajo los cristales
> del azul, que han vibrado,
> lanza el grito: *Oíd, mortales,*
> *oíd el grito sagrado.*

(Lo subrayado es el principio del himno nacional de la República.)

En este *Canto* se cruzan versos de siete, ocho, nueve, diez y once sílabas; predominan los eneasílabos. La rima, consonante, no distribuida de una manera regular.

¿Puede incluirse el *Canto a la Argentina* entre las poesías sobresalientes de Rubén Darío? Cuando se dio a conocer, siendo ya su autor la figura culminante de la renovación poética, el más conocido —y combatido— de los modernistas, el que contaba con número mayor de

admiradores y partidarios, hubo por parte de éstos el
natural movimiento de admiración y alabanza hacia el
maestro; una vez más, hacía éste gala de su fuerza crea-
dora, produciendo una composición en cierto modo des-
usada. Claro que no podía esperarse de Rubén —el Rubén de 1910— una "oda" a la vieja manera de los vates
ampulosos del siglo XIX; no había él de seguir la tendencia tradicional en ese tipo de poesía, al cual dieron brillo
varios versificadores ochocentistas de España. Ni por su
nombre, ni por su obra ya realizada, ni por el tiempo
en que vivía —con el "modernismo" en marcha triunfal—, podía escribir sino lo que escribió: un canto de
aire moderno, de avanzada, de contextura nueva, con
audacias de todo género. Nada con sabor de Quintana, de
Zorrilla, de Gallego; nada que se relacionase, ni de lejos, con los retóricos y sonoros poemas de Núñez de Arce,
tan impecablemente "vestidos", pero de tan marmórea
frialdad.

Sin salirse de su sitio bien ganado, firme en él, Darío
puso su pluma en ese *canto,* "cantando a la Argentina",
su segunda patria americana, como honradamente creía
que debía hacerlo.

> ¡Argentina, región de la aurora!
> ¡Oh, tierra abierta al sediento
> de libertad y de vida,
> dinámica y creadora!
> ¡Oh, barca augusta, de prora
> triunfante, de doradas velas!
> De allá de la bruma infinita,
> alzando la palma que agita,
> te saluda el divo Cristóbal,
> príncipe de las Carabelas.

> Te abriste como una granada,
> como una ubre te henchiste,

como una espiga te erguiste
a toda raza congojada,
a toda humanidad triste,
a los errabundos y parias
que bajo nubes contrarias
van en busca del buen trabajo,
del buen comer, del buen dormir...

¡Exodos! ¡Exodos!, rebaños
de hombres, rebaños de gentes
que teméis los días huraños,
que tenéis sed sin hallar fuentes
y hambre sin el pan deseado,
y amáis la labor que germina.
Los éxodos os han salvado:
¡hay en la tierra una Argentina!
He aquí la región del Dorado,
he aquí el paraíso terrestre,
he aquí la ventura esperada,
he aquí el Vellocino de Oro,
he aquí Canaán la preñada,
la Atlántida resucitada...
....

Aquí está la mar que no amarga,
aquí está el Sahara fecundo,
aquí se confunde el tropel
de los que al infinito tienden;
y se edifica la Babel
en donde todos se comprenden.

Se dirigía el poeta a los hombres de buena voluntad
que, desde todas las regiones del globo, acudían al suelo
argentino, para trabajar y soñar con la felicidad: rusos,
judíos, italianos, suizos, franceses... Fijándose en los nuestros, los españoles, aconsonantaba esta veintena de versos:

Hombres de España poliforme;
finos andaluces sonoros,
amantes de zambras y toros;

astures que entre peñascos
aprendisteis a amar la augusta
libertad; elásticos vascos,
como hechos de antiguas raíces,
raza heroica, raza robusta,
rudos brazos y altas cervices;
hijos de Castilla la noble,
rica de hazañas ancestrales;
firmes gallegos de roble;
catalanes y levantinos
que heredasteis los inmortales
fuegos de hogares latinos;
íberos de la Península
que las huellas del paso de Hércules
visteis en el suelo natal:
¡he aquí la fragante campaña
en donde crear otra España
en la Argentina universal!

Más abajo, estos doce versos:

Vástagos de hunos y de godos,
ciudadanos del orbe todos,
cosmopolitas caballeros
que antes fuisteis conquistadores,
piratas y aventureros,
reyes en el mar y en el viento,
argonautas de lo posible,
destructores de lo imposible,
pioneers de la Voluntad:
he aquí el país de la armonía,
el campo abierto a la energía
de todos los hombres. ¡Llegad!

Los lectores argentinos que en 1910 tuvo este *Canto*
no podían por menos de sentirse identificados con el
poeta. La República del Plata vivía por entonces sus días
de insuperable euforia. Nadie dudaba allí de que el país
era, en efecto, la tierra de promisión brindada a todos los
desheredados de la suerte. Todos los criollos, sin una sola

excepción, estaban convencidísimos de la grandeza que el
porvenir ofrecía a su patria: "la tierra de todos", el cri-
sol donde se fundirían todas las razas y lenguas, ideas y
costumbres. Abierta la nación a los cuatro vientos, rica
en campos fecundos, de templado clima, generosa con todos los trabajadores, sus perspectivas no podían pintarse
con más brillante colorido. Luego vendría la caída de tan
felices sueños en un despertar amargo; y la confiada y
exultante nación, roída por sus malos políticos, descende-
ría hasta llegar a ser lo que vemos hoy. Por mucho aumento de color rosa que se ponga en el cristal con que se
la mire, nadie verá ahora en esa maltrecha República lo
que sus hijos de hace medio siglo veían en ella; lo que
veía en ella Rubén Darío, escribiendo:

> En maternal continente,
> una República ingente
> crea el granero del orbe,
> y sangre universal absorbe
> para dar vida al orbe entero.
> De ese inexhausto granero
> saldrán las hostias del mañana;
> el hambre será, si no vana,
> menos multiplicada y fuerte,
> y será el paso de la muerte
> menos cruel con la especie humana.

Demasiado optimismo, como se ve; optimismo de
poeta y soñador...

El *Canto a la Argentina* tiene expresiones afortunadas
y no carece de frases prosaicas, lugares comunes y versos
inanes. Leyéndolo, se pasa, a veces, del numen de un alto
poeta al tópico y al latiguillo de un propagandista político.

Hablando del dicho *Canto*, uno de sus primeros críticos afirmó esto:

"Con un tema grande, pero rodeado del prosaísmo de

las solemnidades oficiales, logra Rubén un poema amplio como la pampa, espontáneo como la selva virgen... No celebra a la patria guerrera..., no loa a los héroes famosos, tan manoseados por los vates nacionalistas. Canta a la tierra, a la tierra opulenta y magnánima... Los elementos de que el poeta se sirve parecen perfectamente adecuados, pues son los tradicionales de la tierra (el gaucho, el rancho, el caballo, etc.) o los modernos de las ciudades (el hombre nuevo, la industria...). Las reminiscencias antiguas, caras a Rubén Darío, se armonizan aquí al tono solemne y al tema de grandeza primitiva, y la elocución torrencial, caprichosa, llena de ondulaciones y neologismos, el verso libre, en metros menores, desbordante y apenas rimado, no chocan en obra tan amplia y de tan largo aliento. Pero hay que convenir que en esto el poeta no está siempre a su altura: el fraseo parece excesivo, los neologismos demasiado numerosos, la metrificación poco pura, redundante. No es el bello desorden del lírico griego; es más bien la desmesuración de Walt Whitman. Falta aquí la gran cualidad latina, la Mesura, que no consiste en la simetría, sino en la armonía natural..."

Un crítico español, Guillermo Díaz Plaja, autor de una de las más conocidas biografías del poeta, enjuicia el *Canto* de que nos ocupamos, diciendo:

"En ese *Canto,* la exaltación corre a través de las páginas con un ritmo quebrado y ágil, sin perder jamás esa línea de sutileza y de ductilidad que lo coloca en el antípoda de los viejos poemas tradicionales. Hay, por una parte, una soltura de torrente; los ritmos saltan; las imágenes se apelotonan; se dirían caballos corriendo a grupos por la Pampa... y contrarrestan esta extremada facilidad unos consonantes exóticos, unas rimas rebuscadas, extraordinarias, gongorinas, que poseen un engarce

RETRATO DE VICTOR HUGO.

Uno de los ídolos franceses de Rubén Darío. Murió el mismo
año —1885— en que Rubén publicaba su primer libro.

RETRATO DE PAUL VERLAINE.

Pintado por Eugenio Carrière. En París, en 1893, conoció Darío al gran poeta francés, de quien fue siempre apasionado defensor.

de filigrana en el primitivo soplo inspirador. He aquí, pues, lograda la armonía. Todo —tema y verso— tiene un compás acelerado de modernidad."

Superiores al *Canto a la Argentina* son, en nuestra opinión, tres de las composiciones que figuran en este libro: *La Cartuja, Los motivos del lobo* y *Gesta del coso.* Y hay otras dos que también merecen registrarse: *La canción de los osos* y *Danzas gymnesianas (boleras).*

Estas "danzas" se publicaron en *Caras y Caretas,* en 1914. En este año y en el precedente dio la revista *Mundial* las tres poesías anteriores.

Quien, en 1906, había escrito en Palma de Mallorca los desenvueltos pareados a la Señora de Lugones, por los que no deja de asomarse un fino humorismo, en 1913, en Valldemosa, escribía una de sus poesías realmente hermosas y penetrantes: *La Cartuja.* Compuso entonces también las "boleras" que acabamos de mencionar, llenas de gracia y movimiento, y los alejandrinos a los que puso por título el nombre del lugar donde los hizo: Valldemosa.

Oigamos algo de *La Cartuja:*

> Este vetusto monasterio ha visto,
> secos de orar y pálidos de ayuno,
> con el breviario y con el santo Cristo,
> a los callados hijos de San Bruno.
>
> A los que, en su existencia solitaria,
> con la locura de la cruz y al vuelo
> místicamente azul de la plegaria,
> fueron a Dios en busca de consuelo.
>
> Mortificaron con las disciplinas
> y los cilicios la carne mortal
> y opusieron, orando, las divinas
> ansias celestes al furor sexual.

La soledad que amaba Jeremías,
el misterioso profesor de llanto,
y el silencio en que encuentran armonías
el soñador, el místico y el santo,

fueron para ellos minas de diamantes
que cavan los mineros serafines
a la luz de los cirios parpadeantes
y al son de las campanas de maitines.
....

¡Ah! fuera yo de esos que Dios quería,
y que Dios quiere cuando así le place,
dichosos ante el temeroso día
de losa fría y *Requiescat in pace...*
....

Sentir la unción de la divina mano,
ver florecer de eterna luz mi anhelo,
y oír como un Pitágoras cristiano
la música teológica del cielo.

Y al fauno que hay en mí darle la ciencia
que al Angel hace estremecer las alas.
Por la oración y por la penitencia,
poner en fuga a las diablesas malas.

Darme otros ojos, no estos ojos vivos
que gozan en mirar, como los ojos
de los sátiros locos medio-chivos,
redondeces de nieve y labios rojos.

Darme otra boca en que queden impresos
los ardientes carbones del asceta,
y no esta boca en que vinos y besos
aumentan gulas de hombre y de poeta.

Darme otras manos de disciplinante
que me dejen el lomo ensangrentado,
y no estas manos lúbricas de amante
que acarician las pomas del pecado.

Darme otra sangre que me deje llenas
las venas de quietud y en paz los sesos,
y no esta sangre que hace arder las venas,
vibrar los nervios y crujir los huesos.

Son preciosos también los versos de *Valldemosa:*

Vago con los corderos y con las cabras trepo,
como un pastor por estos montes de Valldemosa,
y entre olivares pingües y entre pinos de Alepo
diviso el mar azul que el sol baña de rosa.
....

Pían los libres pájaros en los vecinos huertos;
se enredan las copiosas viñas a las higueras,
y muestra el sexual higo dos labios entreabiertos,
junto al ámbar quemado de las uvas postreras.

Cambia de tono el verbo del poeta cuando ve bailar
a los payeses las boleras mallorquinas:

...forman sus ochos y eses
al son de las bandolinas.

Cantan los músicos alto
a acompasados compases,
el bailarín da su salto
y hay pases y contrapases.

Otra mujer se aficiona,
si algo gallarda, algo fea,
y aunque es un poco jamona,
muy bien que se zarandea.

Luego va una adolescente
calipigia y de ojo brujo,
con una cara inocente
de hacer pecar a un cartujo.

Y al vocerío sonoro
ella gira y se gobierna,
con tal cuidado y decoro
que apenas se ve la pierna.
....

Se regocija la sala
cuando, hecha rosa y jazmín,
sale una alegre zagala
con un payés chiquitín.

A ella, en sus vueltas graciosas,
el dulce ritmo la impele,
y él hace unas raras cosas
con sus brazos de pelele.

Vivía Rubén en Valldemosa cuando, en diciembre de
1913, la revista de París de la que era director publicaba
su admirable poema *Los motivos del lobo,* probablemente
escrito en la capital francesa, antes de su partida para
Mallorca.

Empieza preciosamente:

El varón que tiene corazón de lís,
alma de querube, lengua celestial,
el mínimo y dulce Francisco de Asís
está con un rudo y torvo animal,
bestia temerosa, de sangre y de robo,
las fauces de furia, los ojos de mal:
el lobo de Gubbia, el terrible lobo...

Es un poema amargo; lleno de desilusión. Francisco
va en busca del carnicero lobo que tiene sembrada la desolación en toda la comarca.

Francisco salió;
al lobo buscó
en su madriguera.
Cerca de la cueva encontró a la fiera

enorme que, al verle, se lanzó feroz
contra él. Francisco, con su dulce voz,
alzando la mano,
al lobo furioso dijo: "¡Paz, hermano
lobo!" El animal
contempló al varón de tosco sayal,
dejó su aire arisco,
cerró las abiertas fauces agresivas,
y dijo: "¡Está bien, hermano Francisco!"

"¡Cómo!—exclamó el santo—. ¿Es ley que tú vivas
de horror y de muerte?
La sangre que vierte
tu hocico diabólico, el duelo y espanto
que esparces, el llanto
de los campesinos, el grito, el dolor
de tanta criatura de Nuestro Señor,
¿no han de contener tu encono infernal?..."
....

Y el gran lobo, humilde: "¡Es duro el invierno,
y es horrible el hambre! En el bosque helado
no hallé qué comer; y busqué el ganado,
y a veces comí ganado y pastor.
¿La sangre? Yo vi más de un cazador
sobre su caballo, llevando el azor
al puño; o correr tras el jabalí,
el oso o el ciervo; y a más de uno vi
mancharse de sangre, herir, torturar
a los animales de Nuestro Señor.
Y no era por hambre, que iban a cazar."
Francisco responde: "En el hombre existe
mala levadura.
Cuando nace, viene con pecado. Es triste.
Mas el alma simple de la bestia, es pura.
Tú vas a tener
desde hoy qué comer.
Dejarás en paz
rebaños y gentes en este país.
¡Que Dios melifique tu ser montaraz!"
"Está bien, hermano Francisco de Asís."

"Ante el Señor, que todo ata y desata,
en fe de promesa, tiéndeme la pata."
El lobo tendió la pata al hermano
de Asís, que a su vez le alargó la mano.
Fueron a la aldea. La gente veía
y lo que miraba casi no creía.
Tras el religioso iba el lobo fiero...
....

Algún tiempo estuvo el lobo tranquilo
en el santo asilo.
Sus bastas orejas los salmos oían
y los claros ojos se le humedecían.
Aprendió mil gracias y hacía mil juegos
cuando a la cocina iba con los legos.
Y cuando Francisco su oración hacía
el lobo las pobres sandalias lamía.
Salía a la calle,
iba por el monte, descendía al valle,
entraba en las casas y le daban algo
de comer...
Un día Francisco se ausentó. Y el lobo
dulce, el lobo manso y bueno, el lobo probo
desapareció, tornó a la montaña,
y recomenzaron su aullido y su saña.
....

Cuando volvió al pueblo el divino santo,
todos le buscaron con quejas y llanto...
....
Francisco de Asís se puso severo.
Se fue a la montaña,
a buscar al falso lobo carnicero.
Y junto a su cueva halló a la alimaña.
"En nombre del Padre del sacro universo,
conjúrote—dijo—, ¡oh lobo perverso!
a que me contestes: ¿Por qué has vuelto al mal?
Contesta. Te escucho."
Como en sorda lucha habló el animal:
"Hermano Francisco, no te acerques mucho...
Yo estaba tranquilo, allá en el convento;

al pueblo salía,
y si algo me daban, estaba contento
y manso comía.
Mas empecé a ver que en todas las casas
estaban la Envidia, la Saña, la Ira,
y en todos los rostros ardían las brasas
de odio, de lujuria, de infamia y mentira.
Hermanos a hermanos hacían la guerra;
perdían los débiles, ganaban los malos;
hembra y macho eran como perro y perra,
y un buen día todos me dieron de palos.
Me vieron humilde, lamía las manos
y los pies. Seguía tus sagradas leyes:
todas las criaturas eran mis hermanos,
los hermanos hombres, los hermanos bueyes,
hermanas estrellas y hermanos gusanos.
Y así me apalearon y me echaron fuera.
Y su risa fue como un agua hirviente,
y entre mis entrañas revivió la fiera,
y me sentí lobo malo de repente;
mas siempre mejor que esa mala gente.
....

Déjame en el monte, déjame en el risco,
déjame existir en mi libertad;
vete a tu convento, hermano Francisco;
sigue tu camino y tu santidad."

El santo de Asís no le dijo nada.
Le miró con una profunda mirada
y partió con lágrimas y con desconsuelos,
y habló al Dios eterno con su corazón.
El viento del bosque llevó su oración,
que era: *Padre nuestro, que estás en los cielos...*

En la *Gesta del coso* dialogan, en verso libre, el buey
y el toro, antes que éste salga al ruedo, para morir en
la corrida. Empieza el buey, oyendo que la muchedumbre
pide "¡otro toro!, ¡otro toro!":

—¿Has escuchado?
Prepara empuje, cuernos y pellejo;
ha llegado tu turno. Ira salvaje,
banderillas y picas que te acosan,
aplausos al verdugo; al fin, la muerte.
Y arriba, la impasible y solitaria
contemplación del vasto firmamento.

Yo, ridículo y ruin, soy el paciente
esclavo. Soy el humilde eunuco.
Mi testuz sabe resistir, y llevo
sobre los pedregales la carreta
cuyas ruedas rechinan, y en cuya alta
carga de pasto crujidor, a veces,
cantan versos los fuertes campesinos.
. . . .

Me complace
meditar. Soy filósofo. Si sufro
el golpe y la punzada, reflexiono
que me concede Dios este derecho:
espantarme las moscas con el rabo.
Y sé que existe el matadero.

EL TORO

¡Pampa!
¡Libertad! ¡Aire y sol! Yo era el robusto
señor de la planicie, donde el aire
mi bramido llevó, cual son de un cuerno
que soplara titán de anchos pulmones.
Con el pitón a flor de piel, yo erraba
un tiempo en el gran mar de verdes hojas
cerca del cual corría el claro arroyo
donde apagué la sed con belfo ardiente.
Luego fui bello rey de astas agudas.
A mi voz respondían las montañas,
y mi estampa, magnífica y soberbia,
hiciera arder de amor a Pasifae.
Más de una vez el huracán indómito...
bajo el cálido cielo del estío
sopló al paso su fuego en mis narices.

Después fueron las luchas. Era el puma
que me clavó sus garras en el flanco,
y al que enterré los cuernos en el vientre.
Y tras el día caluroso, el suave
aliento de la noche, el dulce sueño;
sentir el alba, saludar la aurora
que pone en mi testuz rosas y perlas...
Hoy aguardo martirio, escarnio y muerte...

Responde el buey:

¡Pobre declamador! Está a la entrada
de la vida una esfinge sonriente...
Para él, temor. Yo he sido en mi llanura
soberbio como tú. Sobre la grama
bramé orgulloso y respiré soberbio.
Hoy vivo mutilado, como, engordo,
la nuca inclino...

El toro contesta:

¡Y bien! Para ti, el fresco
pasto, tranquila vida, agua en el cubo,
esperada vejez... A mí, la roja
capa del diestro, reto y burla; el ronco
griterío; la arena donde clavo
la pezuña; el torero que me engaña
ágil y airoso, y en mi carne entierra
el arpón de la alegre banderilla,
encarnizado tábano de hierro;
la tempestad en mi pulmón de bruto;
el resoplido que levanta el polvo;
mi sed de muerte en desbordado instinto;
mis músculos de bronce que la sangre
hinche en hirviente plétora de vida;
en mis ojos dos llamas iracundas;
la onda de rabia por mis nervios loca
que echa su espuma en mis candentes fauces;
el clarín del bizarro torilero
que anima la apretada muchedumbre;

el matador que enterrará hasta el pomo
en mi carne la espada; la cuadriga
de enguirnaldadas mulas que mi cuerpo
arrastrará sangriento y palpitante;
y el vítor y el aplauso a la estocada...
¡Oh, nada más amargo! A mí, los labios
del arma fría que me da la muerte;
tras el escarnio, el crudo sacrificio...
En tanto que el azul sagrado, inmenso,
continúa sereno, y en la altura
el oro del gran sol rueda al poniente...

El Buey:
            ¡Calla! ¡Muere! Es tu tiempo.
                    El Toro:
                            ¡Atroz sentencia!
Ayer, el aire, el sol; hoy, el verdugo...
¿Qué peor que este martirio?
            El Buey: ¡La impotencia!
El Toro: ¿Y qué más negro que la muerte?
            El Buey: ¡El yugo!

La canción de los osos está escrita en gran variedad
de metros: versos de dos, cuatro, seis, siete, ocho, once,
doce y dieciséis sílabas. Dos trozos:

Danzad suave y cuerdamente,
que la peluda alpargata
cubra la prudente pata
cuyo paso no se siente.
Y bajo la huyente frente
mirad con ojo mañero
al gitano
que canta con voz de Oriente
un raro canto lejano,
y hace sonar el pandero
con la mano
con que remienda el caldero.
A los sueldos de los pobres
encomienda alrededor vuestra persona,

y en el parche del pandero caen los cobres
por los osos, por el perro y por la mona.
....

    Bien sabéis: la vida es corta
y, teniendo en vuestras fauces una torta
      o un panal,
profesáis vuestros principios más allá del Bien y el Mal.
    Osos,
    osos misteriosos,
    yo os diré la canción
de vuestra misteriosa evocación.

De los restantes poemas de este libro, aparecieron también en *Mundial* los titulados *Pequeño poema de Carnaval* (1912), *La rosa-niña* (1912) y *France-Amerique* (en 1914, poco antes de estallar la guerra europea). Es una de las varias poesías que Rubén escribió en francés.

ALGUNOS JUICIOS

EMOS repasado los libros de versos publicados por Rubén Darío, dando de cada uno muestras y ejemplos que, a nuestro juicio, comunican al lector una idea de cuanto representa y significa la producción poética del famoso bardo, en un lapso de tiempo equivalente a unos treinta años. 1885, como ya vimos, fue el año de la aparición del primero de esos libros; 1914, el de la publicación del último.

Se habrá advertido fácilmente con tal ejemplario —y por eso lo hemos traído aquí— el proceso evolutivo de la lira de Rubén, al par que su gran diversidad de modulaciones, las influencias que recibió y los acentos personales que logró transmitirnos; sus indudables bellezas de expresión, sus armonías, su musicalidad, y, al mismo tiempo, sus defectos no menos innegables, sus puerilidades, sus versos facilones, sus conceptos no muy claros y, por supuesto, sus descuidos gramaticales y sus ripios. Si ampliáramos ese florilegio de poemas, hasta acercarnos a la totalidad de la producción poética del maestro, veríamos en ella: por un lado, una originalidad potente, verdaderos aciertos de frase, gracia melodiosa, vigor de elocución; por otro lado, lo que en tal conjunto hay de amaneramiento, pobreza de fondo, entrega frívola a los tranquillos de un oficio bien aprendido y libertades y audacias que miran demasiado de cerca al propósito de suscitar en el lector "burgués" (digámoslo así) el escándalo y el encono.

Hemos elegido los ejemplos con manifiesto deseo de acertar en la elección. Seguramente son las poesías parcialmente copiadas en nuestras páginas aquellas que mejor revelan las características poliformes de su autor; y puede añadirse que estarán entre ellas las que Rubén preferiría de todas las compuestas por su pluma. Muchos de los versos transcritos gozan de auténtica celebridad. Hablando de versos y versificadores, todavía se recuerdan hoy, y casi siempre con gusto y admiración.

Un "Fray Candil", resuelto a rebajar los méritos del poeta de Nicaragua, se hubiera complacido en recopilar lo peor, para exhibir aquello que, dentro de la labor de ese gran poeta, no escasea: galicismos y neologismos innecesarios, faltas de concordancia, cacofonías, aliteraciones y paronomasias, prosaísmo, expresiones ininteligibles, versos de relleno, opacos, incoloros, exentos de vivacidad y vibración. Y no digamos abuso de ciertas palabras para facilitar los consonantes; verbigracia, la palabra "oro".

Nosotros, que procuramos dotar a nuestro trabajo de la serenidad y la ecuanimidad exigidas a todo crítico digno de ejercer su noble función, no hemos suprimido, de los fragmentos copiados —pudiendo haberlo hecho—, los versos endebles y defectuosos. Estos pueden leerse junto a los otros, más felices y muy a menudo espléndidos. Naturalmente que, como hubiera sido absurdo preparar una "antología al revés", hemos tenido buen cuidado de que sean muchos más los versos excelentes que los mediocres.

Trazar esa recopilación nos ha parecido mejor y más útil para los lectores de este libro, que componer un estudio crítico, más o menos profuso y buceador, de la poesía de Rubén. Sobre esa poesía se ha escrito ya muchísimo; se han señalado las influencias españolas y francesas que recibió, antes de echarse a volar; la influencia que ella, a su vez, ejerció en numerosos vates novecentistas de la lengua española; la revolución que su vasto y sonoro triunfo representó para nuestras letras; la poliformidad de sus rasgos más característicos y genuinos; la rica variedad de los temas que trató; su afrancesamiento indiscutible; sus enlaces con algunos de nuestros grandes poetas de los siglos XVI y XVII y con más de uno de los anteriores a esas dos centurias; su técnica del verso, su música... Varias veces, hablando de su poesía, recordó Rubén el lema de Verlaine: *De la musique avant toute chose...*

En ocasiones, la personalidad de Darío ha originado estudios de indiscutible agudeza.

Al final de la primera parte del presente libro ya hicimos referencia a un artículo que Eduardo Gómez de Baquero, tan ponderado, tan fino y tan jugoso en sus juicios, publicó, días después de la muerte de Rubén. Con el habitual seudónimo del cronista —*Andrenio*—, salió ese breve ensayo en la revista de Madrid *Nuevo Mundo*. A él pertenecen los renglones que siguen:

"No faltará quien piense que Rubén, mejor que el suave poeta de las églogas [Garcilaso, cabeza visible de la revolución poética realizada entre nosotros, en el quinientos, bajo el signo de lo italianizante] fue un Góngora importador de una nueva moda culterana. Creo que este juicio sería superficial. El hecho es que Rubén Darío, aparte de su indudable genio poético, de la fecundidad y riqueza de su inspiración y de su manera, señala

un fenómeno nuevo... Este fenómeno es la influencia
marcada, innegable, de las jóvenes literaturas castellanas de Ultramar sobre la literatura castellana de Europa,
madre de todas ellas. Claro es que sobre la naturaleza
de esa influencia hay que entenderse. Al modelar la nueva lírica, al abrirle cauces y señalarle modelos y horizontes, Rubén no nos trajo una poesía aborigen de América. La suya venía impregnada de Mallarmé, de Verlaine,
de las escuelas simbolistas y decadentes francesas que,
en conjunto, forman como un nuevo romanticismo. Pero
Verlaine, Mallarmé y, en general, la poesía moderna francesa eran conocidos, sin duda, en España, y no influían
directamente, al menos con influencia caudalosa y general de escuela, hasta que Rubén Darío sacó de ellas y
nos trajo las tendencias y gustos de la nueva poesía, que
se ha llamado, con un vocablo despectivo y algo ridículo,
impregnado de misoneísmo de aldea, "modernista".

"Y no es que Rubén sirviera como mediador plás-
tico entre la lírica francesa y la castellana, haciendo a la
primera, con su personal interpretación, más asimilable
para la segunda, o más capaz de influir en ella, como una
levadura que produjese la fermentación de nuevas formas y nuevas imágenes. Fue algo más. Rubén aportó algo,
aportó mucho, que no sólo era genio personal; que, además de ser cosa de Rubén Darío, era americano y español, y por tener este elemento común y genérico, se im-
puso tanto en América como en España, a despecho de las
resistencias clasicistas. Esto era una exuberancia, una opulencia, un colorido, una como alegría interna o plétora de
vida que se traduce en todo, en imágenes, en rimas, en
cabriolas del ingenio. Todo es múltiple, abundante en
esta poesía. Toda ella tiene algo de tropical en el sentido de reflejar una orgía de calor, de luz, de colores, de
prolificación, de brote ardiente y activo de la vida. Es

FRANCISCA SANCHEZ, CON SU HIJO RUBEN.

Fotografía hecha en España, en 1915, y enviada a América. Manos poco piadosas la interceptaron, por lo que el enfermo poeta, que la esperaba y deseaba, no pudo verla. (Se reproduce hoy por vez primera.)

MONUMENTO A RUBEN DARIO EN MANAGUA.

la juventud de las literaturas de América, unida a las influencias físicas del medio, que marcan su sello en los ingenios y trazan rutas a la historia, y es también la pompa y aparato de nuestra lírica del siglo de oro, vestida a la moderna; un compuesto de elementos personales, de elementos americanos y de elementos españoles.

"El hecho es que Rubén fue el primer escritor plenamente hispanoamericano; un conquistador, como los que él cantó alguna vez, como los cantara Heredia, el francés, pero un conquistador de retorno, venido de América a España. No ha habido influencia comparable a la suya, ni de literatos americanos en España, ni de un literato de América en todo el Nuevo Mundo. Toda la lírica joven de América es Rubén Darío, como manantial, y en toda la lírica nueva de España se puede descubrir la huella leonina del autor de *Prosas profanas*. La América española ha producido filólogos y gramáticos, como Bello y Cuervo; poetas, como Caro, Heredia y el mismo Bello; prosistas tan pulcros y atildados como Juan Montalvo y Rodó; pero hasta Darío no había producido una figura literaria que fuese más que continental, producto de la raza y, en su esfera, mentor espiritual de ella.

"No es que Rubén Darío, individualmente, superase a esos ingenios de América en todo y por todo. Es que era otra cosa: un creador, una fuerza renovadora. Leídas con espíritu de dómine, de maestro de escuela adocenado o de profesor de retórica y poética de cortos vuelos (porque hay maestros y profesores meritísimos, y no es cosa de agraviar a la clase), ¡cuántos reparos no pueden hacerse a la obra poética de Darío y a su prosa (que tiene poca importancia al lado de aquélla)! Imágenes desconcertadas, versos desafinados, hinchazón, exageraciones, adornos de mal gusto...

"Pero eso no es el poeta; ésos son los defectos que

acompañan a la obra humana y hasta con más frecuencia
a la del genio, por su misma abundancia y espontaneidad; por su creación brusca y violenta.

"La historia de la novela y del teatro castellanos modernos se puede escribir prescindiendo de América. La
de la poesía lírica, no. Ello es obra de Rubén Darío, principalmente. Para apreciar su importancia, para ver la
trascendencia de su influencia poética, hagamos esta sencilla consideración: ¿Faltaría algo esencial en la historia
de la literatura española moderna, si no mencionásemos a
los otros ingenios americanos, a Bello, a Cuervo, a Montalvo, a Caro, a tantos otros? Evidentemente, no. Y si
quisiéramos omitir a Rubén Darío, al tratar de la lírica
moderna, ¿se notaría la omisión en esa historia? Sí. Quedaría incompleta, mutilada, sin lógica, con una laguna o
un enigma en los orígenes de su transformación. Esto da
la medida de lo que representa Rubén Darío en la literatura castellana contemporánea."

Hasta aquí, *Andrenio*.

Otro crítico literario de la Prensa española, más apasionado, más juvenil que Gómez de Baquero, pero dotado también de alta autoridad, Rafael Cansinos Asséns,
es quien nos ha dicho, con su buen estilo, lo siguiente:

"La modernidad, con todo lo que de complejo y con-
tradictorio encierra esta palabra, empieza en él. Tras las
broncas sonoridades de Rueda, que apagan los últimos
tonos razonadores y fríamente apasionados del romanticismo —de un romanticismo que se hace político en Núñez de Arce, declamador en Balart, francamente trivial
y risible en Grilo—, él trae los nuevos modos y las nuevas estéticas de Francia, de Italia y del mundo británico.
El trae el influjo práctico de las últimas escuelas, de parnasianos, simbolistas, neoclásicos y aun humanistas a lo
Walt Whitman. Todas estas abejas líricas las ha traído

en el puño y las ha soltado luego en nuestros vergeles. Lo esencial es que ha renovado nuestros tonos. Los poetas jóvenes, ya predispuestos a la innovación por las audacias de Rueda, vagamente iniciados en el parnasianismo por las severas lecciones de Manuel Reina, ya puestos sobre el rastro divino de la novedad, se hacen resueltamente nuevos bajo el influjo de Rubén.

"Tenemos en *Azul* los ingenuos y ya seguros comienzos de un romanticismo victorhuguesco, que recuerda más a Gutiérrez Nájera que a Zorrilla. En *Prosas profanas,* el exotismo pomposo, la vaga veleidad sentimental, los parques dieciochescos, las duquesitas empolvadas, los albos cisnes, los biombos recamados y las mayólicas brillantes; y también en algunas poesías esas graves insinuaciones del mundo interior, que luego han de tener su terrible rompiente en *Cantos de vida y esperanza,* en los *Poemas del otoño* y en otros libros. Aquí, en *Prosas profanas,* están todos los gérmenes del óvulo novecentista, las nuevas pautas que luego han de sistematizar otros poetas, los nuevos modos exóticos, los nuevos mitos —el de Pan y el de Leda—, y también el instante neoclásico y las profusas horas futuras. En este evangelio se recogen las danzas de Banville, las elipses de Mallarmé, las fugas verlenianas, los propíleos de D'Annunzio, la serenidad de Moreas, todas las esencias de la nueva estética.

"Toda la vivacidad e intensidad del nuevo arte está aquí, lo que exasperaba a los rezagados y ofendía a nuestros barbudos íberos. Luego vendrán las meditaciones serias y torturadas, los ritornelos del Eclesiastés, las veleidades ascéticas que han seducido a tantos epígonos, las congojas de eternidad, acaso contagiadas de Unamuno, las visiones enigmáticas y las epístolas de un humorismo triste que momentáneamente han puesto de moda un género literario olvidado que entre nosotros tiene su más bello modelo antiguo en la *Epístola moral,* de Rioja. En esta su tercera manera, que fue también la última, Rubén Darío nos mostró la divina seriedad de su alma. Rompió las forjas policromas y licenció la corte de pavos reales de sus primitivas princesas. Se hizo más amigo del canto llano y de la ascética blancura de los cenobios. Escribió entonces sus verdaderas "prosas profanas", las que podían recordar mejor las sencillas rimas de los antiguos monjes.

"Así cierra su curva, abarcando todo lo contemporáneo, esta enorme obra lírica. Y logra también su trascendencia moral, su grave y noble melancolía, haciéndose disculpar con las reflexiones de la madurez tanto loco preciosismo juvenil; tiene su oda y su epodon, sus quince y sus cuarenta años. Sin embargo, lo más admirable en ella es su trascendencia estética. Nos interesa sobre todo ver cómo este enorme artista ha sabido hacer vibrar sucesiva y magistralmente los caramillos pastoriles, los violines románticos, las grandes arpas victorhuguescas, las trompas marinas; y cómo ha acertado a construir una morada lírica que está conmovida por los ecos de todas las cosas, y que es, a un mismo tiempo, un vergel y un museo y una academia..."

Cedamos ahora la palabra a un hispanoamericano. Sea éste el argentino Ricardo Rojas, que trató a Rubén Darío y escribió, en vida del poeta:

"Reside el mérito de la obra de Rubén Darío en la absoluta sinceridad que ha sido su verdadera musa y su única retórica. Consiste la grandeza de su vida en un constante sacrificio de fe puesta al servicio de un ideal de belleza, contra ambientes hostiles. Yo, que soy su amigo y que le he visto en la intimidad, puedo decir que no hay corazón más exento de impureza, ni voluntad más despojada de habilidad arribista, ni conciencia más libre de terrenal ambición.

"El lujo de las alegorías, que fue una de las características de Rubén en la época gloriosa de las *Prosas profanas* —el más artístico de sus libros—, desaparece casi por completo en su labor ulterior; mas lo que pierden en suntuosidad simbólica los *Cantos de vida y esperanza* —la más humana de sus obras— lo ganan en simplicidad de queja y profundidad de dolor."

Más adelante:

"Rubén Darío ha recorrido, como Hugo, toda la lira, aunque en obra mucho menos extensa. Su poesía es grave o correcta, a la manera parnasiana de Leconte de Lisle, en sus *Poemas de América;* impetuosa y primitiva, como la de Walt Whitman, en el *Canto a Roosevelt;* alegórica y sutil, como la del portugués Eugenio de Castro, en *El reino interior;* suntuosa y ligera en el *Aire suave,* como en el Verlaine de *Les fêtes galantes;* enfática y gallarda, como la de los castellanos congéneres, en el *Trébol* de sonetos dedicados al poeta Góngora y a don Diego Velázquez; apasionada y panteísta, como la del D'Annunzio de los *Laudes,* en *Helios* y *Marina;* lujuriosa y confiada en aquel canto que comienza: "Carne, celeste carne de la mujer...", o ascética y pesimista en la que empieza: "Dichoso el árbol, que es apenas sensitivo..."

"Lo raro en esta obra tan compleja es que en toda ella está presente la personalidad del autor. Son como facetas distintas de un solo brillante esas diversas y sucesivas maneras; pero en todas halláis la cohesión del mismo cristal valioso...

"De ahí que este poeta no tiene, en realidad, un sistema o una filosofía, a pesar de la dialéctica con que los críticos han pretendido encontrarla en elogio suyo. Es que no ha creado una obra de voluntad, sino una obra de sensibilidad. Por eso ella es varia y cambiante como el universo. Darío es católico por educación y pagano por temperamento, y eso es todo lo que puede decirse acerca de sus ideas. Es claro que hay una tonalidad general en sus diversas obras, pero es una tonalidad sensual, no ideal. Y tal es otro aspecto de la profunda humanidad de su obra. *Prosas profanas,* por ejemplo, es sin duda un libro suntuoso y optimista, porque es el libro de la época juvenil y feliz. En cambio, los *Cantos de vida y esperanza,* obra de madurez y de dolor, es un libro pesimista y amargo.

"En el procedimiento verbal encontraríamos idéntica variedad de matices sobre idéntica unidad de sentimiento; de ahí que sus mejores efectos y sus ritmos más personales no sean las innovaciones buscadas, sino los hallazgos imprevistos.

"Su labor en el manejo de los metros consiste:

a) En haber trasplantado al español metros de otros idiomas; así, el hexámetro latino, cuya adaptación no ha sido siempre feliz...

b) En haber restaurado desusadas formas de los primitivos poetas castellanos, como Alvarez Villasandino y Johan de Duenyas, cuyo logro queda en los octosílabos de sus *Dezires.*

c) En haber contribuido a dar mayor plasticidad y movimiento tónico a los metros usuales en nuestro idioma, siendo esta última la parte más importante y personal de su obra.

"Es necesario decir que, desde luego, esa labor ha sido precedida de un trabajo de erudición, y que para ella no bastan superficiales lecturas de los modernos poetas franceses, como creen sus detractores y sus imitadores.

"Onomatopeyas y aliteraciones, que tanto han contribuido a embellecer sus estrofas, habían sido bien manejadas en otras lenguas, desde los latinos y Shakespeare hasta los modernos franceses; pero su mérito no consiste en una invención, cuya paternidad ningún hombre puede individualmente atribuirse, sino en la destreza con que manejó esos resortes del instrumento lírico, logrando efectos musicales e ideológicos antes desconocidos en castellano.

"Otro de sus méritos es el haber hecho circular en nuestra habla la sangre de vida que la retórica y la imitación de un seudoclasicismo habían detenido en España, petrificando el verso. En la obra arcaica de Gonzalo de Berceo pudo estudiar la anatomía del alejandrino castellano, hermano gemelo del alejandrino francés, en la común genealogía de las lenguas romances. En él yacían los gérmenes de una evolución musical que había sido abandonada a este lado de los Pirineos, mientras del otro lado, los poetas franceses supieron continuarla. Después de varios siglos de inmovilidad, bajo la iniciativa de Darío se desarticuló el amplio verso. Una estólida convención de retores había resuelto que el verso de catorce sílabas era una importación transpirenaica. Se prefería en español el octosílabo para los asuntos ligeros o populares, y el endecasílabo para los altos temas o las ocasiones solemnes. Y ésta era la consigna oficial que se impartía a los alumnos de retórica. Pero, a la aparición de los nuevos poetas americanos, el alejandrino, abandonado durante el Renacimiento, y el clasicismo ulterior a la imitación italiana, seguía en España, a fines del XIX, donde a fines del siglo XVIII lo habían dejado en Francia Voltaire y Molière.

"El reinado de la imbecilidad ha pasado, por fortuna. Sobre las cenizas del precepto destruido, florecen hoy en español todos los metros aborígenes en nuestra lengua, desde que todos tienen en la sílaba, que es eterna y humana, la unidad de medida y el origen común. Gracias a esta revolución, tenemos en nuestra literatura octosílabos cortados por la mitad, endecasílabos libres de los tres acentos que lo crucificaban, y alejandrinos sin cesura, como los de Verlaine, o de tres miembros, como los de Mallarmé, y todas las combinaciones de músicas graves o ligeras a que lleva esta fecunda regresión del verso hacia la sílaba."

MAS VERSOS

UERA de las poesías recogidas en volumen por su propio autor, quedó, a la muerte de éste, como ya dijimos, una verdadera "selva poética" encerrada en periódicos o diseminada por papeles inéditos. Recoger y reunir esas dispersas composiciones, aun descontando la mediocridad y pobreza de muchas de ellas, ciertamente no dignas de pasar a ningún libro, era tarea necesaria y de innegable utilidad para los numerosos lectores del poeta. En el plano del verso, la *opera omnia* de Rubén Darío está ya muy cerca de verse agrupada ordenadamente.

Muchísimo debemos en esta tarea a la diligencia y competencia del crítico mejicano don Alfonso Méndez Plancarte, sin olvidar la labor de otros beneméritos compiladores.

La edición de las Poesías completas de Rubén hecha por el citado crítico en 1952 y dada a la estampa en un tomo por la Casa Aguilar, de Madrid, fue tan bien recibida por el público, que hasta el momento se ha repetido nueve veces. La novena edición data de 1961; es la que manejamos hoy para trazar estas líneas.

Manifiesta el señor Méndez Plancarte que su trabajo "refunde las anteriores compilaciones póstumas con doscientas nuevas poesías dispersas, y restablece, en los libros organizados por el propio poeta, la más fiel integridad del orden y del texto de las ediciones príncipes, recogiendo las variantes y consignando las fuentes y las bases de la cronología en sus notas".

Veamos sucintamente ese grueso tomo. Después de su *Introducción,* parte de la cual se forma con poesías a la muerte de Rubén Darío, escritas por varios autores de Hispanoamérica y de España, se recoge toda la producción versificada del vate nicaragüense, bajo doce títulos: los correspondientes a los libros de versos que Rubén publicó en vida y dos títulos más, debidos a la pluma del señor Méndez Plancarte; dentro de todos ellos se reúne con cierto orden cronológico la producción de referencia.

Esos dos títulos o, por mejor decir, secciones formadas por el recopilador son: *La iniciación melódica,* donde figuran las "poesías dispersas hasta el viaje a Chile", esto es, las comprendidas entre 1880 y 1886, y *Del chorro de la fuente,* sección en la que vemos las composiciones dispersas pertenecientes a los treinta años que van de 1886 a 1916. Con la primera de ambas, naturalmente, se abre el volumen. Con la segunda se cierra. Entre las dos están los versos de los libros que ya hemos repasado nosotros.

La iniciación melódica reúne 126 composiciones; las más antiguas, del año 80; lo más balbuciente del poeta. A su vez, la sección se divide en once epígrafes, cada uno de los cuales está puesto también por el señor Plancarte. Helos aquí, añadiendo, entre paréntesis, el número de poesías que a cada uno corresponde: *Sollozos del laúd* (trece poesías); *L'enfant terrible* (diez); *El poeta civil* (catorce); *Las campanas de León* (siete); *Albumes*

y abanicos (dieciséis); *Vaso de miel y mirra* (veintiséis);
Homenajes y estelas (nueve); *Libélulas y avispas* (nueve);
Crónicas y leyendas (cinco); *Arte y Naturaleza* (siete),
y *Del cercado ajeno* (diez).

Los once títulos anotados declaran, con más o menos
claridad y eficiencia, sus respectivos temas.

La sección *Del chorro de la fuente* es la más copiosa
de las doce que forman el volumen. También está sub-
dividida en apartados —ocho, no ordenados por temas,
sino cronológicamente— y llevan los siguientes títulos:
Otros cantos chilenos, escritos entre 1886 y 1889 (treinta
y cuatro composiciones); *Entre Valparaíso y Buenos
Aires,* de 1889 a 1893 (cincuenta); *Bajo el sol argentino,*
de 1893 a 1898 (treinta y tres); *Entre el Río de la Plata y
la Isla de Oro,* de 1898 a 1907 (treinta); *Del viaje a Nicaragua al viaje a Méjico,* de 1907 a 1910 (treinta y siete);
Los años de "Mundial", de 1911 a 1914 (treinta y cuatro); *Las horas fugitivas* (treinta y tres) y *Hacia el alba
de oro,* de 1914 a 1916 (diecisiete). Las composiciones
que hemos registrado entre paréntesis suman 268. Es,
pues, esta sección final la más nutrida de cuantas forman la importante recopilación hecha por el señor Méndez Plancarte.

Pasar, después de haber salido de la rica orquestación
lírica que hemos examinado en anteriores páginas, a esta
otra "selva de versos", para espigar de entre ellos los
que puedan ofrecer interés a nuestro estudio, alargaría
con exceso la cantidad de hojas que llevamos ya escritas. Sólo podríamos asomarnos, y muy de pasada, a ese
copioso conjunto. En las márgenes de todo lo leído por
nosotros tenemos hechas pequeñas señales, para recordar
aquello que, por su valor, su rareza, su sonido, su orien-
tación, su gracia, su originalidad, por algo, en fin, pudiéramos traer a este sitio.

Recojamos, de esas menudencias señaladas, sólo unas cuantas.

Del poema *El libro,* en cien décimas (de lo más largo que escribió el poeta), he aquí una de ellas:

> ¡Hosanna al Libro!... Ese ser
> que muestra, con su irradiar,
> la libertad de pensar,
> la libertad de creer;
> que canoniza a Voltaire,
> al par que al apóstol Juan,
> Vicente de Paúl, Renán,
> y maldice en voz de vida
> aquella hoguera encendida
> por Domingo de Guzmán.

(Está fechado el poema el 1 de enero de 1882.)
De la *Cantilena,* fechada en enero del 86:

> Mejor que hacer un buen verso
> es ganar un buen por qué,
> y en este tiempo perverso
> se preocupa el Universo
> por la baja del café.

> Yo, aunque me tachen de loco,
> si las realidades toco,
> también miro el Ideal
> y voy dando poco a poco
> agua de mi manantial.

Una "copla" hecha en Metapa en 1889:

> Casi casi me quisiste,
> casi casi te he querido;
> si no es por el casi casi,
> casi me caso contigo.

En la dedicatoria, a un amigo, de un ejemplar de *Azul:*

> La prosa es el material;
> adorno, las frases mismas,
> y las letras son los prismas
> del espléndido cristal.
>
> Y dejemos sus enfáticas
> reglas y leyes teóricas
> a los que escriben retóricas
> y se absorben las gramáticas.
>
> Pensar firme; hablar sonoro;
> ser artista, lo primero;
> que el pensamiento de acero
> tenga ropaje de oro.

El soneto *España,* probablemente de 1898:

> Dejad que siga y bogue la galera
> bajo la tempestad, sobre la ola:
> va con rumbo a una atlántida española,
> en donde el porvenir calla y espera.
>
> No se apague el rencor ni el odio muera
> ante el pendón que el bárbaro enarbola;
> si un día la justicia estuvo sola,
> lo sentirá la Humanidad entera.
>
> Y bogue entre las olas espumantes
> y bogue la galera que ya ha visto
> cómo son las tormentas de inconstantes:
>
> que la raza está en pie y el brazo listo,
> que va en el barco el capitán Cervantes
> y arriba flota el pabellón de Cristo.

El soneto a Manuel Maldonado, orador nicaragüense, escrito en noviembre de 1907:

Manuel, el resplandor de tu palabra
ha iluminado la montaña oscura
en donde, hace ya tiempo, mi figura
vaga entre el cisne, el sátiro y la cabra.

Sea arado de oro aquel que abra
el surco en la divina agricultura,
y que pueda extraer de tierra impura
el mármol blanco que el artista labra.

Y puesto que eres lengua de mi tierra,
la cual se agita con rumor de palma,
y es tu cráneo depósito que encierra

ese gran flúido propulsor de tu alma,
¡sé como Castelar, cuyo rotundo
verbo aumentó la rotación del mundo!

Del soneto dedicado a Carrasquilla Mallarino, fechado
en Corinto, en 1908:

Espera infamias duras y aguarda vientos largos,
tú, que tienes por nave tu propio corazón;
que, si tienes cuidados y multiplicas cargos,
a la cuenta de tu alma, lírica y dulce, son.

Y a la cuenta de tu alma te pondrán tus locuras,
tus conquistas fugaces y tus cosas impuras...
El ángel de la guarda exacto y puro es.

Así que peques mucho, o así que peques poco,
te salvarás por santo, por poeta o por loco,
y las cuentas finales te arreglarán después.

De la poesía titulada *Español,* escrita en Buenos Aires,
en noviembre de 1912:

Yo siempre fui, por alma y por cabeza,
español de conciencia, obra y deseo,
y yo nada concibo y nada veo
sino español por mi naturaleza.

Con la España que acaba y la que empieza
canto y auguro, profetizo y creo,
pues Hércules allí fue como Orfeo.
Ser español es timbre de nobleza.

El *Pan nuestro,* de fecha no determinada:

Pan nuestro que estás en la tierra,
porque el universo se asombre,
glorificado sea tu nombre
por todo lo que en él se encierra.

Vuélvanos tu reino de fiesta
en que tú aparezcas y cantes
con los tropeles de bacantes
maravillando la floresta.

Hunde, siempre violento y vivo,
y por tus ímpetus agrestes,
en el cielo cuernos celestes
y en la tierra patas de chivo.

Danos ritmo, medida y pauta
al amor de tu melodía,
y que haya, al amor de tu flauta,
amor nuestro de cada día.

Deudas que el alma amando trunca
están en tu disposición,
y no le concedas perdón
a aquel que no haya amado nunca.

El soneto *Pasa y olvida,* también de fecha incierta:

Peregrino que vas buscando en vano
un camino mejor que tu camino,
¿cómo quieres que yo te dé la mano,
si mi signo es tu signo, Peregrino?

No llegarás jamás a tu destino;
llevas la muerte en ti como el gusano
que te roe lo que tienes de humano...
¡lo que tienes de humano y de divino!

Sigue tranquilamente, ¡oh caminante!
Todavía te queda muy distante
ese país incógnito que sueñas...

...Y soñar es un mal. Pasa y olvida,
pues si te empeñas en soñar, te empeñas
en aventar la llama de tu vida.

Un "cantar":

¡Miseria de no ser más
que continuación errante
de los que van adelante
y los que vienen atrás!

Breve poesía a su hermanastra Lola Soriano de Tur-
cios:

Este viajero que ves
es tu hermano errante, pues
aún suspira y aún existe;
no como lo conociste,
sino como ahora ves:
viejo, feo, gordo y triste.

Finalmente, véase el *Salmo* escrito en 1915:

Un golpe fatal   Mi pobre conciencia
quebranta el cristal   busca la alta ciencia
de mi alma inmortal,   de la penitencia;

ante el tiempo muda   mas falta la gracia
por la espina aguda   que guía y espacia
de la horrible duda.   con santa eficacia.

¡Mi sendero elijo
y mis ansias fijo
por el Crucifijo!

Mas caigo y me ofusco
por un golpe brusco,
en sendas que busco.

No hallo todavía
el rayo que envía
mi Madre María.

Aun la voz no escucho
del Dios por que lucho.
¡He pecado mucho!

Fuegos de pasión
necesarios son
a mi corazón.

Un divino empeño
¿me dará el beleño
de un místico sueño?

Del órgano el son
me dé la oración
y el *kyrieleisón.*

Y la santa ciencia
venga a mi conciencia
por la penitencia.

LA PROSA

NTREMOS en la prosa de Rubén Darío:
otra "selva"; ésta, más copiosa aún que la
versificada.

No compartimos la opinión de quienes
—y no son pocos— menosprecian la labor
en prosa del poeta. Esa labor es casi exclusivamente periodística, formada con artículos, y muchos de ellos, de
los que, por escribirse "al hilo de la actualidad", de prisa
y nadando por la superficie, parecen quedar, o deberían
quedar, libres de la crítica enderezada a los trabajos de
mayor consistencia, fondo y responsabilidad. Con todo,
las crónicas de Rubén Darío, a nuestro juicio, pueden
arrostrar un severo examen. Algunas serán ligeras y de
armadura deleznable; pero muchas son excelentes, ricas
de forma, sustanciosas; no han perdido, con el andar del
tiempo, ese frescor de cosa viva que en ellas pudieron
ver tantos de sus primeros lectores: los que las leían en
las páginas mañaneras de *La Nación*.

Desde luego, puede concederse a la labor de prosista
de Darío menos importancia y trascendencia que a su
"corpus lírico", dado que, innegablemente, fue en el verso donde él descolló, donde manifestó su originalidad y

poderío, donde realizó "su revolución" y donde ganó lo sonoro de su fama.

Pero, señalar eso, no debe en modo alguno conducirnos a la creencia de que la prosa del poeta sólo tiene valor escaso, o, como alguien ha dicho atropelladamente, casi nulo.

Empiece afirmándose esta verdad que consideramos inamovible: la prosa de Rubén tiene elegancia y jugo, y no carece de novedad dentro de lo que por entonces se hacía en el campo de la lengua española. No trabajó Rubén su prosa con la delectación (admítase el vocablo) con que realizó su poesía. No fue novelista (sus ensayos en la novela, insignificantes, no hay por qué tomarlos en consideración); ni fue autor dramático, ni historiador, ni filósofo, ni ensayista, pese a los trabajos suyos —pocos— que pudieran aspirar a entrar en los dominios del ensayo.

En realidad, no fue sino un periodista, un cronista, un comentador, en artículos de Prensa, de temas de actualidad; recogió fugaces impresiones viajeras; trató de escritores y libros con la brevedad y desenvoltura obligadas en las faenas periodísticas; algunas veces se "remontó" un poco más, llevado de su entusiasmo, pero la tónica general de su labor de prosista fue la que se circunscribe al marco efímero de la Prensa, no al dilatado ámbito del libro. Careció de tiempo, afición y aptitudes para desarrollar despacio y largamente grandes temas. Rozó la filosofía, merodeó por la historia, no profundizó en la crítica, no caló hondo en el arte. Pasó por todo con la rapidez, la curiosidad y la agudeza de un excelente cronista, pero no con el detenimiento, la penetración y el consistente saber de un tratadista.

Una selección de los muchos artículos que publicó Rubén en *La Nación,* de Buenos Aires —selección hecha por él mismo—, es lo que hoy leemos en la mayor parte de sus libros de prosa. Estos pueden dividirse en tres secciones: libros de crítica literaria, libros de impresiones de viajes y libros de comentarios de la actualidad universal. Casi todos se escribieron en dos países europeos: Francia y España.

Artículos volanderos, es cierto, pero ¡qué finamente captados muchos de ellos, qué jugosamente escritos, con qué soltura y garbo y, en ocasiones, con qué delicioso baño de poesía! Dista mucho esa prosa de la habitual en los jornaleros del periodismo. Es una prosa de ricas calidades literarias, por la que asoma con frecuencia —repitámoslo— la punta buida del poeta. Leerla y subrayar en ella cuanto presenta novedad de dicción, opulencia de vocabulario, delicadezas y matices, colorido y ritmo, y aun graciosos defectos de forma, es tarea grata que nos lleva a admitir sin vacilaciones una maestría de prosista.

Contreras llegó a afirmar que "la creación periodística de Rubén Darío es la más rica y rara en nuestras letras, y acaso en todas las literaturas". La afirmación nos parece excesiva, dictada, más que por la serenidad del conocimiento, por la pasión de la amistad.

El periodismo obliga a la fecundidad, sin escapatoria. Los artículos de periódico mueren en seguida —veinticuatro horas de vida, los que duran más—, y han de ser al punto sustituidos con otros. Ello imprime en la función del periodista una laboriosidad permanente, continuada, casi sin descanso.

No fue Rubén, por suerte suya, de los que, durante años, tienen que hacer "el artículo diario"; uno al día, por lo menos; pero, con todo, hizo muchísimos —varios centenares, como el número de sus poesías— y mantuvo encendida siempre la fragua del buen cronista cotidiano que vive amarrado a su quehacer.

Comenzó Rubén su labor periodística siendo jovencísimo, como ya vimos en nuestra parte biográfica; muy poco después de iniciada su tarea de versificador. Según lo que conocemos, sus versos más antiguos datan de 1880; tenía él trece años. Sus primeros artículos son de 1882. Recuérdese: aquellos artículos de exaltado liberalismo insertos en *La Verdad*, de León. Imitaba en ellos el mozo las *Catilinarias* de Juan Montalvo.

No podemos determinar en estos momentos el número exacto de los artículos y prosas varias que escribió Rubén Darío. Sus cuentos —se ha hecho edición de sus "cuentos completos"— suman 36. De sus artículos, más de 220 figuran en los nueve libros titulados *Los raros, España contemporánea, Peregrinaciones, La caravana pasa, Tierras solares, Opiniones, Parisiana, Letras* y *Todo al vuelo*. Agregando a esos libros uno de crítica literaria titulado *A. de Gilbert*, otro de viaje —*El viaje a Nicaragua*— y la repetidamente citada *Autobiografía*, tendremos los doce volúmenes de prosa que aparecieron en vida del autor.

Como hicimos al tratar de los versos, diremos algo de cada uno de esos libros, espigando en ellos, cuando lo estimemos conveniente, muestras reveladoras del estilo y el pensamiento de Rubén. Finalmente, trazaremos unos breves renglones sobre los trabajos no coleccionados en volumen; numerosísimos, como es fácil suponer.

"A. DE GILBERT"

El primer libro en prosa de Rubén es el que menos vale de todos los suyos y el que menos nos interesa a todos.

Trátase del titulado *A. de Gilbert*. Ya dijimos que éste era el seudónimo usado para sus trabajos literarios

por el joven chileno Pedro Balmaceda Toro, hijo del político que, por los años en que Rubén vivió en Chile, desempeñaba allí la Presidencia de la República.

También hicimos referencia a la amistad entablada
entre Pedro y Rubén y a las atenciones y gentilezas de
orden práctico que el segundo recibió del primero. Este,
bien situado y brillantemente vinculado con lo mejor de
la sociedad santiaguina y, además, joven de formación
moderna en el campo de la cultura (mejor sería decir en
el campo de las lecturas), brindó a Rubén una amistad
de limpia trayectoria, a la cual el nicaragüense respondió,
desde luego, con lo mejor de su cordialidad.

En 1889, pocos meses después de salir Darío de Chile,
murió Pedro Balmaceda, que se había criado enfermo y
contrahecho, malográndose así, según decían, una rica
promesa de escritor. Como tributo de afecto al infeliz
amigo desaparecido, sin olvidar los motivos de gratitud
que a ello le impulsaran, Rubén, a la sazón en El Salvador, trazó su biografía en forma breve, intercaló en ella
el estudio sobre "La novela social contemporánea", escrito por el biografiado, y, con prólogo de Juan Cañas,
se formó un libro no extenso que apareció en El Salvador, el año mismo de la muerte del escritor malogrado.

La biografía hecha por Rubén está fechada en agosto
de 1889, en una casa de campo, "La Fortuna", cercana
a Sonsonate. Cuatro meses después escribía Darío, desde
San Salvador, a don José Manuel Balmaceda, Presidente
de Chile, diciéndole: "Al saber la terrible noticia de la
muerte de Pedro, he sufrido mucho. Me hallaba en el
campo, y lleno de duelo en mi retiro, escribí a su memoria un libro que se está acabando de imprimir en la Imprenta Nacional de San Salvador." Seguidamente: "¡Con
Pedro ha perdido el mundo literario un gran artista, y la
Humanidad un corazón dulce y bueno, hoy, que son tan

raros! Comprendo el profundo dolor de su herida alma
paternal. Mas debe tener usted el consuelo de que Pedro
vivió la vida de la luz y se apagó como una estrella."

El libro salió, pues, en los días postreros del año 89
o en los primeros del 90. El prólogo de Cañas quedó suprimido en ediciones posteriores.

"LOS RAROS"

El segundo libro de prosa de Rubén Darío, *Los raros,*
es el primero formado con artículos y, cronológicamente,
el primero en fama, dentro del apartado que ahora tratamos. Salió en Buenos Aires, pocos meses antes de aparecer las *Prosas profanas,* en 1896. Dedicó el autor el
volumen a sus dos buenos amigos Angel Estrada y Miguel Escalada, que tanto le ayudaron en su preparación.

Tema del libro: crítica literaria. En su primera edición desfilaron por sus páginas, con sendos trabajos de
exégesis, diecinueve escritores, a saber: nueve franceses
(Leconte de Lisle, Verlaine, Villiers de l'Isle Adam, Leon
Bloy, Jean Richepin, la Rachilde, George d'Esparbes, Lau-
rent Tailhade y Eduardo Dubus); un norteamericano
(Edgar Allan Poe); un griego-francés (Jean Moreas); un
alemán (Max Nordau); un noruego (Ibsen); dos cubanos (Augusto de Armas y José Martí); un belga (Teodoro Hannon); un uruguayo afrancesado (el Conde de
Lautreamont); un portugués (Eugenio de Castro) y un
antiguo hagiógrafo florentino que se llamaba Fra Dome-
nico Cavalca.

Al publicarse la segunda edición de *Los raros* —en
1905, en Barcelona—, Rubén añadió al libro otras dos
semblanzas; ambas, de escritores franceses: Paul Adam

y Camille Mauclair. Veintiuna son, pues, las que hoy se vienen incluyendo en ese volumen.

La primera edición llevaba un prefacio que en la segunda fue sustituido por otro, más corto, fechado por Rubén en París, en enero de 1905, y un retrato del poeta, debido al lápiz del pintor argentino Eduardo Schiaffino, que en la segunda edición fue igualmente sustituido por otro, grabado a buril y de mayor carácter.

Los tres párrafos del prólogo de 1905 dejan asomar una punta de desilusionada rectificación a parte de lo escrito unos diez años antes. Véase:

"Fuera de las notas sobre Mauclair y Adam, todo lo contenido en este libro fue escrito hace doce años en Buenos Aires, cuando en Francia estaba el simbolismo en pleno desarrollo. Me tocó dar a conocer en América este movimiento, y por ello, y por mis versos de entonces, fui atacado y calificado con la inevitable palabra: "decadente"... Todo eso ha pasado —como mi fresca juventud.

"Hay en estas páginas mucho entusiasmo, admiración sincera, mucha lectura y no poca buena intención. En la evolución natural de mi pensamiento, el fondo ha quedado siempre el mismo. Confesaré, no obstante, que me he acercado a algunos de mis ídolos de antaño y he reconocido más de un engaño de mi manera de percibir.

"Restan la misma pasión de arte, el mismo reconocimiento de las jerarquías intelectuales, el mismo desdén de lo vulgar y la misma religión de belleza. Pero una razón autumnal ha sucedido a las explosiones de la primavera."

Entre los de prosa, es este de *Los raros* uno de los dos o tres mejores libros que Rubén compuso; como obra de crítica literaria, el mejor, probablemente; escrito con juvenil entusiasmo y con sinceridad en la admiración —el propio autor nos lo acaba de decir—, el

público argentino, primeramente, luego el de España y los
otros públicos hispanoamericanos rodearon al libro de
una resonancia acaso un tanto excesiva. Hoy se leen esas
páginas como algo no siempre fresco, algo con frecuencia
marchito. Es lo que suele ocurrir cuando en los libros
llamados "de crítica", de exégesis, de análisis literario se
antepone la pasión de la juventud a la serenidad de los
años maduros. Cuando salió esta serie de artículos no
tenía Rubén sus treinta años. Poca edad, para juzgar...

Los tales artículos son de desigual extensión. Tampoco tienen igual categoría los autores tratados en ellos.
Leconte de Lisle, Verlaine, Ibsen y Poe son los que están
en primera línea. El más largo de los artículos es el dedicado al poeta Eugenio de Castro, que se aproxima a lo
extenso de una conferencia habitual; y de conferencia
sirvió, en efecto; leída en el Ateneo bonaerense, ya andando el año 96. Le siguen en dimensiones los trabajos
sobre Moreas, Leconte de Lisle y Poe. Son breves los
consagrados a Armas, Hannon y Verlaine; artículo éste
de corte necrológico, como también lo es el de Leconte
de Lisle; y el de Martí también, escrito a raíz de su fu-
silamiento. El de Moreas parece ser que fue el primero
de los redactados; sábese que lo hizo Darío en el barco,
cuando, a mediados del 93, desde París, marchaba a Buenos Aires, ciudad que no conocía aún.

¿Son, efectivamente, "raros", esto es, escritores a
quienes, por su modernidad y originalidad, podamos de-
nominar "raros", todos los incluidos por Rubén en su
libro? Seguramente no puede contestarse con la afirma-
tiva. Raros son los más, pero no todos.

Escritores "raros", es decir, no vulgares, no adocenados, no mediocres (sin que esta cualidad de "rareza" equi-
valga precisamente a un alto valor real), vienen a serlo,

en cada época, aquellos que, disconformes con el medio predominante y renegadores, por supuesto, de la herencia espiritual de sus padres y maestros literarios, avanzan hacia las llamadas "posiciones de vanguardia", donde se sitúan, en actitud rebelde, para lanzar desde ellas sus "cosas nuevas".

Lo "nuevo", lo "raro" de una generación artística suele ser, claro es, lo viejo y lo gastado para la generación que la sigue. Así, muchos de los "atrevimientos" que, en el plano de la literatura, escribieron "los raros" de quienes se ocupó Rubén Darío, son hoy expresiones sin jugo, vacías, "pasadas", cuando no lugares comunes que hacen sonreír a los nuevos "raros". Aparte de que, ya a su tiempo, Gómez Carrillo, buen conocedor de la literatura francesa, dijo que no todos los escritores a los que Rubén tenía por "raros", eran "raros".

¿Debió haber incluido Rubén algún nombre español en su libro? El, por lo visto, no halló entre nosotros ningún "raro" de significación y altura suficientes para incorporarlo a su serie. Según parece, tuvo el propósito, que no tardó en desechar, de llevar a su galería a Menéndez Pelayo; pero, pensándolo bien, no encontró en el célebre polígrafo santanderino lo requerible para ser denominado "raro". Raro lo era, sí, por su trabajo, su erudición pasmosa, su gran saber, mas no había en él la labor de "creación artística" que el crítico demandaba. Sus "escogidos" estaban entre los "artistas", no entre los "sabios". Con todo, algún nombre de España sí pudo llevar a su obra. Más de dos y más de tres nombres había aquí perfectamente emparejables con la mayoría de los que aparecieron en el libro.

Por cierto que, según testimonios escritos, el argentino Leopoldo Lugones quiso y procuró que su amigo, el cronista de *La Nación,* autor ya de un artículo sobre él,

incluyera ese trabajo en *Los raros;* al no ver conseguido
su deseo, manifestó el resquemor y el desagrado que se
transparentan en esta carta que al poeta dirigió por aquellos días :

"... usted mismo me comunicó que iba a colocar entre *Los raros* algunos americanos de quienes había hecho
juicio. Berisso me avisó anoche que yo no iba entre ellos.
Permítame decirle que ha sido usted ilógico. Su artículo
sobre mí vale tanto como cualquiera otro de los que com-
pondrán su libro; y yo resulto en él acreedor a su buen
juicio. ¿Por qué no he de ir? Usted me comprende. A un
imbécil no le hablaría así, porque tomaría por fatuidad
estas consideraciones tan naturales. Creo tan valioso su
libro, que me permito opinar como usted sabe que yo lo
hago : sin dobleces; pero conste que no le pido nada.
Unicamente lo invito a reflexionar. Es cuestión de justicia para quien, como usted, es lo que es. No se trata,
a lo que creo, de *poeta minore.* Somos o no somos. Usted
sabe lo que yo soy. Por mi parte, he conocido su resolución con gran extrañeza. Créame que no hay en estas
líneas el menor asomo de reproche. Somos demasiado
amigos para enredarnos en tan vulgares triquiñuelas."

Duró un tiempo la animosidad de Lugones hacia el
amigo que le había excluido de su serie de "raros". Unos
años después dieron los dos al olvido lo pasado y se res-
tableció el amistoso trato que nunca más volvió a em-
pañarse.

Muy elogiosos juicios emitieron distintas plumas sobre el libro de Rubén. Puede traerse aquí uno de los más
autorizados:

"En el curso de este libro, Darío habla de los diversos movimientos modernos : el parnasismo, el simbolismo, el prerrafaelismo inglés, a la vez que cita o alude

a muchos autores: Gautier, Mendès, Charles Morice, William Ritter, Vittorio Pica, etc. Es así el libro un cuadro rico y sugestivo de las personalidades más singulares y de las corrientes más significativas de las modernas literaturas extranjeras, particularmente de la francesa. Su título es perfectamente apropiado, y no se comprende por qué ha sido tan discutido. Todos los autores estudiados son raros por la calidad de su talento o por el halo de misterio que les daba, en aquel instante, el hecho de ser poco conocidos. Gracias a su gusto y a su admirable don de asimilación, Rubén trata de tan nuevos y variados asuntos con un tacto y una minuciosidad sorprendentes... Mas también, engañado por su ardor juvenil y por el miraje de la distancia, suele mostrar admiraciones no justificadas, o hacerse eco de datos dudosos.

"*Los raros* es libro de crítica subjetiva y libre de prejuicios retóricos, de esta crítica que ha sucedido a la manera dogmática e impersonal de ayer y que juzga principalmente desde el punto de vista estético, aplicándose más a descubrir las cualidades que a mostrar los defectos. Contrariamente a los dómines de antaño, que pretendían ser policías de las letras, Darío se muestra exegeta sagaz y comentador entusiástico, cifrando todo su empeño en señalar las bellezas y prolongar sus sugestiones... Este periodista no lograba ceñirse a disciplinas estrictas; este lírico no podía concretarse al análisis objetivo.

"El libro, tan artístico, está escrito en un estilo todo imagen, matiz, sutileza; en una prosa trabajada, cincelada, cuidadosamente expurgada de elementos gastados y enriquecida de recursos nuevos. En plena crisis de refinamiento, Rubén Darío no solamente excluye ahora el clisé, sino que también poda sistemáticamente la cláusula, suprimiendo los adverbios o frases adverbiales que sirven de eslabón al discurso. Luego, siguiendo el programa preliminar, amplía la sintaxis con giros arcaicos o extranjeros y acrece el vocabulario con voces anticuadas y con muchísimos neologismos, principalmente galicismos. Si comparamos el estilo novedoso y primaveral de *Azul* con un encaje de perlas y una rama de durazno en flor, esta prosa podría ser comparada con una orfebrería finísima, muy brillante y algo amanerada. *Los raros* son, pues, una contribución preciosa de cultura literaria moderna al acervo de nuestras letras tradicionales, al mismo tiempo que una obra de arte personal y cautivante. Para los jóvenes escritores de América, deseosos de rumbos nuevos, el libro fue una revelación de belleza, de arte, de sensibilidad."

Bastaría con recoger unos párrafos del artículo dedicado a Poe, uno de los mejores de la serie, para apreciar la calidad de la prosa de este libro.

De Poe, "el soñador infeliz, príncipe de los poetas malditos", escribe Rubén:

"Calibán reina en la isla de Manhattan, en San Francisco, en Boston, en Washington, en todo el país. Ha conseguido establecer el imperio de la materia, desde su estado misterioso, con Edison, hasta la apoteosis del puerco, en esa abrumadora ciudad de Chicago. Calibán se satura de *whisky,* como en el drama de Shakespeare de vino; se desarrolla y crece; y, sin ser esclavo de ningún Próspero, ni martirizado por ningún genio del aire, engorda y se multiplica. Su nombre es Legión. Por voluntad de Dios, suele brotar de entre esos poderosos monstruos algún ser de superior naturaleza, que tiende las alas a la eterna Miranda de lo ideal. Entonces, Calibán mueve contra él a Sicorax, y se le destierra o se le mata. Esto vio el mundo con Edgar Allan Poe, el cisne desdichado que mejor ha conocido el ensueño y la muerte...

"Poe, como un Ariel hecho hombre, diríase que ha pasado su vida bajo el flotante influjo de un extraño misterio. Nacido en un país de vida práctica y material, la influencia del medio obra en él al contrario. De un país de cálculo brota imaginación tan estupenda. El don mitológico parece nacer en él por lejano atavismo, y vese en su poesía un claro rayo del país de sol y azul en que nacieron sus antepasados.

"Era un sublime apasionado, un nervioso, uno de esos divinos semilocos necesarios para el progreso humano, lamentables cristos del arte que, por amor al eterno ideal, tienen su calle de la amargura, sus espinas y su cruz. Nació con la adorable llama de la poesía, y ella le alimentaba, al propio tiempo que era su martirio."

El comienzo del artículo dedicado a Leconte de Lisle es también muy característico del estilo de Rubén:

"Ha muerto el pontífice del Parnaso, el vicario de Hugo; las campanas de la basílica lírica están tocando vacante. Descansa ya, pálida y sin la sangre de la vida, aquella majestuosa cabeza de sumo sacerdote, aquella testa coronada —coronada de los más verdes laureles— llena de augusta hermosura antigua y cuyos rasgos exigen el relieve de la medalla y la consagración olímpica del mármol."

El final del mismo trabajo:

"Fínjome la llegada de su sombra a una de las islas gloriosas, Tempes, Amatuntes celestes, en donde los orfeos tienen su premio. Recibiránle con palmas en las manos coros de vírgenes cubiertas de albas, impalpables vestiduras; a lo lejos destacaráse la armonía del pórtico de un templo; bajo frescos laureles se verán las blancas barbas de los antiguos amados de las musas: Homero,

Sófocles, Anacreonte. En un bosque cercano, un grupo
de centauros, Quirón a la cabeza, se acerca para mirar
al recién llegado. Brota del mar un himno. Pan aparece.
Por el aire suave, bajo la cúpula azul del cielo, un águila
pasa, en vuelo rápido, camino del país de las pagodas, de
los lotos y de los elefantes."

Ante el nombre, tan querido, de Verlaine, Darío escribe estas líneas:

"Fue un hijo desdichado de Adán, en el que la herencia paterna apareció con mayor fuerza que en los demás.
De los tres Enemigos, quien menos mal le hizo fue el
Mundo. El Demonio le atacaba; se defendía de él, como
podía, con el escudo de la plegaria. La Carne, sí, fue
invencible e implacable. Raras veces ha mordido cerebro
humano con más furia y ponzoña la serpiente del Sexo.
Su cuerpo era la lira del pecado. Era un eterno prisionero
del deseo. Al andar, hubiera podido buscarse en su huella lo hendido del pie. Se extraña uno no ver sobre su
frente los dos cuernecillos, puesto que en sus ojos podían
verse aún pasar las visiones de las blancas ninfas, y en
sus labios, antiguos conocidos de la flauta, solía aparecer
el rictus del egipán.

"No era mala; estaba enferma su anímula, blándula,
vágula... ¡Dios le haya acogido en el cielo como en un
hospital!"

Del artículo sobre el fuerte León Bloy:

"No pueden saborearle los asiduos gustadores de los
jarabes y vinos de la literatura a la moda, y menos, los
comedores de pan sin sal, los porosos fabricantes de crítica exegética, cloróticos de estilo, raquíticos o caco-
quimios.

"Tiene la vasta fuerza de ser un fanático. El fanatismo, en cualquier terreno, es el calor, es la vida; indica
que el alma está toda entera en su obra de elección. El

fanatismo es soplo que viene de lo alto, luz que irradia en los nimbos y aureolas de los santos y de los genios."

Hablando de Richepin:

"En el feudalismo artístico, en que Hugo es Burgrave, Richepin es barón bárbaro, gran cazador, cuyo cuerpo asorda el bosque y a cuya halalí pasa la tempestuosa tropa cinegética, en un galope ronco y sonoro, tras la furia erizada y fugitiva de los jabalíes y los vuelos violentos de los ciervos.

"Como Baudelaire, revienta petardos verbales, para espantar esas cosas que se llaman "las gentes".

"La delicadeza y distinción del poeta dan a entender que lo púgil no quita lo Buckingham.

"Y pues que vamos a esos paraísos, a esas islas de oro, celebremos la blancura de las velas de seda, el vuelo de los remos, el marfil del timón, la proa dorada, curva como un brazo de lira, el agua azul y la eterna corona de diamantes de la Reina Poesía."

Hablando de Moreas:

"Al lobo humano parece que el arte le pusiese en el hígado una extraña y áspera bilis. Hasta hoy no se ha visto, sino muy raras veces, una amistad profunda, verdadera, desinteresada y dulcemente franca entre dos hombres de letras. ¡Y los poetas, esos amables y luminosos pájaros de alas azules! Los triunfos de Moreas enconaron a muchos de sus colegas. No impunemente se logra una victoria.

"Si Moreas no fuese tan descuidado de su renombre, si tuviese el don de intriga y de acomodaticia humildad de muchos de los que fueron antaño sus compañeros, su gloria habría sido sonoramente cantada por el clarín prostituido de la Fama fácil."

"ESPAÑA CONTEMPORANEA"

Cuatro fueron los libros de Rubén Darío que se edi-
taron en París; los cuatro, de prosa; tres de ellos los
lanzó la famosa Casa editorial de los hermanos Garnier;
el otro, la viuda de Bouret.

España contemporánea fue el primero de esos cuatro
volúmenes. Salió en 1901, bien presentado por Garnier,
que editaba las obras con bastante decoro. (Recuérdese
que allí trabajaba Gómez Carrillo, quien seguramente in-
fluiría para poner en contacto al poeta con esos editores.)

Formó su autor el libro recogiendo los artículos que,
sobre el tema de la vida española en los abatidos días que
siguieron a la conclusión de la guerra de Cuba, había
mandado a *La Nación,* de Buenos Aires. Ya dijimos cómo,
cuándo y para qué partió Rubén de la capital argentina,
con el cargo de corresponsal de ese diario en nuestra
patria.

Acababa de bajar el telón sobre la torpe guerra sostenida en Cuba y lógicamente perdida por nosotros. Los
yanquis la aprovecharon para saciar, una vez más, los
apetitos de sus mandíbulas; en aquella ocasión, a costa
de la carne española. Vencida tajantemente, España se
presentaba en el escenario del mundo con un "finis" casi
afrentoso colgado de su cuello.

Fue entonces cuando la dirección del citado periódico quiso informar a sus lectores, por la pluma de un
hombre agudo, de la situación real de nuestro país, en
aquella hora del humillante "tratado de paz" firmado en
la capital de Francia. El tratado sancionaba la pérdida
de los postreros pedazos de tierra de cuanto había sido
un vasto imperio trisecular. El imperio ganado a punta
de armas, por la fuerza de las armas se desmoronó y cayó.
Hubo aquí entonces todo lo de siempre: la ira que se

expresa en el insulto; el dolor que se concentra en la
queja; la impotencia que se recoge en la protesta; la
vergüenza que se refugia en el silencio, y el masoquismo
(¡buena nación de masoquistas, la nuestra!) que se alegra de todo lo sucedido, se niega a compartir la actitud
de su enemigo "el patriotismo", y proclama a gritos, por
boca de muchos de sus intelectuales, la necesidad de que
el país reconozca sus errores, maldiga su pasado y se
disponga a la regeneración por medio del trabajo honesto,
la extensión de la cultura y la conquista del bienestar
material; todo, dentro de su solar propio, sin salir a
locas aventuras.

Designado por *La Nación* para venir a España, hablar
con los españoles, introducirse en las zonas vivas de su
existencia y tomar el pulso al territorio enfermo, sale
Rubén de Buenos Aires; desembarca en Barcelona; se
fija en los catalanes; pasa a Madrid; observa la vida
matritense, y escribe, escribe... Durante más de un año
se informa; penetra, como un español más, en el ambiente hispánico; pregunta, escucha, mira, analiza, toma notas, medita, juzga, y sigue escribiendo.

El libro, que está dedicado a don Emilio Mitre y
Vedia, director por entonces de *La Nación,* contiene treinta y cinco artículos. El primero, titulado *En el mar,* lo
escribió Rubén durante la travesía, en los días 3, 14, 19,
20 y 21 de diciembre de 1898. Sigue el que se titula *En
Barcelona,* que lleva la fecha del día primero del año 99.
Las treinta y tres crónicas restantes pertenecen a la estancia del poeta en Madrid. Comienza el grupo con la
crónica fechada en la villa y corte, el 4 de enero, y concluye con la que data del 7 de abril de 1900. Un año y
tres meses comprende, pues, esa estancia del nicaragüense en suelo madrileño; bastante más larga que la del
año 1892.

Como fácilmente se comprende, el libro tiene para
nosotros, los españoles, un singular interés. El tema de
que trata, por una parte, y por otra, la agilidad y soltura
de su prosa, muy a menudo elegante y llena de agudeza,
nos brinda una lectura atrayente; desde luego, instruc-
tiva y amena.

Darío da a los asuntos de esos artículos la máxima
variedad. Habla de gentes, de costumbres, de sucesos literarios y artísticos, de fiestas; recoge ideas circulantes y
expone las suyas sobre lo que ve; entra en los teatros,
en los salones, en las librerías, en los locales donde se
exhiben obras de arte. Habla de política, de los literatos
jóvenes, sin olvidar a algunos ancianos. Dedica artículos
a la aristocracia, a la enseñanza, a la mujer española, al
campo, a la Prensa, a la Academia, a la crítica, a las
corridas de toros, al carnaval, a la Semana Santa... Desfilan por esas páginas numerosos españoles; así Alfonso XIII como los viejos poetas Campoamor, Núñez de
Arce. Sellés y otros, y los jóvenes Alejandro Sawa, Ganivet, Benavente, Palomero, Fuente, etc. Pasan también
por ellas la condesa de Pardo Bazán y el profesor Unamuno. De los catalanes, vistos en Barcelona, Rusiñol y
Guimerá.

Recojamos de ese libro muestras en las que se reflejen
el pensamiento y el estilo del cronista, su juicio sereno
y su nervioso acento literario; todo, de la mejor fuente
periodística: la que hace hablar de lo que se ve, se conoce y se sabe, no nublando la información con partidis-
mos ni apasionamientos.

Valera.—"...aquella sabrosa crítica suya, en que las
ideas expresadas no tenían tanto valor como la manera
de expresarlas. No es esto decir que el famoso trabajo
sobre el Romanticismo en España, o sobre el *Quijote*,

carezca de vigor ideológico; pero su manera, que desenvuelve tan gratamente las más sutilísimas complicaciones, ha sido el principal distintivo de su excepcional talento. Su cultura es mucha, y posee esa cosa hoy muy poco española en el terreno de la crítica: distinción. Lo cual no obsta a que, a través de la trama de sus discursos, aparezca cierta fina malignidad, un buen humor picaresco, que suele dar a los más calurosos elogios una faz de burla...''

Clarín.—''Ha sufrido la imposición de un público poco afecto a producciones que exijan la menor elevación intelectual. *Clarín* ha demostrado ser un literato de alto valer, un pensador y un escritor culto, en libros y ensayos que fuera de su país han encontrado aprecio y justicia; mientras los lectores españoles no han podido sino gustar sus cualidades de satírico, obligándole así a una inacabable serie de charlas más o menos graciosas en que, para no caer en ridículo, tiene que desperdiciar su talento, ocupándose generalmente de autores cursis, de prosistas hueros y poetas hebenes. Taboada en el Parnaso.''

Balart.—''Así como su censura es estrecha, su elogio es desmesurado. Se le ve en ocasiones pasar impasible ante una manifestación artística, ante una idea llena de novedad y de belleza, y cantar los más sonoros himnos a la mediocridad apadrinada... Se celebran sus críticas de arte, y jamás ha demostrado en tales asuntos sino la más completa chatura, la *flatitud* de un criterio áptero, impermeable a toda onda de arte puro. Viene de los antípodas de un Ruskin. Yo no me explico la conquista de su autoridad a este respecto, sino por la falta de competencias y por la inconmovilidad con que la mayoría se deja imponer toda suerte de pontificados.''

Salvador Rueda.—"Los ardores de libertad ecléctica
que antes proclamaba un libro tan interesante como *El
ritmo,* parecen ahora apagados. Cierto es que su obra
no ha sido justamente apreciada y que, fuera de las in-
quinas de los retardatarios, ha tenido que padecer las
mordeduras de muchos de sus colegas·jóvenes... Los últimos poemas de Rueda no han correspondido a las esperanzas de los que veían en él un elemento de renovación en la seca poesía castellana contemporánea. Volvió
a la manera que antes abominara; quiso tal vez ser
más accesible al público, y por ello se despeñó en un lamentable campoamorismo de forma y en un indigente
alegorismo de fondo. Yo, que soy su amigo, tengo el
derecho de hacer esta exposición de mi pensar."

Vicente Medina.—"Un poeta de Murcia que ha conquistado Madrid. Se le ha elevado a alturas insospecha-
bles, se le ha declarado vencedor. Es verdad que trae,
con su emoción, con su sencilla facultad de ritmo, su
gracia dialectal y su fondo de sensitivo, una nota desconocida hasta hoy; es un hallazgo. Pero lo monocorde
de su manera llega a fatigar, con la repetición de la queja,
una queja continua, picada de diminutivos... De todas
maneras, es un excelente poeta campesino."

Mariano Catalina.—"Sus dramas valen mucho más de
lo que se ha dicho de ellos. En ese reaccionario hay un
varón de fibra. Le silbaron injustamente y se dedicó a
otras cosas. Su manera es parecida y anterior a la de
Echegaray, menos descoyuntada y más española; sus versos, aceptables, es decir, malos."

El Padre Mir.—"Escribe con muchas intenciones aca-
démicas y, como la mayor parte de los escritores de su

país, se toma muy escaso trabajo para pensar. Siempre esa onda lisa del período tradicional, cuya superficie no arruga la menor sensación de arte, el menor impulso psíquico personal. Ha publicado un libro en que se descubre sinceridad e independencia, libro antijesuítico y de largo nombre: *Los jesuitas de puertas adentro y un barrido hacia afuera de la Compañía de Jesús.*

Pereda.—"Es él quien escribe *los relieves del yantar,* por limpiar, fijar y dar esplendor a *las sobras de la comida.*"

Menéndez Pelayo.—"Hiciéronle triunfar, por una parte, su saber enciclopédico y vasto; por otra, su conocida filiación conservadora. No hay duda de que sus conocimientos son asombrosos: don Marcelino sabe más que todos los académicos juntos, y sus trabajos han sido y son los de un gran crítico, los de un verdadero sabio.

"Es una vasta conciencia unida a un tesón incomparable. He tenido ocasión de tratarle íntimamente... Hacía vida mundana, no faltaba a las reuniones de sociedad; tenía su cátedra y, sin embargo, le sobraba tiempo para escribir en varias revistas, informarse de los libros en cuatro o cinco idiomas, que llegaban del extranjero, y proseguir en su labor propia, en la producción de tanta obra saturada de doctrina, maciza de documentación, imponente de saber y de fuerza. Es el enorme trabajador de los *Heterodoxos* y de las *Ideas estéticas.* Fuera se pesan su ciencia y su conciencia; aquí se admira su fetiche y se coloca entre varias beneméritas momias."

Grilo.—"Es el poeta de la reina Isabel, de la reina regente, del rey y de las innumerables marquesas y duquesas que gustan de leer, el día de su santo, un cum-

plimiento en renglones musicales. ¡Aún hay melenas!
La poesía suya es de esa azucarada y húmeda, propicia a
las señoras sentimentales y devotas. Según se me informa, la protección práctica de sus altas favorecedoras es
eficaz, y ese ruiseñor no puede quejarse de los cañamo-
nes del mecenato."

Sellés.—"Altamente estimo al autor de *El nudo gor-
diano* y, sobre todo, su tendencia a hacer un teatro de
ideas, aquí en la tierra del parlar y del inflar."

Ganivet.—"Era uno de esos espíritus de excepción
que significan una época, y su alma, podría decirse, el
alma de la España finisecular... Antójaseme que en Ganivet subsistía también mucho de la imaginativa morisca
y que la triste flor de su vida no en vano se abrió en el
búcaro africano de Granada. Su vida: una leyenda ya
de hondo interés."

Echegaray.—"Sus repetidos fracasos prueban, no su
falta de talento, sino su falta de tino en no retirarse a
tiempo..." (Rubén firmó, en 1905, el manifiesto de los
intelectuales españoles protestando contra la concesión
del Premio Nobel a Echegaray.)

Benavente.—"Es aquel que sonríe. Dicen que es me-
fistofélico, y bien pudieran ocultarse entre sus finas botas
de mundano dos patas de chivo. Es el que sonríe: ¡temi-
ble! Se teme su crítica florentina más que los pesados
mandobles de los magulladores diplomados; fino y cruel,
ha llegado a ser en poco tiempo príncipe de su península
artística, indudablemente exótica en la literatura del gar-
banzo."

Cavia.—"Maestro de única escritura en su país, que ha logrado unir, en la faena asperísima del periodismo, la flexible gracia autóctona a las elegancias extranjeras. ¡Quevedo en el bulevard!"

Manuel Reina.—"Lírico de penacho; en color, un Fortuny. Ha llamado la atención, desde ha largo tiempo, por su apartamiento del universal encasillado académico, hasta hace poco reinante en estas regiones. Su adjetivación variada, su bizarría de rimador, su imaginativa de hábiles decoraciones, su pompa extraña entre los uniformes tradicionales, le dieron un puesto aparte, alto puesto merecido. Le llaman discípulo e imitador de Núñez de Arce. No veo la filiación, como no sea en la manera de blandir el verso. Núñez de Arce es más severo, lleva armadura. Reina va de jubón y gorguera de encajes, lleno de su bien amada pedrería. No hay versos suyos sin su inevitable gema."

Antonio Palomero.—"Además de los alfileres de su conversación, de las más interesantes que un extranjero hombre de letras puede encontrar en la corte, su crítica teatral se estima justamente, y en el cuento y el artículo de periódico sobresale y comunica la intensidad de su vibración, el contagio de su energía indiscutible."

López Silva.—"Nada más falso que los chulos de López Silva, a quien llaman el heredero de don Ramón de la Cruz; y, sin embargo, se ha convenido en que los chulos de López Silva son los verdaderos y por tales se les mira y admira; y queriendo hablar en chulo, la gente joven habla en López Silva."

Zorrilla, Núñez de Arce, Campoamor.—"Si aquí hu-

biese un Luxemburgo en que habitasen, reconocidos por
los pájaros, las rosas y los niños, los poetas de mármol
y de bronce, los simulacros de los artistas cristalizados
para el tiempo en la obra del arte, las tres estatuas que
se destacarían representando esta centuria lírica serían:
la de Zorrilla, en primer término, la de Núñez de Arce
y la de Campoamor. No lejos, por fondo un macizo de
flores apacibles, tendría su busto Bécquer, que, por tener
algo de septentrional, ha sido excomulgado alguna vez
por ciertos inquisidores de la Academia de la Lengua y
de la tradición formalista.

"Zorrilla encarna toda la vasta leyenda nacional, y es
su espíritu el espíritu más español, más autóctono de todos, desde el mundo múltiple en que se desbordó su fantasía, una de las más pletóricas y musicales que haya
habido en todas las literaturas, hasta la impecabilidad
clásica y castiza de su forma, en medio de las gallardías
de expresión y de los caprichos del ritmo que le venían
en antojo.

"Núñez de Arce, con vistas a Francia, y muy particularmente hacia el castillo secular y formidable de Leconte de Lisle, representa un momento del pensamiento universal en el pensamiento de su generación en España,
una tentativa de independencia de la tradición, la duda
filosófica de mediados de siglo... Los alejandrinos del impasible francés hallan resonancia paralela en los endecasílabos del nervioso y vibrante castellano.

"Campoamor ha realizado en cierto modo una dua-
lidad que se creería imposible, al ser al mismo tiempo
aristocrático y popular; aristocrático, por su elegante y
amable filosofía, por su especialísima gracia verbal y
métrica; popular, porque siempre va por llanos caminos,
y su expresión es semejante a un arroyo donde cualquier
caminante puede beber el agua a su gusto...

"De los tres, el poeta más poeta fue, sin duda alguna, Zorrilla; poeta en su vida, poeta hasta su muerte en todo y por todo... Núñez de Arce ha sido ministro, hombre político, y hoy mismo, gobernador del Banco Hipotecario; la juventud intelectual, por lo que he observado, tiene pocas simpatías por él. Campoamor es un buen burgués de provincia que ha sido también senador y consejero de Estado, y que continúa gozando de la renta que le dan sus tierras. Los jóvenes le tienen gran estima y afecto. A Zorrilla se le coronó en Granada, en fiestas en que él puso a danzar todos sus gnomos y silfos; a Núñez de Arce se le coronó hace poco tiempo; ahora se piensa en coronar a Campoamor."

Más sobre Núñez de Arce.—"El vate de antes se encuentra ya transpuesto en época que desconoce sus pasados versos, el alma de sus pasados versos, alojada hoy en una casilla de retórica. No es esto desconocer el inmenso mérito de ese noble cultivador del ritmo, que ha dominado a más de una generación con su métrica de bronce. Hoy España no cuenta con poeta mejor. Más aún: no existe reemplazante. Cuando deje de aparecer en el nacional Parnaso esa dura figura de combatiente que ha magnificado con su severa armonía la lengua castellana, no habrá quien pueda mover su armadura y sus armas... Ha sido un admirable profesor de energía. En verso, pero de energía. Ha sido, con su manera sonante y oratoria, un parlador de multitudes, un dirigente del espíritu público de su época. Y si de algo se resiente el conjunto de su obra, es de haber sacrificado más de una paloma anacreóntica o cordero de égloga a la diosa de pechos de hierro que no tiene corazón, a la Patria, en su más triste ídolo: el ideal de un momento. Porque el mayor pecado de este poeta es no haber empleado sus alas para subir en el viento del universo, sino que se ha circunscrito a su terruño, al aire escaso de su terruño, aun en los poemas de tema humano en que debiera haber prescindido de tales o cuales ideales de grupo."

Unamuno.—"Las prosas macizas de Unamuno valen más que sus versos, aunque él no lo crea."

El País.—"Diario de oposición, que ha tenido sobre sí la atención de Madrid y de España, y que, periódico que ha respondido al eco popular, ha sido quizá el que ha tenido mayor número de intelectuales en su redacción... Sus redactores, desde hace mucho tiempo —el diario es republicano absoluto—, van a la cárcel periódicamente. Allí se dice la verdad a son de truenos de tambores y trompetas. La censura ha tenido en esa hoja la mejor lonja en que cortar, y las estereotipias, a las cuatro de la mañana, han sido en tiempo de la guerra, brutalmente descuartizadas."

Ricardo Fuente.—"Es un trabajador de la Prensa, que ha subido con mérito a ese puesto (el de director de *El País*) y quizá, y sin quizá, tanta bondad personal hace daño a su posición. Porque no ha de ser quien dirige una tan complicada máquina un compañero de sus redactores, en toda la extensión de la palabra, sino en lo que ella tiene de aprecio necesario y benevolencia justa; y ¡ay de aquel director que no se calce sus botas imperiales y no ponga a su gallo, empezando en casa, a cantar claro y bien!"

Poetas románticos.—"Desde Salas de Quiroga hasta Romero Larrañaga —ayer, hoy y mañana, ilustres desconocidos—, un ejército de cabelludos desbocados exuberó en prosas y versos que tuvieron la vida de una col."

Los poetas jocosos.—"Son legión. Los diarios y revistas publican una cantidad increíble de chistes rimados, y periódico como *El Liberal* tiene un redactor especial que trata asuntos de actualidad en verso. Aquí Felipe Pérez y González, como antes Antonio Palomero o Salvador María Granés, tiene por tarea dar diariamente cierta cantidad de estrofas a los lectores, sobre sucesos del momento. Y la gente paga, y pues lo paga, es justo..."

El modernismo.—"En América hemos tenido ese movimiento antes que en la España castellana, por razones clarísimas: desde luego, por nuestro inmediato comercio material y espiritual con las distintas naciones del mundo, y principalmente porque existe en la nueva generación americana un inmenso deseo de progreso y un vivo entusiasmo, que constituye su potencialidad mayor, con lo cual poco a poco va triunfando de obstáculos tradicionales, murallas de indiferencia y océanos de mediocracia."

La Academia.—"La labor de la Real Academia, dígase bien claro, es en nuestro tiempo inocua, como la de los inmortales franceses. Hacen el Diccionario, reparten premios más o menos Montyon, y coronan obras mediocres y correctas."

La crítica.—"Ciertamente, de Larra a estos tiempos, la crítica en España ha tendido a salir de la estrechez formalista y utilitaria. Quedan rezagos de la época hermosillesca y dómines tendenciosos a quienes mataría una ráfaga de aire libre. Las pocas figuras sobresalientes en la mediocridad común han conseguido hacer entrar alguna

luz tras muchos esfuerzos; pero esos rayos quedan aislados. La crítica tiene que encogerse, tiene que rebajar-
se, para ser aceptada. No se demuestra la voluntad de
pensar en ninguna clase de mentales especulaciones. Y
Luis Taboada dice una corrosiva verdad —que me permito creer de terrible intención—, cuando afirma que en
España, "entre *el señor de Ibsen,* y él, él". Así os expli-
caréis que *Clarín* siga en una incontenible exuberancia
de paliques, y que ese grotesco y distinguido gramático
de Valbuena tenga lectores".

El teatro.—"No habiendo comités de lectura, como en
todo teatro culto de la tierra, no buscando los señores
actores obras, sino papeles, y sin una crítica ilustrada que
sirva de guía, todo el teatro en España está sometido a
la voluntad o al capricho de los actores dirigentes. En
Madrid hay que encomendarse, para lo alto, a María Guerrero y a Emilio Thuillier."

La aristocracia.—"No puede aguardar nada España de
su aristocracia. La salvación, si viene, vendrá del pueblo
guiado por su instinto propio, de la parte laboriosa que
representa las energías que quedan del espíritu español,
libre de políticos logreros y de pastores lobos."

La pintura.—"¡Y decir que lo único que les queda a
los españoles es esta mina de luz, el decoro orgulloso de
su pintura, la noble tradición de su escuela, su tesoro de
color!"

La leyenda negra.—"De los tres puntos en que se basa
la leyenda negra, que son: la conquista española, la Inquisición y la decadencia que se iniciaba con las figuras
de Carlos I y Felipe II, se desprende que no ha habido

demasiada injusticia en Europa, cuando se ha formado esa leyenda "de color oscuro" con bases tan innegablemente sombrías. No habría manera de paliar las atrocidades de la conquista, pues, aun suprimiendo la *Relación* del Padre Las Casas, que es obra de varón verecundo y cristiano, no se pueden negar las imposiciones a sangre y fuego de los conquistadores, la deslealtad que más de una vez salta a la vista, así en Méjico como en el Perú, y tantas páginas rojas y negras que aportan su color a la leyenda. La Inquisición está en el mismo caso, pues, aun concediendo, desde el punto de vista de una crítica especial, defensas de aquella institución, como lo hace Menéndez Pelayo, y aun observando que no solamente España encendió las hogueras religiosas, resulta siempre que es en España en donde el espíritu inquisitorial halló su verdadera encarnación; por ello, el inquisidor de los inquisidores será siempre el inquisidor español; ya a través de la historia, ya en el cuento de Poe, en el drama de Hugo o en el dibujo de Ensor.

"Los conquistadores y los frailes de América no hicieron sino obrar instintivamente, con el impulso de la onda nativa; los indios despedazados por los perros, los engaños y las violencias, las muertes de Guatimocin y Atahualpa, la esclavitud, el quemadero y la obra de la espada y el arcabuz eran lógicos, y tan solamente un corazón excepcional, un espíritu extranjero entre los suyos, como Las Casas, pudo asombrarse dolorosamente de esa manifestación de la España negra. 'Mi morena', dice Mariano de Cavia."

Los toros.—"Mis simpatías están de parte de los animales..., entre el torero y el caballo, mi sensibilidad está de parte del caballo, y entre el toro y el torero, mis aplausos son para el toro."

Espigando en el libro del que tratamos ahora, coge-
mos al azar, en no corto número, conceptos y frases dignos de ser aquí repetidos. Como los siguientes:

"Mahoma sonríe más que Jesucristo en los ojos sevi-
llanos de bautizadas odaliscas."

"España es como la espada: tiene la cruz unida a la
filosa lámina de acero."

"Hay que ir, por el trabajo y la iniciación en las artes
y empresas de la vida moderna, *hacia otra España...*"

"Aquí, cualquiera se permite ser un mal católico, pero
pocos renuncian a llamarse católicos."

"...una poliglocia que os obliga a entraros por todas
las lenguas vivas, así corráis el riesgo de matarlas."

"...cierta suntuosidad un tanto abullonada, como in-
flada de valses..."

"...el humor de nuestro tiempo, en que francmasone-
ría, filatelia, volapuk, librepensamiento y versos, en el
sentido melenudo de la palabra, pasan bajo la mirada
irresistible de la diosa Eironeia."

"...mascaradas con una guitarra y unas castañuelas por
toda música, se han descaderado a jotas."

"Las inglesas tienen cuellos de cisne y las mujeres fla-
mencas preponderantes asideros."

"...la amontonada bazofia oleosa que riega en incontenible flujo un ejército de cocineros del caballete."

"Chopín sobre las olas y en una suave hora nocturna;
hace falta la luna, pero no importa: el canto mágico crea
el *clair de lune* en la misma sustancia musical, y el hombre propicio al ensueño puede fácilmente ejercer la amable función."

"...ese divino león, el Arte, que, como aquel que al
gran rey Francisco fabricara Leonardo de Vinci, tiene el
pecho lleno de lirios."

"PEREGRINACIONES"

Este libro, editado por la viuda de Bouret, se compone de dos partes o secciones. *En París* se titula la primera, formada con artículos que se reúnen bajo doce títulos; *Diario de Italia,* la segunda, con lo escrito en Turín, Génova, Pisa, Roma y Nápoles.

Casi todos esos trabajos se escribieron en 1900. El 20 de abril está fechado el primero de los parisienses y el 8 de enero de 1901, el último. Las crónicas de Italia hízolas Rubén durante el curso de un mes: del 11 de septiembre al 12 de octubre. Del viaje que dio origen a ellas —el primero de los dos que hizo el poeta al país del arte—, ya dijimos algo en su sitio, y ya tomamos algo también de lo escrito entonces por Darío.

Inmediatamente después de enviadas a Buenos Aires las crónicas españolas que no tardaron en formar el interesante libro *España contemporánea,* el corresponsal de *La Nación* remitía las hechas en París recogiendo sus impresiones francesas y, particularmente, como el diario le había encargado, las relacionadas con el gran Certamen Universal a la sazón abierto allí. En los trabajos titulados *En París, El viejo París, En el Gran Palacio, La Casa de Italia* y *Los anglosajones* es donde se habla del dicho Certamen. Uno de los mejores artículos del libro es el que trata de Rodin, en el cual se comenta la exposición que el famoso escultor francés hacía de sus obras por aquellos días. No siempre fue Rubén un crítico agudo de las artes plásticas; hablando de pintura, manifestó más de una vez un conocimiento superficial y una sensibilidad no muy afinada; pero en su estudio periodístico de la personalidad de Rodin sí estuvo a buena altura.

En su artículo *Purificaciones de la piedad,* fechado el

8 de diciembre de 1900, se ocupa Darío del genial y mal-
aventurado Oscar Wilde, muerto pocos días antes, en
París, solo y pobrísimo, a los cuarenta y cuatro años de
su edad. Recojamos unas líneas de ese bello artículo.

"Pasó los últimos años de su existencia, cortada de
repente, en el dolor, en la afrenta, y ha querido irse del
mundo al estar a las puertas de la miseria. Este poeta,
dotado de maravillosos dones de arte, ha tenido en su
corta vida sobre la tierra los mayores triunfos que un
artista pueda desear y las más horribles desgracias que
un espíritu puede resistir. Inglaterra y los Estados Unidos le vieron victorioso, ganando enormes cantidades con
sus escritos... Era, pues, dueño de la camisa del hombre
feliz. Salud completa, mucha fama y el porvenir en el
bolsillo.

"Pero no se puede jugar con las palabras, y menos,
con los actos. Las paradojas son como puñales de juglar.
Muy brillantes, muy asombrosas en manos del que las
maneja, pero tienen punta y filos que pueden herir y dar
la muerte. El desventurado Wilde cayó desde muy alto,
por haber querido abusar de la sonrisa. La proclamación
y alabanza de cosas tenidas por infames; el brummelis-
mo exagerado; el querer a toda costa *épater les bourgeois*
—¡y qué *bourgeois* los de la incomparable Albión!—;
el tomar las ideas primordiales como asunto comediable;
el salirse del mundo en que se vive, rozando ásperamente
a ese mismo mundo, que no perdonará ni la ofensa ni la
burla; el confundir la nobleza del arte con la "parada"
caprichosa, a pesar de un inmenso talento, de un temperamento exquisito, a pesar de todas las ventajas de su
buena suerte, le hizo bajar hasta la vergüenza, hasta la
cárcel, hasta la miseria, hasta la muerte. Y él no comprendió sino muy tarde que los dones sagrados de lo invisible son depósitos que hay que saber guardar, fortu-

nas que hay que saber emplear, altas misiones que hay
que saber cumplir.

"Luego vino el escándalo de un proceso célebre, que
empezó con muchas risas y acabó con mucho crujir de
dientes... ¡Y luego vino algo peor! La cobardía de sus
amigos y colegas que, olvidando toda piedad, se alejaron
en absoluto de él, como de un leproso... ¿En dónde estaban los que le pedían dinero prestado, los que se rego-
deaban en su yate *Clair de Lune,* los que juraban por él
en los días de éxitos y de rentas fabulosas, los que aplaudían sus excentricidades, sus *boutades,* sus disparates y
sus locuras?

"Este mártir de su propia excentricidad y de la hono-
rable Inglaterra aprendió duramente en el *hard labour*
que la vida es seria, que la *pose* es peligrosa; que la literatura, por más que se suene, no puede separarse de la
vida; que los tiempos cambian; que la Grecia antigua
no es la Gran Bretaña moderna; que las psicopatías se
tratan en las clínicas; que las deformidades y las cosas
monstruosas deben huir de la luz, deben tener el pudor
del sol, y que a la sociedad, mientras no venga una revolución de todos los diablos que la destruya o que la dé
vuelta como un guante, hay que tenerle, ya que no respeto, siquiera temor, porque si no, la sociedad sacude,
pone la mano al cuello, aprieta, ahoga, aplasta.

"Cuando salió de la prisión y vino a vivir a Francia,
con un nombre balzaciano —Sebastien Melmoth—, apenas se relacionaba con uno que otro espíritu generoso...
El *Mercure* publicó una traducción de la maravillosa *Balada* que escribiera en la cárcel, y en la cual puede adi-
vinarse ya su próxima conversión al catolicismo. Ya en
París, no publicó nada; y no se sabe si, al morir, deja
algo inédito. Cuando sus hijos sean mayores de edad
será su principal obligación presentar al mundo digna-

mente la obra de su padre desgraciado e infamado. Junto
a las purificaciones de la muerte están las purificaciones
de la Piedad.

"Una tarde, en el bar Calisaya del bulevar de los Italianos, estábamos reunidos unos cuantos escritores y hombres de prensa..., cuando llegó a sentarse a nuestro lado
un hombre de aspecto abacial, un poco obeso, con aire
de perfecta distinción y cuyo acento revelaba en seguida
su origen inglés. En la conversación, su habilidad de
decidor se marcaba de singular manera. Siempre trataba
asuntos altos, ideas puras, cuestiones de belleza. Su vocabulario era pintoresco, fino y sutil. Parecía mentira que
aquel *gentleman* absolutamente correcto fuese el predi-
lecto de la Ignominia y el *revenant* de un infierno car-
celario.

"A mi entender, lo preferible en la obra de ese poeta
maldito, de ese admirable infeliz son sus poemas, poemas
en verso y poemas en prosa, en los cuales la estética inglesa cuenta muy ricas joyas."

En el libro de Rubén Darío que tenemos ahora entre
manos es otro de sus más interesantes artículos el titulado *Reflexiones del Año Nuevo parisiense*. La visión
que tiene el poeta del futuro de Francia es francamente
sombría. Oigámosle:

"Lo que en París se alza, al comenzar el siglo xx, es
el aparato de la decadencia. El endiosamiento de la mujer como máquina de goces carnales y —alguien lo ha
dicho con más duras palabras— el endiosamiento del
histrión, en todas las formas y bajo todas sus faces. Es
el caso de Juvenal: *quod non dant proceres, dabit his-
trio*. Hay muchos franceses ilustres, muchos franceses
nobles, muchos franceses honrados que meditan, silenciosos, luchan con bravura o lamentan la catástrofe mo-

ral. Pero las ideas de honor, las viejas ideas de generosidad, de grandeza, de virtud, han pasado, o se toman como un pretexto para joviales ejercicios. Escritores osados, como Mirbeau, como Rachilde y Pierre Louys, declaran en los periódicos el adulterio como un *uso* esencialmente parisiense. La antigua familia cruje y se desmorona. Los sentimientos sociales se bastardean y desaparecen. Los extranjeros que en los comienzos y aun mediados del siglo pasado venían a París, encontraban hospitalidad, amabilidad, algún desinterés... Hoy reina la *pose* y la farsa en todo. Apenas la ciencia se refugia en los silenciosos laboratorios, en las cátedras y gabinetes de señalados y estudiosos varones. La mujer es una decoración y un sexo. El estudiante extranjero no encuentra el apoyo de otros días, y, desde luego, le está cortado el ejercicio de su profesión. Los norteamericanos han metido sus cuñas a golpe de mazos de oro. La enfermedad del dinero ha invadido hasta el corazón de la Francia, y sobre todo de París. El patrioterismo, el nacionalismo han sucedido al antiguo patriotismo... Las ideas de justicia se vieron patentes en la vergonzosa cuestión Dreyfus. Pero por todas partes veréis el imperio de la fórmula y la contradicción entre la palabra y el hecho.

"La literatura ha caído en una absoluta y única finalidad: el asunto sexual. La concepción del amor, que aún existe entre nosotros, es aquí absurda. Más que nunca el amor se ha reducido a un simple acto animal. La despoblación, la infecundidad se han hecho notar de enorme manera, y es en vano que hombres sanos y de buena voluntad, como Zola, hayan querido contener el desmoronamiento, haciendo resaltar el avance del peligro.

"Mutuamente se han reflejado las literaturas y las costumbres. En todos los lugares existen vicios de todas

clases, desventuras conyugales; pero lo terrible en París
es que es la norma. Las conclusiones de los libros novelescos, las revelaciones de los procesos que todos los días
se hacen públicas, los incidentes y desenlaces de las piezas teatrales hacen que el ambiente esté completamente
saturado de tales doctrinas, y que un modo de juzgar las
cosas como los excelentes sentimentales de comienzos
del siglo pasado sería considerado *arrieré* y *a la papá*. En
los diarios, en el momento en que escribo, se gasta tinta
y tiempo escribiendo artículos a causa de que el hijo
mayor del cómico Guitry, de dieciséis años, tiene queridas de trece, con el consentimiento maternal, según las
cartas del marido. Pues bien: lo malo no es tan sólo el
hecho, sino la indiferencia que todo acaecimiento de esa
clase causa en el sentido moral del público, que, cuando
más, encuentra eso *très rigoló*."

Concluye Darío esa crónica:

"Como hago muy poca vida social, tengo todavía el
mal gusto de creer en Dios, un Dios que no está en San
Sulpicio ni en la Magdalena, y creo que ciertos sucedi-
dos... son vagas señas que hacen los guardatrenes invi-
sibles a esta locomotora que va con una presión de todos
los diablos a estrellarse en no sé qué paredón de la Historia y a caer en no sé qué abismo de la eternidad."

"LA CARAVANA PASA"

A la Casa Garnier debemos también la edición de
La caravana pasa, volumen eminentemente periodístico
que recoge veinticinco artículos repartidos en cuatro secciones o "libros". Los artículos no llevan títulos. Se rela-
cionan todos con la actualidad de París; a veces, con la
actualidad mundial. El libro primero reúne siete cróni-

cas de temas parisienses; el segundo, siete de Londres,
Dunkerque, Bélgica y Dieppe; el tercero, cinco de motivos literarios de París, y el cuarto, seis con diversidad
de asuntos, también en su mayoría relacionados con la
vida parisina.

Algunos críticos han dicho: "Es éste uno de los libros más flojos del autor."

Sin embargo, no es escaso lo que de interés puede
entresacarse del volumen, donde se habla de tantísimas
cosas.

En nuestro ejemplar hay señalados los renglones que
pasamos a transcribir.

Hablando el autor de las mujeres galantes: "La riqueza no es segura, y un crecido tanto por ciento va
siempre a los hospitales y a la miseria degradada, cuando un ímpetu salvador no lleva la vieja carne inútil al
Sena. Las que logran asegurar los años últimos, ya se
sabe en lo que paran. Como el diablo viejo, en fraile, la
diablesa gastada, en devota."

Sobre los Papas: "Si yo creyera en la transmisión he-
reditaria de las llaves de Pedro, diría, desde luego, que
de dos llaves entregadas a los pontífices romanos, ellos
no han sabido usar sino una, y ésta es la que ha abierto
las puertas del infierno y lo ha desencadenado como torrente espantoso sobre el mundo y entre los hombres.
La otra llave no han sabido usarla sino para abrirse ellos
mismos las puertas de su propio cielo, que consiste en
el poderío, el lujo y los deleites."

Sobre los ingleses: "Ser hombres: ése es el oficio de
los ingleses. *This was a man* es elogio shakesperiano. En
ninguna parte se amacizan por igual cuerpo y espíritu
como en la Gran Bretaña. La conciencia propia y par-

ticular ha creado la conciencia nacional y común. El orgullo norteamericano tiene aquí su origen, y las recientes fanfarronadas del millonario Carnegie, metido a periodista, debían haber comenzado por esa profesión. Pero el yanqui, como buen advenedizo, es rastacuero y exhibicionista. El inglés es silencioso y guarda su íntimo conocimiento y convencimiento. Su *respectability* forma parte de su coraza.

"Una cosa he de advertir: la inglesa fea de las caricaturas y la elegancia que siguen los anglómanos del extranjero, también un poco y hasta un mucho caricatural, son para la exportación. He visto en mis viajes de Italia, de España, de Francia las caravanas de la agencia Cook, con muestras de la más exquisita fealdad; pero en Londres no he dado un paso sin encontrarme con deliciosas figuras de mujer; de un particular atractivo y dignas de ser, *in continenti,* madrigalizadas y amadas. En cuanto a la *fashion,* en lo que he advertido, se sigue a la letra por los verdaderos *gentlemen* el principio aristocrático de Brummel: la elegancia suprema consiste en no hacerse notar."

Sobre los reyes: "Los reyes, por más que busquen la paz, son siempre, en la inmensa fauna humana, águilas; las águilas son pájaros de presa, son carnívoras."

Sobre el turismo: "Diríase que el *tourisme* ha profanado todos los santuarios de la tierra en que la religión y el arte conservan sus reliquias y elevan sus plegarias. La agencia Cook borra todas las huellas sagradas e interrumpe las meditaciones de los fervorosos que aún quedan."

Mujeres: "La nobleza femenina, en todas partes, se

dedica hoy con preferencia al *sport,* se interesa mucho
por el cuerpo, descuida bastante el espíritu. Este rumbo
siguen las jóvenes *bien* de nuestras democracias y la adinerada burguesía universal."

Algunos escritores hispanoamericanos: "Luis Bonafoux, satírico violento, elegante y sutil cuando sujeta sus
ímpetus flagelantes, y de una aspereza que en Francia tan
solamente podría compararse con las justicias e injusti-
cias de Bloy o de Tailhade, casi siempre tiene razón cuando ataca.

"Amado Nervo..., buen artista, buen monje de la belleza, buen muchacho, lleva su nombre con toda seguridad: se le conoce, y al llamársele así, no se miente. Sensitivo, verleniano, virtuoso en la ejecución del verso y,
sobre todo, sincero y de conciencia, que en esto, como
en todo, es lo principal, tiene su triunfo seguro. Es mejicano y, naturalmente, es en Méjico donde se le ataca.
El ambiente de París ha dado nuevas vibraciones a los
nervios de Nervo, y, hecho el indispensable y comple-
mentario viaje a Italia, el fiel laborioso prepara nuevas
obras que han de superar desde luego a *Perlas negras* y
a *Místicas,* en donde un cuidado del *métier* y una preocupación de técnica y de *décor* apartaban la fuente oculta
de la íntima poesía de verdad y de vitalidad... Hay en
el fondo de este poeta mucha savia sana, y es lo que
hemos de ver pronto en poemas de energía y de gozo,
en una epifanía espiritual, en una exaltación de las propias fuerzas, sobre la simple "literatura"...

"Rufino Blanco Fombona es un artista delicado y
raro, al propio tiempo que un espíritu osado y violento;
hay en sus versos trino y aletazo, suave pluma y garra
de bronce... Ha viajado mucho y ha gozado mucho. Co-

noce el color de todas las cabelleras amorosas, y le han dicho "yo te amo" en todas las lenguas conocidas.

"Argentino es Manuel Ugarte... Su sobriedad le ha impedido los pasos en falso, las caídas icarias. No tiende sino hasta donde sus fuerzas le alcanzan, y el pegaso, en los vuelos precisos, jamás se ha dislocado un solo hueso. Su vaso es pequeño; pero cuando lo necesita, se fabrica otro más grande, y bebe así en sus dos vasos. Sabe lo que se propone, y el cielo de París le ha alentado en sus deseos. Sus versos son siempre gratos; bellos algunas veces. Busca la originalidad y se aparta de la extravagancia. En prosa es claro y pictórico cuando describe. Es socialista, y aun creo que, en el fondo de sus voliciones, anarquista."

La Academia Francesa: "Une, después de todo, a los hombres de genio que alberga, como a los mediocres de espíritu resplandecientes de apellidos, en una misma tarea, vaga y eterna: hacer el diccionario. Un diccionario que se está haciendo desde hace muchísimo tiempo y que, probablemente, no se acabará nunca. Sospecho que ése es el secreto de la "inmortalidad".

Sobre Heine: "Los profetas y las patrias no han hecho nunca buenas migas. Un profeta molesta mucho al vecindario, perturba al cura, inquieta al alcalde; vale más que vaya a otra parte a hacer sus profecías. Si no se va, se le crucifica, se le apalea o se le desdeña. Pero entonces, sí, inmediatamente que muere, se le dedica una calle o se le inaugura un simulacro de mármol o de bronce. Heine amó grandemente a Francia; amó, sobre todo, a París; respiró este ambiente, sufrió aquí la terrible enfermedad que tanto le hizo padecer, y reposa en un rincón del cementerio de Montmartre. Allí están los despojos de aquel que dijo: "Yo soy un ruiseñor alemán que vino a hacer su nido en la peluca de Voltaire."

"Heine, dulce y áspero, risueño y sollozante a veces, padeció muchísimo, espiritual y corporalmente. Por eso se construyó su fina armadura de ironía, su escudo de desdén, su espada de amargura. Y de esa manera, alejado de los olimpos de un Goethe, o de la serena meditación de un Novalis, rompe con todos los dioses y desconfía de todos los hombres."

Sobre el militarismo en Hispanoamérica: "En cada pequeña República no ha faltado un pequeño conquistador que quiera hacer de su país una pequeña Prusia. El progreso ha llegado a la importación del casco de punta y del paso gimnástico marcial. En ciertos Gobiernos, una moral a uso de tiranos se ha implantado. Pero esos Gobiernos han caído, caen o presto caerán, al impulso del pensamiento nuevo, de la mayor cultura, de la dignidad humana. Los sudamericanos que meditan en la verdadera grandeza de los pueblos, los hombres de buena voluntad y de juicio noble no se hacen ilusiones sobre la virtud y alteza del alma alemana.

"No; no puede ser simpático para nuestro espíritu abierto y generoso, para nuestro sentir cosmopolita, ese país pesado, duro, ingenuamente opresor, patria de césares de hierro y de enemigos netos de la gloria y de la tradición latinas."

"TIERRAS SOLARES"

Primer libro de Rubén Darío editado en Madrid. Figura el nombre de un inglés, Leonard Williams, como editor, debajo del rubro "Biblioteca Nacional y Extranjera".

Dedicó Rubén el volumen a don Felipe López, su amigo y compañero en algunos de los viajes aquí tratados. Verdadero libro de impresiones viajeras, desfilan por él varias ciudades españolas e italianas a las que cuadra el adjetivo del título; también, un trozo de la tierra africana, igualmente "solar" —Tánger—, y luego, ya subiendo por el mapa de Europa, ciudades brumosas del centro europeo. No son, pues, "solares" todas las tierras que el autor recorre en este hermoso libro, acaso de los de prosa —se apuntó páginas atrás— el mejor de todos los suyos; parécenos el más elegantemente y a veces poéticamente escrito; el que da, cabal, la medida de su pluma, fuera del campo de lo versificado.

Díjose ya que Rubén entregó libros suyos en imprentas de Managua, Santiago de Chile, Valparaíso, San Salvador, Buenos Aires, París y Madrid. Madrid llegó, en este orden, después de las otras ciudades. Al salir el libro ahora estudiado, se habían ya editado volúmenes de Darío en dos países centroamericanos, dos de Sudamérica y Francia.

A partir de 1904, fue ya en Madrid donde se publicaron casi todos los libros del famoso poeta, los de verso como los de prosa. Williams, Fernando Fe, Pérez Villavicencio, la Biblioteca Ateneo, la Biblioteca Corona y Renacimiento, los nombres de los editores.

Si poquísimo dinero le valieron a Rubén sus libros editados fuera de Madrid —y algunos, menos aún que "poquísimo"—, tampoco los que salieron en nuestra capital diéronle fruto pecuniario. Obras muy esperadas por amigos y compañeros, difundidas con cuanta difusión cabía, tratándose de producciones "modernistas", su público, más ruidoso que extenso —público, en realidad, de "minorías"—, no daba lugar ni a tiradas largas ni a ventas apetecibles.

Se sabe lo muy poco que Rubén cobró por uno de sus libros editados en París, y pronto veremos la exigua cantidad que Fernando Fe le entregó por dos tomos de artículos. Ni aun alegando que no eran obras "inéditas", sino recopilación de trabajos ya insertos en columnas de Prensa, pueden disculparse unos derechos de autor tan pobres, tan recortados y cicateados.

Lo que Rubén Darío escribe sobre las cuatro principales ciudades de Andalucía —Sevilla, Granada, Córdoba y Málaga— es lo que constituye el máximo atractivo de este libro. Son páginas de rico colorido —el colorido de lo andaluz, un tanto policromado—, llenas de carácter, tocadas de gracia, movilidad y desenvoltura; el verbo lujoso del poeta se asoma a ellas. Sobre el mero propósito periodístico que les dio vida, sus finos y vibrantes acentos literarios nos ofrecen el deleite de la lectura jugosa. No son, por supuesto, líneas trazadas con "fines turísticos"; no enumeran las cosas típicas que haya que ver en esas tierras andaluzas; no hacen inventario de monumentos ni piezas artísticas; no pretenden "guiar" a nadie. El autor pasa unos días en esos lugares, recoge sus visiones personales y cuenta, con lo vivo de su estilo, algo de lo observado, de lo sucedido en torno suyo, de lo pensado por él mismo al compás de sus pasos y palabras.

Los artículos a que aludimos se complementan y enriquecen con un quinto trabajo, el titulado *La tristeza andaluza*, que empieza así:

"¿Habéis oído a un *cantaor?* Si lo habéis oído, os recordaré esa voz larga y gimiente, esa cara rapada y seria, esa mano que mueve el bastón para llevar el compás. Parece que el hombre se está muriendo, parece que se va a acabar, parece que se acabó. A mí me ha conturbado tal

gemido de otro mundo, tal hilo del alma, cosa de armonía
enferma, copla llena de rota música que no se sabe con
qué afanes va a hundirse en los abismos del espacio."

Líneas más abajo: "Más que una pena personal, es
una pena nacional la que estos hombres van gimiendo, al
son de las histéricas guitarras. Son cosas antiguas, son
cosas melodiosas o furiosas de palacios de árabes..."

En ese artículo que inicia el "cante jondo" es donde
Rubén habla del poeta andaluz Juan Ramón Jiménez. Sus
palabras son de noble y cordial saludo. "Acaba de aparecer —dice—, y es ya el más sutil y exquisito de todos
los portaliras españoles." Y añade: "Al hojear su libro
Arias tristes, lo juzgaríais de un poeta extranjero. Fijaos
más: es un poeta completamente de su tierra, como su
nombre. Se llama Juan, como el Arcipreste, y Jiménez,
como el Cardenal. Surge en momentos en que a su país
comienzan a llegar ráfagas de afuera, sobre más de una
parte derrumbada de la antigua muralla chinesca que
construyó la intransigencia y macizó el exagerado y falso
orgullo nacional. Quiero decir que llega a tiempo para
el triunfo de su esfuerzo. Como todo joven poeta de fines del siglo XIX y comienzos del XX, ha puesto el oído
atento a la siringa francesa de Verlaine. Mas, lejos del
desdoro de la imitación, y ajeno a la indigencia del calco,
ha aprendido a ser él mismo —*être soi même*— y dice
su alma en versos sencillos como lirios y musicales como
aguas de fuente.

"Permanece, no solamente español, sino andaluz, andaluz de la triste Andalucía. Es de los que cantan la verdad de su existencia y claman el secreto de su ilusión,
adornando su poesía con flores de su jardín interior, lejos de la especulación "literaria" y del mundo del arribismo intelectual. Su cultura le universaliza, su vocabulario
es el de la aristocracia artística de todas partes; pero la

expresión y el fondo son suyos, como el perfume de su tierra y el ritmo de su sangre. Desde Bécquer, no se ha escuchado en este ambiente de la Península un son de arpa, un eco de mandolina más personal..."

Algo de lo escrito por Rubén en *Tierras solares* pasó ya a nuestras páginas, en la parte biográfica de este libro. Algo más podría recogerse aquí, de lo mucho sustancioso que el libro encierra.

Por ejemplo, hablando de Sevilla: "El encanto íntimo de Sevilla está en lo que nos comunica su pasado. Su alma habla en la soledad silenciosa; así el alma triste de toda la vieja España. Dicen sus secretos las antiguas callejuelas en las horas nocturnas. Y nada es comparable a la melancolía grave de sus jardines... Adorad, extasiaos, para vuestro reino interior, en los jardines del Alcázar sevillano, como en Aranjuez, como en la mágica Granada. De todo lo que han contemplado mis ojos, una de las cosas que más han impresionado a mi espíritu son esos deleitosos y frescos retiros. Ni las vetustas murallas carcomidas de siglos, que aún atestiguan el viejo poderío de los conquistadores romanos, ni los restos visigodos, ni la esbelta Giralda mauritana, cuyo nombre alegra como una banderola, ni la Torre del Oro a la orilla del río, ni las magnificencias del Alcázar..., nada me ha hecho meditar y soñar como estos jardines que vieron tantas históricas grandezas, tantos misterios y tantas voluptuosidades."

"OPINIONES" Y "PARISIANA"

Opiniones y *Parisiana* son los dos libros de Rubén Darío que el editor madrileño Fernando Fe dio a la estampa, con diferencia de varios meses; salieron, según una mala costumbre editorial muy arraigada, sin año de publicación.

Probablemente los textos de ambos serían entregados por el autor al mismo tiempo. Consta que el editor pagó un tanto alzado por los dos volúmenes: setecientas pesetas, lo cual da para cada uno la suma, que casi no puede llamarse suma, de setenta duros. En ciertos ahogos de su vida, Rubén se amoldaba a todo, con tal de recibir algo que le permitiera salvar un bache y poder seguir adelante.

De esos dos libros, el titulado *Opiniones,* que es el que salió antes —en abril de 1906—, está dedicado a don Fernando Sánchez y lleva un prólogo brevísimo, fechado en París el dicho año. Dice en él Rubén:

"En este libro, como en todos los míos, no pretendo enseñar nada, pues me complazco en reconocerme el ser menos pedagógico de la tierra. Van aquí mis opiniones y mis sentires sobre cosas vistas e ideas acariciadas. Todo expresado de la manera más noble que he podido, pues no me avengo con bajos pensamientos ni vulgares palabras. No busco el que nadie piense como yo, ni se manifieste como yo. ¡Libertad, libertad, mis amigos! Y no os dejéis poner librea de ninguna clase."

El libro titulado *Parisiana,* dedicado al nicaragüense don José Dolores Gámez, como muestra de "antigua gratitud y perdurable amistad", no lleva prólogo alguno.

Si en *Opiniones* predominan los artículos de crítica sobre escritores y artistas extranjeros, en *Parisiana* —lo delata su propio título— se recogen impresiones de la actualidad de París. Es volumen cuyo contenido se ha aviejado más que el del anterior, lo cual, dada su temática, se explica. Hablar de lo fugaz y frívolo de la actualidad, de todo lo que, por sólo unas horas, pasa por delante de la pantalla del mundo, suscitando en las gentes efímera curiosidad, equivale a condenar nuestras palabras a una prematura vejez y, no muy tarde, a un frío olvido. Es el destino de lo instantáneo, de la crónica volandera, de la columna periodística, del comentario de aquello que, por su propia naturaleza, no puede perdurar.

Refiriéndose a los artículos reunidos en este volumen y en el titulado *La caravana pasa,* que vimos antes, decía uno de los biógrafos de Darío: "Al releerlos hoy, no podemos menos de lamentar el triste destino de nuestro gran poeta, que se vió obligado a malgastar su tiempo y su talento para poder ganarse el pan cotidiano."

En los veinte trabajos de *Opiniones* leemos las que a Rubén merecieron escritores como Zola, Gorki, Moreas, Rostand, la condesa de Noailles, Maurice Rollinat, Gourmont y Heredia, los escultores Irurtia y Clésinger, el pintor Henri de Groux y la danzarina Isadora Duncan. Hay también en el libro un artículo consagrado al Papa León XIII y dos sobre la Prensa francesa.

Los españoles aparecen aquí con varios nombres en el largo artículo titulado *Nuevos poetas de España.* Los "nuevos" son los hermanos Machado, Pérez de Ayala, Jiménez, Villaespesa, Antonio de Zayas, González Blanco y algún otro.

Como hemos hecho con los libros anteriormente vistos, entresaquemos también de estos dos algunas ligeras muestras de su contexto.

DE "OPINIONES"

Sobre Zola: "Se llevaba al camposanto de Montmartre al potente bondadoso, al creador de tanta obra robusta y fecunda, al poeta homérico de la sociedad futura, al servidor de la verdad, al profeta de los proletarios, al

gran carácter de un tiempo sin caracteres, a quien toda
la tierra saludó un momento como una encarnación de la
virtud humana, de la eterna conciencia, de la indestruc-
tible justicia y de la divina libertad de pechos de oro.

"Estas grandes conmociones tan solamente las cau-
san los que salen de las aisladas torres, marfil, cristal o
bronce, del arte puro. Hay, para lograr tamañas coronas,
que ser fuente y pan para los demás, conformándose con
el propio dolor, hermano de la gloria. Hay que convencerse de que no se ha venido con el mayor don de Dios
a la tierra para tocar el violín, o el arpa, o las castañuelas, o la trompeta. Tocarlas, sí, para universal gozo y
danza dionisíaca, en paz y fiesta común con todos. No
la superhombría, no el neronismo, no la crueldad orgullosa : antes, el bien que se hace con la luz, y en la luz
el abrazo fraterno. Mientras más alta es la catarata, más
perlas tiene su agua pura, y su voz dice la armonía de la
naturaleza y el iris la corona. Saltimbanquis de palabras
o juglares de ideas, sin la bondad que salva, muy pintorescos y bonitos, son de la familia de los pájaros; cuando
mueren, por el plumaje se les diseca; si no, van al mula-
dar con los perros muertos. Desventurado el que, teniendo el vino de la bondad y de la fraternidad humana, no
exprimió jamás su corazón en su copa cuando vio pasar
el rebaño de hermanos con sed, bajo los látigos de arriba. Zola fue eso : el viñador copioso y generoso. No
como Hugo, desde la olímpica sede en que, como Papa
literario, con su tiara llena de gemas líricas, vestido de
orgullo, repartía sus dones; no como Tolstoi, tan vecino
de la clínica como del santoral; no como Ibsen, ceñudo,
oscuro y doloroso. Zola... ha sido un enorme y puro poeta del amor, un músico órfico y augusto de las multitudes, un cantor de la hermosura natural y de la fecunda
obra engendradora, un visionario de la humanidad que

viene, de la dicha de las naciones futuras, de la dignifica-
ción de nuestra especie...

"¡Un gran idealista, el gran naturalista! Un corazón
de adolescente en el cuerpo del coloso; un casto, el que
señaló las terriblezas de la lujuria; un sobrio, el que
mostró la sombra roja del alcohol; un soñador, el práctico y concienzudo arquitecto de tanta fábrica maciza;
un modesto, el más magistral director de ideas de estos
últimos tiempos, y el tímido solitario, un valiente que, al
llegar la hora, se puso a arrostrar las ciegas turbas furiosas que le insultaban y lapidaban, en una actitud sencilla
como el Deber y grandiosa como la Justicia. El ejemplo es soberbio y se entierra en la historia, para quedar
como una estela moral inconmovible al paso de los vientos de los siglos."

Sobre Gorki: "Gorki es una voz que clama en la es-
tepa; y el mundo le escucha porque ha tenido la suerte
de llegar en buena hora. Gorki es lengua de pueblo, y se
hace oír con el aliento de todo un vasto pueblo; y como
es hondamente humano, su palabra es comprendida por
toda la pensativa humanidad... Observa en el mundo que
ha rozado gestos y enigmas. Su espíritu es el espejo ba-
coniano: *speculum quodan incantatum, plenum spectris
et visionibus.* Su obra, que está repleta de vida, se siente, por lo tanto, llena de misterio. Es uno de esos autores,
muy raros por cierto, que hacen comprender la divina
afirmación de Shakespeare sobre las muchas cosas que
hay en la tierra y en el cielo incomprensibles para nuestra filosofía. Es un alma inmensa que ha recogido y ano-
tado los gritos, las violencias y los sueños de sus hermanos que sufren y caen. Es el San Juan de Dios de los
malditos."

Sobre Rollinat: Comentando la muerte, "horrible muerte" de este "poeta maldito", escribe Rubén: "Todo es uno en el hombre: existencia, obras, impulsos; la fatalidad, que tiene muchos nombres, rige la vida desde el espermatozoario hasta la podredumbre. Y así hay la fatalidad del bien como hay fatalidad del mal, fatalidad angélica y fatalidad demoníaca. Y tal hombre desde la cuna va para el altar, y tal otro para la batalla, y tal otro para mirar pensativo las entrañas del mundo. Allí están los instintos y las vocaciones. Vocaciones, es decir, llamamientos, llamamientos de voces inaudibles que están en lo profundo del misterio y de la eternidad. Y la eternidad y el misterio estarán ante las cosas humanas cuando no exista ni el polvo de recuerdo de la sabiduría de hoy... Maurice Rollinat fue un poeta de talento, ni mayor, ni menor; en todo caso, en las antologías entrará como un poeta menor, a causa de ser su obra casi toda reflejo y eco; reflejo lejano de Poe, eco de Baudelaire. Su poética no alcanzó al simbolismo ni se quedó completamente en el Parnaso. Su alma fue la de un romántico puro, exacerbado, pues hasta en su licantropía tuvo un antecesor en el antiguo batallón huguiano."

Sobre Moreas: "Confieso que jamás he encontrado un alma ni más augustamente firme, ni más poseída de la fuerza de su propio conocimiento, ni más elevada en su concebir la vida, ni más pura en su humanidad, que el alma límpida, ínclita y piadosa de Jean Moreas."

Sobre la Duncan: "Las danzas de miss Duncan son más bien actos mimados, poemas de actitudes y de gestos, sin sujeción nada más que al ritmo personal, sin reglas propias fuera de lo que indica la naturaleza. Así debió de haber bailado más o menos el ilustre rey coreográfico

David; así Salomé, la de azules cabellos; así los elfos que
canta Leconte de Lisle... Para miss Duncan no es precisa la música, o la música, en el sentido helénico, está
en ella misma, la música silenciosa de sus gestos. La
danza, según su teoría, se ritma por la música pitagórica,
y el ritmo de las esferas, el ritmo de todo lo existente,
se resume en su propio rítmico movimiento, al impulso
musical de su espíritu... Imaginaos que realiza este prodigio: ¡baila nocturnos de Chopin! Y no es ridículo."

Sobre Henri de Groux: "Es el único intelectual de por
aquí que he podido llamar verdaderamente 'amigo' durante un tiempo, en este ambiente en donde cada día me
siento más extranjero... Aquí la lucha es enormemente
mayor que en ninguna parte, y las dificultades y los in-
convenientes para un artista, para un hombre de pensamiento, se multiplican más que para nadie. Así son de
numerosos los naufragios. Así es infinito el número de
los desaparecidos en la tormenta de París. De miles no
queda ni el nombre ni el recuerdo. El arribismo ha traído después el más funesto de los males, el *crack* de la
gloria y el imperio de la gloriula. Es el momento para los
prestidigitadores de la fama. Es el momento para los
amantes del instante, del éxito, del *succès*. Los espíritus
aislados, los que no entran a la corriente, son señalados.
Y aun de ésos, hay quienes aflojan.

"En cuanto al orgullo del artista [refiérese, naturalmente, a Henri de Groux] es enorme, ciertamente, aumentado por los injustos triunfos de la mediocridad y
por el inconcebible rebajamiento del gusto general en
nuestra época, tan llena de indiferencia por las altas cosas
mentales. El sustenta su categoría, abomina a los predi-
cadores de la igualdad, cara a los pequeños, y mira sus
semejantes tan solamente en otros tiempos pasados. Eso

no se lo perdonan los acomodaticios fabricantes y los que aceptan la imposición de la chatura común."

Sobre José María de Heredia: "Queda de él mucho, en poco. Un libro. Ese libro vivirá. Mil hay que dejan cien volúmenes para el olvido y para los ratones... La mayor parte de sus sonetos son casi epigráficos, dignos de una estela. Heredia no escribió una sola línea que no fuese monumental. De allí esa augusta disposición de los conceptos, esa noble euritmia rítmica, esa belleza grandiosa de sus pequeños templos de catorce columnas."

Hablando de los "nuevos poetas de España", Rubén escribe:

"Antonio Machado es quizá el más intenso de todos. La música de su verso va en su pensamiento. Ha escrito poco y meditado mucho. Su vida es la de un filósofo estoico. Sabe decir sus ensueños en frases hondas. Se interna en la existencia de las cosas, en la Naturaleza. Tal verso suyo sobre la tierra habría encantado a Lucrecio. Tiene un orgullo inmenso, neroniano y diogenesco. Tiene la admiración de la aristocracia intelectual. Algunos críticos han visto en él un continuador de la tradición castiza, de la tradición lírica nacional. A mí me parece, al contrario, uno de los más cosmopolitas, uno de los más generales, por lo mismo que lo considero uno de los más humanos.

"Su hermano Manuel es muy diferente. Este es fino, ágil y exquisito. Nutrido de la más flamante savia francesa, sus versos parecen escritos en francés, y desde luego puedo asegurar que son pensados en francés.

"Ramón Pérez de Ayala es un poeta asturiano, pero que es castellano, pero que es cosmopolita; joven, luego rico en primavera, luego sonriente, luego ágil de pensa-

miento, luego amador de la libertad, luego soñador. Tiene
un nombre que trasciende a líricas vejeces, a pergaminos
venerandos, a flores secas halladas en un breviario de
arcipreste enamorado de las musas. Es un poeta absolutamente del siglo XX, con igual educación estética que nuestros mejores poetas hispanoamericanos actuales y con una
hermosa independencia de espíritu que le hace decir lo
que quiere, cantar de la manera más sencillamente posible. Mas hay que advertir que la sencillez es en este caso
lo más dificultoso. Ahora todos queremos ser sencillos...
Todos nos comemos nuestro cordero al asador, después
que lo hemos tenido encintado en el *hameau* de Versalles.
El señor Pérez de Ayala se expresa a veces con reminiscencias clásicas, arando en el antiguo y fecundo campo
con los apacibles bueyes de Berceo y de Juan Ruiz; y
su arado, de modernísima fábrica, hiere la tierra con
igual virtud que los venerables y rudos hierros viejos."

Sobre Antonio de Zayas: "Es un señor. Continúa la
tradición propia; es de la familia de los viejos poetas hidalgos, prendados de nobleza, de prestigios, de heroísmo,
de ceremonia. Con todo, su vocabulario, su elegancia
decorativa, los saltos libres de su pegaso le ponen entre
los innovadores. A veces, "con pensamientos nuevos hace
versos antiguos", y con pensamientos antiguos hace versos nuevos. El verso libre en España no ha llegado a la
licencia de ciertos versolibristas franceses, con todo y
haber escrito Manuel Machado versos libérrimos. Los
de Antonio de Zayas son voluntariamente sujetos a un
ritmo general que no desentona ni se rompe nunca.

"*Francisco Villaespesa.* Enamorado de todas las formas, seguidor de todas las maneras, hasta que se encontró él mismo, si es que se ha encontrado. Dice ya sus
propios ensueños y canta su mundo interior de modo que.

ciertamente, seduce y encanta. También es cierto que ha sufrido mucho, y que no hay mejores indicaciones que las de Nuestro Maestro el Dolor."

Al libro *Parisiana,* donde se habla de tantas cosas elegantes, frívolas y fugacísimas, y donde el autor hace algunos alardes de cronista mundano, pertenecen las pocas líneas que van a continuación:

"Cleo de Merode es alta, fina, armoniosa; hay un perpetuo ritmo en su grácil figura tanagreana. Nadie como ella posee la seducción de la actitud y el arte del ademán. Sus gestos son siempre llenos de gracia, y parece que siempre hubiese una flauta invisible que guiase sus movimientos, la magia de sus brazos y de su cuello, la cadencia alada de sus pasos. Posee, asimismo, la ciencia del vestido, el conocimiento del accesorio que realza su hermosura, y sabe expresarse como nadie en el doble y soberano lenguaje de las miradas y de las sonrisas. Finge en insuperables mímicas los más variados sentimientos, y su boca y sus ojos iluminan y acentúan la música de los actos. Mas, sobre todo, está su sonrisa única. El más falso de los pudores se adorna de inusitadas apariencias. Esta pagana tiene un rostro de madona de primitivo. Esta sacerdotisa del placer es semejante a una virgen de Fra Angélico. Bajo las alas negras de su famosa cabellera botticellesca mira angelicalmente; y siendo el más ilustre instrumento del Católico Demonio, aparece, por la manera de inocencia, por la dulzura del dibujo labial y la casi infantil mirada, como una adorable Nuestra Señora de la Sonrisa."

"De mí diré que libro alguno ha libertado a mi espíritu de las fatigas de la existencia común, de los dolores cotidianos, como este libro de perlas y pedrerías [habla el

autor de *Las mil y una noches*], de magias y hechizos, de
realidades tan inasibles y de imaginaciones tan reales. Su
aroma es sedativo, sus efluvios benignos, su gozo refres-
cante y reconfortante. Como cualquier modificador del
pensamiento, brinda el don evasivo de los paraísos artificiales sin el inconveniente de las ponzoñas, de los alcoholes y de los alcaloides. Leer ciertos cuentos es como entrar a una piscina de tibia agua de rosas. Y en todos se
complacen los cinco sentidos, y los demás que apenas
sospechamos.

"De ninguna manera recomendaré la lectura de la versión de Mardrus más que a hombres de letras, a hombres
de estudio, a hombres. Ninguna de nuestras señoras está
preparada para obra tal, que indudablemente les causaría
escándalo. El desnudo oriental es todavía más natural
que el desnudo clásico griego. En cuanto a las señoritas,
claro está que no pueden leerla. Baste con decir que la
moral de las señoritas mahometanas es muy otra que la
que se enseña en Sagrados Corazones y demás colegios
en que reina la doctrina de Cristo.

"¡Feliz quien pueda con naturalidad y sencillez, sin
ironía ni maldad, pasearse por tan floridos y perfumados
jardines de delicias! ¡Dichoso el que pueda impregnarse,
como de un ungüento fino, de la poesía de los poetas de
Allá Lejos! Sentiría que por un momento caen de las
alas de su alma los hierros seculares que una angustia de
siglos ha mantenido en ellas. Y se sentirá, como dice la
bella expresión del doctor Mardrus, nuevo Simbad que
nos trae historias milagrosas de los países de las maravillas, y se sentirá "navegante aéreo en la noche..."

"Otro *clou* son las telas expuestas por el español Anglada. ¡Bravo y simpático artista! Suelo encontrarle por
el lado de Montmartre, con sus ojos penetrantes y su

grandísima barba negra, serio, pensativo. ¡Quién diría, al verle, que estuviese poseído de la locura del color, así como el gran Hokusai —y no es poca la comparación— estaba poseído por la locura del dibujo! Anglada ha presentado varias telas en que aquella locura se agita, clama, se publica. Mas en esa cosa inusitada y de una increíble audacia, hay una estupenda sabiduría de paleta. Yo no sé si, como otros que se creen emancipados de todo, este revolucionario no sabe dibujar; se creería esto, al ver las esqueléticas piernas de algunas de sus parisienses nocturnas y tales o cuales rasgos de un "qué-se-me-da-a-mí" asombroso; mas la riqueza de sus tubos, la destreza y luminosidad de sus pinceles son tales, que desde luego hay que afirmar que uno se encuentra ante las genialidades de un artista de excepción, de un carácter lleno de dotes singulares y de brío.

"Quizá Anglada modere un tanto su agitador y alucinante *whim* y, aprovechando lo que de admirable y de encantador hay en su talento y en su procedimiento, brinde a los amantes de las hermosas creaciones pictóricas nuevas sinfonías, dulcificadas con un poco de razón y otro poco de mesura. Por lo demás, ¿quién, aun entre los más escandalizados, podrá negar que se está en presencia de un maravilloso colorista, de un dominador del iris, de un vencedor de la luz?..."

"EL VIAJE A NICARAGUA"

Del viaje que hizo Rubén Darío a su país natal, y que consumió más de seis meses de su ya quebrantada vida, tratamos, con alguna extensión, en la parte biográfica del presente libro. A fines de octubre de 1907, como es sabido, salió el poeta de París, rumbo a Nicaragua; antes de concluir el mes de mayo del año 8 encontrábase en París, de vuelta. No tardó en pasar a Madrid, con su flamante cargo de ministro plenipotenciario. Y en Madrid, en 1909, la Biblioteca Ateneo, que dirigía uno de los buenos amigos españoles de Rubén, el escritor Mariano Miguel de Val, daba al público, en pequeño tomo, un relato de aquel viaje a la tierra nicaragüense. Está el libro dedicado a doña Blanca de Zelaya, como "respetuoso homenaje". Era doña Blanca la esposa del general de ese apellido, Presidente de la República de Nicaragua hasta el año mismo de la publicación del libro. El último capítulo de éste comienza con las siguientes palabras:

"En momentos de corregir las pruebas de este libro me llegaron las noticias de los últimos acontecimientos que han perturbado la paz de aquella República y producido la caída del Presidente Zelaya. Lo lógico, lo usual y hasta lo humano sería que, una vez que aquel gobernante ha caído, yo suprimiese los elogios y los sustituyese con las más acerbas censuras. Me permitiré la satisfacción de dejar intacto mi juicio."

Rubén, en efecto, correspondiendo con nobleza a las atenciones que acababa de brindarle en Nicaragua su Presidente, no escatimó las alabanzas —a su juicio, merecidas—, a la labor patriótica que había desarrollado allí el citado gobernante. Véase:

"Yo no había tratado nunca al general Zelaya. Le conocía por la Prensa, por los elogios de sus partidarios y por los denuestos de sus enemigos emigrados. Los primeros entonaban el natural himno. Los segundos le hacían aparecer como "el perturbador de la paz en Centroamérica", como un sátrapa cruel y terrible, como uno más en la lista de los famosos sultanes hispanoamericanos que han oscurecido y enrojecido la historia de nuestras nacionalidades. Un espadón, un machete. Nada más.

"Me encontré con un caballero culto, de noble presencia, correcto, serio, afable... Fue educado en Francia,
en Versalles. Su padre fue íntimo amigo y compañero
del célebre luchador de la Unión Centroamericana, Máximo Jerez. De él heredó el general Zelaya el culto por
ese ideal patriótico y por los principios liberales. En Nicaragua le alaban los liberales por haber quitado el Poder
al partido conservador, que dominaba desde hacía treinta años.

"Zelaya ha sido admirado como un héroe de la guerra,
pero no ha faltado quien haga ver sus méritos y preemi-
nencias como héroe de la paz. Fijaos bien los que sabéis
por experiencia lo que son los prestigios de los caudi-
llos, la dificultad que hay en las inorgánicas democracias
para transformar la obra activa de la guerra en la obra
progresiva de la paz. El general Zelaya es un ejemplo admirable."

El viaje a Nicaragua es un libro ameno y útil. Se lee
sin la menor fatiga. El autor habla del país, de su historia, de sus escritores, de sus políticos, de sus mujeres,
de sus costumbres. Intercala recuerdos personales de su
no olvidada mocedad.

Empieza el libro así:

"Tras quince años de ausencia, deseaba yo volver a
ver mi tierra natal. Había en mí algo como una nostalgia del trópico. Del paisaje, de las gentes, de las cosas
conocidas en los años de la infancia y de la primera juventud. La catedral, la casa vieja de tejas arábigas en
donde despertó mi razón y aprendí a leer; la tía abuela
casi centenaria, que aún vive; los amigos de la niñez que
ha respetado la muerte y tal cual linda y delicada novia,
hoy frondosa y prolífica mamá, por la obra fecundante
del tiempo. Quince años de ausencia... Buenos Aires, Madrid, París y tantas idas y venidas continentales. Pensé

un buen día : iré a Nicaragua. Sentí en la memoria el sol
tórrido y vi los altos volcanes, los lagos de agua azul en
los antiguos cráteres, así vastas tazas demetéricas como
llenas de cielo líquido.

"Y salí de París hacia el país centroamericano, ardiente y pintoresco, habitado por gente brava y cordial,
entre bosques lujuriantes y tupidos, en ciudades donde
sonríen mujeres de amor y gracia..."

El poeta escribe a gusto, escribiendo sobre sus pa-
trios lares las páginas de su viaje.

"En un feliz amanecer divisé las costas nicaragüenses, la cordillera volcánica, el Cosigüina, famoso en la
historia de las erupciones ; el volcán del Viejo, el más
alto de todos, y más allá el enorme Momotombo, que fue
cantado en *La leyenda de los siglos,* de Víctor Hugo. Por
fin entró el vapor en la bahía, entre el ramillete de rocas
que forman la isla del Cardón y el *bouquet* de cocoteros
que decora la isla de Corinto. Y aquí otra pluma comen-
zaría a reseñar la serie de fiestas incomparables de cordialidad, verdaderamente nacionales, que celebraron la
llegada del hijo por tantos años ausente.

"Saludé a Chinandega, famosa por sus naranjas, por
su fecundidad agrícola ; saludé a León, la ciudad episco-
pal y escolar donde transcurrieron mis primeros años.
Saludé a Managua, asiento del Gobierno ; a Masaya, florida y artística. ¡Viajes de palmas y flores! En mi recuerdo estarán siempre llenos de sol y de alegría. En
esas horas de oro y fuego nunca pensé, como el terrible
amigo pesimista, que no lejos de los domingos de ramos
están los viernes santos."

Luego, hablando a sus compatriotas :

"Yo he navegado y he vivido ; ha sido Talasa amable conmigo, tanto como Deméter, y si la cosecha de angustias ha sido copiosa, no puedo negar que me ha sido

dado contribuir al progreso de nuestra raza y a la elevación del culto del Arte en una generación dos veces continental.

"Como alejado y como extraño a vuestras disensiones políticas, no me creo ni siquiera con el derecho de nombrarlas. Yo he luchado y he vivido, no por los Gobiernos, sino por la Patria; y si algún ejemplo quiero dar a la juventud de esta tierra ardiente y fecunda, es el del hombre que desinteresadamente se consagró a ideas de arte, lo menos posiblemente positivo, y después de ser aclamado en países prácticos, volvió a su hogar entre aires triunfales..."

Se sumerge Darío gustosamente en la naturaleza de su tierra natal.

"La flora tropical es de una belleza que causa como una sensación de laxitud. El paisaje diríase que penetra en nosotros por todos los sentidos, y hay una furia de vida que con su proximidad enerva. Se creería que bajo la vasta techumbre azul de un firmamento que se rayaría como una estrella, flota un efluvio estimulante para el espíritu y para la sangre; pero cuyo estímulo se convierte en languidez, en desmayo voluptuoso: un *far tutto* que se deslíe en el *far niente*... ¿No acaba de saberse esta declaración de cierto doctor: que no es dudoso que un estímulo solar demasiado intenso y demasiado prolongado conduce a la depresión, y que es a esa causa a la que ciertamente hay que atribuir la *nonchalance* de los habitantes de los países cálidos?"

Más adelante:

"Entre todas las plantas que atraen las miradas, llévanse la victoria palmeras y cocoteros, que en el europeo despiertan ideas coloniales, los viajes de los antiguos bergantines y las inocencias de Pablo y Virginia, de cuyo casto absurdo convencen los relentes de las selvas y las continuas insinuaciones de la tierra. El Trópico transpira savias amorosas; y allí Cloe daría a Dafnis las dulces lecciones de manera que dejaría suspensa por el asombro encantado la pastoril flauta de Longo. El bananero erige su ramillete de estandartes, de tafetanes verdes, sobre los cuales, cuando llueve, vibra el agua redobles sonoros; y las palmeras varias despliegan, unas, bajas, como pavos reales, anchos esmeraldinos abanicos; otras, más altas, airosos flabeles; las otras son como altísimos plumeros, orgullosas bajo el penacho, ya entreabierta la colosal y oleosa y dorada flor del "coroso", ya colgante la copiosa carga de cocos, cuya agua fresca y sabrosa es la delicia de las canículas."

Repasa Rubén algunos aspectos de la historia de su país. El período colonial fue sombrío:

"El período colonial es sombrío para la vida intelectual. Así, hasta la Revolución francesa, que tuvo en todas partes repercusión. La prohibición de que llegasen libros extranjeros concluyó con las ordenanzas de Carlos III. La Enciclopedia, en aquellos países, como en el resto de América, ayudó a preparar la independencia. Un fraile eminente, el Padre Goicoechea, dio nueva luz a los estudios filosóficos, antes envueltos en mucha teología y mucho peripato. Hay que advertir que fueron también clérigos los que, como antaño la sombra, hacían ahora la luz."

Hablando de sus compatriotas intelectuales, Darío se fija en algunos. He aquí algo de lo que dice de Gámez:

"Gámez, cuya actuación política ha sido mucha y muy agitada, es uno de los más firmes sostenedores de las ideas liberales en Centroamérica. Su radicalismo es fundamental, y su intransigencia, reconocida. Así, en su obra no busca disimular las tendencias preferidas de su espíritu. "Yo —dice en la Introducción de su *Historia de Ni-*

caragua— debo declararlo con franqueza: no puedo ni podría nunca ocultar mis simpatías por el sistema republicano, por las luchas en favor de la independencia y libertad de los pueblos, por los progresos modernos y por las avanzadas ideas del liberalismo en todas sus manifestaciones", etc. De esta manera, en su producción hay siempre un vago relampagueo de jacobinismo que se hace advertir entre la facilidad y la claridad de su discurso."

Véase lo que escribe sobre Enrique de Guzmán, crítico que no manifestó gran simpatía por Darío, cuando éste iniciaba en su tierra los primeros aletazos del vuelo que pronto le llevaría tan alto y tan lejos.

"El señor Guzmán se dedicó a la política y a la gramática. En lo segundo ha tenido por allá, en años ya lejanos, bastante éxito. Es un hombre de cierta lectura, con dotes socarronamente satíricas y cuya manera ha consistido en mezclar al chiste castellano y a la cita clásica algo de la pimienta un poco fuerte y del "chile" usual en su parroquia. De este modo el señor Guzmán es menos gustado en el resto de Centroamérica que en Nicaragua; y en Nicaragua, para saborearlo por completo, se necesita ser de su ciudad de Granada y, posiblemente, de su barrio. Es algo, por otra parte, semejante al español Valbuena, con más cultura; mezcla taimadamente a falsas inocencias de cura oblicuo desplantes y pesadeces de dómine criollo."

Santiago Argüello, el doctor Debayle y don José Madriz figuran también entre los que reciben de Rubén unas finas palabras afectuosas.

A la mujer nicaragüense dedica "su poeta" estas palabras:

"La mujer nicaragüense no tiene un tipo marcadamente definido entre las del resto de Centroamérica; pero hay en ella algo especial que la distingue. Es una especie de languidez arábiga, de *nonchalance* criolla, unida a una natural elegancia y soltura en el movimiento y en el andar. Como en las Antillas, como en casi todas las Repúblicas sudamericanas, abunda el color moreno, el cabello negro; pero no son escasas las rubias. Solamente que el clima no deja durar mucho los oros de los primeros años. Así, el rubio claro o áureo se torna en castaño; las cabelleras se oscurecen, prevaleciendo tan sólo el encanto de la mirada azul. Los cascos de ébano o azabache son de copiosa riqueza. La herencia española delata su procedencia extremeña, castellana o andaluza. Sorprende gratamente el gran número de cuerpos altos y esbeltos que caminan con singular gallardía."

Pasa por la pluma del viajero la ciudad de León, su ciudad amada:

"León tiene el aspecto de una ciudad de provincia española. Las casas antiguas están construidas con adobes —la palabra y la cosa se usan aún en Castilla la Vieja—. Pesadas tejas arábigas cubren los techos. Las casas de dos o tres pisos son pocas. Hay muchas iglesias y una famosa catedral comenzada en el siglo XVIII y concluida a comienzos del XIX. Allí he reconocido muchas cosas que viera siendo niño. Los retablos, las pinturas, los altares, el púlpito, los restos de dos mártires llegados antaño de Roma: San Inocencio y Santa Liberata. Y he recorrido, evocando memorias, la vasta fábrica... Y vi de nuevo en el baptisterio la pila en que recibí nombre y en que me tuvo mi señor padrino, don José Jerez, en representación de su padre, el ilustre general.

"Hay un club donde los caballeros de la ciudad se distraen. En la juventud predomina la afición a las letras, a la poesía. Yo dije a los jóvenes en un discurso que eso era plausible; pero que, junto a un grupo de líricos, era útil para la República que hubiese un ejército de laboriosos hombres prácticos, industriales, traficantes y agricultores. La civilización moderna, fuera de sus luchas terribles, ha comprendido a su manera el mito antiguo: los argonautas eran poetas; pero iban en busca del Vellocino de Oro. Hoy, como siempre, el dinero hace poesía, embellece la existencia, trae cultura y progreso, hermosea las poblaciones, lleva la felicidad relativa a los trabajadores. El dinero bien empleado realiza poemas, hace palpables imaginaciones, hace danzar las estrellas y puede traer toda suerte de bienes, de modo que los hombres bendigan las horas que pasan y se sientan satisfechos.

"¡Oh, pobre Nicaragua —concluye así Rubén su libro—, que has tenido en tu suelo a Cristóbal Colón y a fray Bartolomé de las Casas, y por poeta ocasional a Víctor Hugo: sigue tu rumbo de nación tropical; cultiva tu café y tu cacao y tus bananos; no olvides las palabras de Jerez: "Para realizar la unión centroamericana, vigorízate, aliéntate con el trabajo y lucha por unirte a tus cinco hermanas"!"

"LETRAS"

Veintitrés artículos forman este libro aparecido en París, en 1911, el último de los tres que de Darío publicó la casa Garnier. Pagó ésta los derechos de autor sólo con doscientos francos. El libro no lleva dedicatoria. Su título declara su contenido: letras, temas literarios, breves semblanzas de gente de pluma, impresiones de lecturas.

Autores de varias nacionalidades se reparten los comentarios aquí reunidos. Predominan los españoles; Castelar, Cavia, Nogales, Zayas, el conde de las Navas figuran con artículos enteros. Se asoman también Catulle

Mendès (a propósito de su trágica muerte), Leon Daudet (con motivo de un libro suyo), Eugenia de Guerin, Saint-Pol-Roux, y el inglés Arthur Symons, y el belga Maeterlinck, y el portugués Osorio de Castro, y los hispanoamericanos Bonafoux, Pichardo, Tulio Cestero, Eugenio Garzón, y el brasileño Elisyo de Carvalho, y, en fin, el italiano Marinetti con su terrible "futurismo". ¡El futurismo de Marinetti, que tanta tinta hizo gastar por aquellos años anteriores a la primera de las guerras mundiales, y hoy vemos como un *pretérito* marchito y vacío...! Porque muchas tonitruantes y espectaculares *vanguardias* estéticas pasan a ser, cuando las cruza la segur del tiempo, no más que tristes, tediosas y desacreditadas *retaguardias*...

La falta de espacio, que empieza a agobiar, no permite traer a este sitio, del dicho libro de Rubén, sino sólo dos muestras.

"Cuando comencé a dar a mis ansias artísticas, hace ya cerca de veinticinco años, los nuevos rumbos que habían de traerme en América y en España tantos amigos y enemigos —"todo buena cosecha"—, uno de mis maestros, uno de mis guías intelectuales, después del gran Hugo —el pobre Verlaine vino después—, fue el poeta que de modo tan horrible ha muerto, tras de vivir tan hermosamente: Catulle Mendès. Mi admiración fue siempre la misma, aun después de la nueva moda de revisar valores. Siempre le tuve por un admirable artífice de la palabra y por un espíritu alta y elegantemente romántico. Fue uno de los pajes predilectos del emperador de la *Leyenda de los siglos*. Yo no le traté personalmente, y vale más. Fue un bizarro conquistador de amores. Hizo poética su vida. Hasta sus últimos años tenía, en un cuerpo ya cargado de edad, el alma fresca. Su muerte, ¿un suicidio? Imposible. Anacreonte muere de otra cosa."

La mujer cubana: "Todas las mujeres bellas del mundo tienen sus encantos especiales; mas el encanto de la mujer cubana es único, por su algo de Oriente, por una fascinación misteriosa, porque, por pudorosa que sea, hay en ella como un incesante y secreto llamamiento..."

"TODO AL VUELO"

Ultimo libro de artículos de Rubén Darío publicado en vida del autor; en realidad, "su último libro", toda vez que el único que le siguió —la Autobiografía— no se dio en volumen con su autorización, ni con su conformidad, ni con su deseo, ni con su complacencia. Más de una vez hemos dicho cómo fue aquello. Aquella autobiografía, escrita —repitámoslo— para la revista *Caras y Caretas,* habría sido seguramente corregida y ampliada por su autor, si la vida de éste hubiera alcanzado mayor edad. Cuando él la vio, sin ocultar su disgusto, en un tomo "pirata", pocos meses le quedaban ya a su vida de aliento. Vencido irreparablemente en su salud, vivía las postreras etapas dolorosas de su cuerpo.

En 1912, la Editorial Renacimiento era, sin duda, una de las mejores y más prestigiosas de cuantas en Madrid funcionaban. Por entonces figuraba como director literario de ella Gregorio Martínez Sierra. Dirigiéndola éste, no podía faltar en el catálogo de aquella Casa el nombre de Rubén Darío, dada la admiración sin trampa que el autor de *Canción de cuna* sentía por el de los *Cantos de vida y esperanza.* No tenía Rubén por aquellos días libro de versos que ofrecer y entregar a su amigo. Los que, ya escritos, no habían entrado en las páginas de sus volúmenes anteriores, no eran considerados por él dignos de ser sacados de los periódicos donde estaban encerrados, casi olvidados, para reunirlos en libro. Tuvo, pues, el poeta que acudir, una vez más, a su prosa, y con un manojo escogido de sus habituales artículos formó el tomo al que puso por título la frase campoamorina: *Todo al vuelo.*

El libro *Todo al vuelo* consta de tres secciones: *Films de París, Algunos juicios* y *Varia.* La primera sección se compone de dieciocho artículos (algunos muy breves). En la segunda se habla de Valle Inclán, Amado Nervo, Carrasquilla Mallarino, el doctor Luis H. Debayle, Francisco Contreras, la literatura en Centroamérica y la poesía asturiana. Numerosos versos de distintos autores acompañan a estos "juicios".

La última parte, *Varia,* es —como con esta palabra se dice— una miscelánea. Sus trece títulos anuncian la diversidad de sus temas: *En el Barrio Latino, El reino de las tinieblas, Róosevelt en París, El fin del mundo, La comedia de las urnas, La vida de Verlaine, A propósito de Chantecler, La Francia de hoy, Bostock* (el domador de fieras), *París y Eduardo VII, Un libro sobre Chile* (de Poirier), *Las memorias de la señora Daudet* y *Lo trágico del progreso.*

Es ameno y está escrito con cierta gracia el primer artículo de esta última sección. Habla Rubén:

"En este atrayente París siempre tengo de América o de España un amigo a quien hay que ciceronear, que pilotear, que llevar de aquí a allá, según sus deseos. El más reciente, después de haber recorrido los museos, los monumentos principales, los teatros, me dijo:

—¡Ahora deseo conocer un poco la bohemia, esa alegre bohemia del Barrio Latino!

—Señor mío —le dije—, ésa no existe.

—¡Cómo! ¿No existe? ¿Y Rodolfo y Mimí?

—Difuntos.

—Pero usted ha hablado, hace algunos años, de la bohemia del Barrio Latino en *La Nación*.

—¡Sí, hace doce años! Las cosas han cambiado. De todas maneras, para que usted se convenza, iremos a verlo.

Y fuimos esa misma noche.

Comenzamos por visitar los clásicos cafés D'Harcourt, Vachette, Soufflet. Unos cuantos caballeros particulares, solos o en compañía de más o menos elegantes damas y damiselas.

—¿Y los estudiantes?

—Esos son los estudiantes.

—¿Y esa gravedad?

—Los estudiantes actuales son graves, gravísimos. Han leído todos los libros y tienen la carne triste.

—¿Y los gorros tradicionales?

—Suelen llevarlos los que no son estudiantes. Fijaos. Esos jóvenes bien vestidos trascienden a bulevard, y no al de Saint Michel. Son vividores y arribistas. Juegan a las carreras y se mezclan en las pequeñas políticas. El antiguo estudiante, desinteresado, jovial, buen muchacho, lírico o cancanista, ha desaparecido. Y entre las filas de los nuevos no es raro encontrar el candidato a lo correccional, el sospechoso galán que aquí tiene un nombre ictiológico, y hasta el futuro cliente de los presidios. Mi querido señor Murger es ya tan viejo como Villon, y las Mimís de hoy conocen Saint Lazare por repetidas visitas.

Fuimos a comer a la *taverne* del Pantheon.

Las mesas estaban casi todas ocupadas, bajo el plafond en donde triunfa la apoteosis de Verlaine. ¡Del pobre Verlaine! Nos sentamos y pedimos el *menu*, que, como en los grandes restaurantes, no tiene los precios

marcados. Oímos que se detiene a la puerta un automóvil, y un joven, con una muy bien prendida cocota, entran
y van a sentarse no lejos de nosotros. Un caballero, a mi
lado, con la roseta de la Legión de Honor, solo, se aplica
a una sustanciosa perdiz trufada, regada con un Burdeos
venerable. Es el actor Mounet Sully. El *joumelier* va de
un punto a otro, apuntando los vinos. ¿El joven y su
compañera, que acaban de entrar, comerán con *cordon
rouge?* Hay un ambiente de elegancia y de alta *noce* que
choca a mi amigo en semejante lugar. ¿Pero no es éste
un centro de estudiantes?

—Es éste un centro de estudiantes. No estamos en el
café de París; estamos en la *taverne* del Pantheon. Pero
el estudiante de hoy, rico o vividor, viene en automóvil, tiene una querida de lujo y come con *cordon rouge.*
¿No os parece que se pierden en las lejanías de un tiempo tan fabuloso como el de Homero las figuras de Schau-
nard, de Colline, de Marcel y "la influencia del azul en
las artes"...? Sí, amigo mío: todo eso es un pasado ensueño. Y al estudiante actual que le preguntaseis si ha
leído la novela cara al maestro Puccini os respondería
sin vacilar: *Ne la connais pas!"*

Siempre es grato entresacar, de los libros de Rubén,
algunos párrafos, conceptos, expresiones, frases que sirven para ponernos de manifiesto, no sólo el pensamiento
de su autor, sino su estilo, su "verbo".

De este libro que ahora repasamos recogemos algo.

En su *Adiós a Moreas,* escribe Rubén: "Me encan-
taba que fueses de Grecia y que te llamaras Papadiaman-
topoulos." A Roosevelt lo califica de "hipopotamicida y
rinoceróctono". Y hablando del "burro pintor", se ex-
playa:

"Exasperados unos cuantos hombres de pluma, de pin-

cel, de buen humor y de pésimas intenciones, de ver cómo
todos los años, en el Salón de los "Independants", unos
cuantos sofisticadores cabelludos y otros cuantos igno-
rantes atrevidos, entre algunos innovadores de talento
que pierden, naturalmente, con la vecindad, exponen
croûtes innominables y mamarrachos indescriptibles, ante
los cuales no faltan zopencos que creen ver lo invisible
y adivinar el ombligo del símbolo; aquellos hombres,
digo, de pluma, de pincel, de buen humor y de pésimas
intenciones, fueron a un café de Montmartre en cuyo patio hay un burro, ataron a la cola de éste un pincel, co-
locaron hábilmente la tela preparada, y colazo va y colazo viene, mojado el apéndice en colores vivos y distintos, resultó un cuadro de un ultraimpresionismo de
hacer aullar perros de piedra. Antes habíase lanzado un
manifiesto, como el de los pintores amigos del poeta Marinetti. Y al asno, que se llama *Lolo,* se le hizo aparecer
como jefe de la escuela excesivista, con el nombre italiano de Joaquín Rafael Boronali; Boronali, Aliboron ana-
gramado. Todo, bajo el amparo de la vieja alegría gala y
el patronato del cura de Meudon.

"El cuadro del burro se expuso en el mentado Salón
de los Independientes. Más independencia no puede seguramente haber...

"Ya sé ahora en qué consiste la pintura para muchas
gentes: consiste en colocar en un cuadro, de preferencia
dorado, una tela untada de colores variados. Siempre se
encuentra un público que admire. Los embadurnadores
que llenan el *Salon des Independants* y ahogan con sus
producciones, que se podrían atribuir a geómetras de-
mentes, las obras notables con que justamente se enorgullece esta exposición, han hecho mal en enojarse. No
había entre ellos sino un asno más."

"LA VIDA DE RUBEN DARIO ESCRITA POR EL MISMO"

Casi todo lo que acerca de la autobiografía de Rubén Darío cabe decir en nuestro libro, ha quedado dicho ya. Sabemos, pues, cuándo, dónde y con qué destino trazó el poeta ese interesante y ameno relato de su vida. Publicóse bajo este título: *La vida de Rubén Darío, escrita por él mismo.* Compónese de sesenta y cinco capítulos; ninguno largo y algunos muy cortos.

Como ha de suponerse, la *Vida* es libro de imprescindible consulta para todo el que quiera conocer los pasos de Rubén por el mundo. Cierto es que la mayor parte de los hechos relatados no queda bien puntualizada. Como lo es también que en tal obra hay omisiones de importancia, errores y descuidos y una redacción un tanto pobre. Mucha de esa prosa no fue escrita por la mano de su autor, sino dictada —lo que no es lo mismo—, y en algunos pasajes dictada con prisa. Así, el libro no está generalmente estimado por su "estilo"; estilo inferior, sin duda, al de sus libros mejores; pero contiene párrafos muy jugosos y expresivos. Dentro de lo que podemos llamar "prosa periodística", merece un elogio que no hay por qué regatearle.

Son numerosos los trozos de la autobiografía de Rubén que hemos intercalado, como se habrá visto, en la parte biográfica de nuestra obra; aquellos que, a nuestro juicio, ofrecen mayor interés. Huelga, por tanto, hacer aquí lo que ya hemos hecho con los anteriores libros del autor. Pongamos solamente sus cinco renglones finales:

"En lo íntimo de mi casa parisiense me sonríe infan-

tilmente un rapaz que se me parece, y a quien yo llamo
Güicho...

"Y en esta parte de mi existencia, que Dios alargue
cuanto le sea posible, telón."

El 5 de octubre del año 12 estampaba Rubén esas palabras; echaba su "telón". Dios no alargó su vida cuanto el poeta le pedía: sólo tres años y cuatro meses. Tiempo que, en cuanto a salud, inquietudes y felicidad hoga-
reña, no puede inscribirse sino en la zona peor, en la
más penosa y amarga, de aquella vida bamboleante.

NOVELAS Y CUENTOS

RANDE como poeta e insigne como cronista, Rubén Darío, como novelista, carece de
valor e interés. Fue, sin embargo, cuentista
admirable. En tres novelas puso mano;
más le habría valido no haberla puesto en
ninguna.

Son esas novelas: la primera, *Emelina* (escrita en colaboración y apresuradamente, teniendo él veinte años);
la segunda, *El hombre de oro* (novela arqueológica que
quedó sin terminar y de la cual su autor sólo publicó,
en Buenos Aires, en 1897, sus cuatro primeros capítulos),
y la tercera, *Oro de Mallorca*. De ésta no se conocen sino
ligeros fragmentos; pero hay quienes han sostenido que
Rubén llevaba muy adelantada su ejecución cuando dejó
de trabajar en ella. Así, pues, con una obra hecha en colaboración, otra no concluida y otra de la que únicamente se conserva una pequeña parte, la actividad novelística
de Darío no puede ser más precaria.

Cuando se publicó *Emelina* (Santiago de Chile, 1887),
Rubén escribió en su prefacio estas líneas nada orgullosas:

"Nuestra novela tiene todos los tropiezos de un primer libro. ¡Ah, escrita para un Certamen, en diez días, como la suerte ayudaba, sin preparación alguna, hay que confesar que ella pudo ser peor! Tal como es, sin pretensiones, sencilla, franca, va al público *a buscar fortuna.* Hemos procurado el esmero de la forma y la bondad del fondo, sin seguir para lo primero lo que llama Janin *folies du style en délire,* ni para los segundos el *Ramillete de divinas flores."*

Emilio Gascó Contell incluyó esa novela en las Obras completas de Rubén editadas por Afrodisio Aguado, haciéndola preceder de algunas palabras en las que dice: "Los buenos rubenianos la acogerán con interés y hallarán, sin duda, entre las ingenuidades e impericias de la narración, claros antecedentes de la parte que corresponde al gran poeta, entonces incipiente, y del brillo con que ya apuntaba la originalidad de sus imágenes."

Muy "rubeniano" hay que ser para darle a la *Emelina* más valor del poco que realmente posee.

Francisco Contreras reimprimió la novela, en París, en 1927, como tomo primero de una "Colección de obras desconocidas de Rubén Darío"; colección que, mordiendo el fracaso, no pudo proseguir.

Eduardo Poirier (el colaborador, en tal novela, de Darío) era traductor de folletines y relatos de aventuras que hacía para la Prensa de Chile, y tenía cierta pericia en lo de armar y desarrollar asuntos novelescos. Rubén carecía de ella y jamás la tuvo, porque ese género quedó siempre al margen de su actividad literaria.

Leyendo hoy *Emelina* es imposible concretar lo que en ella pertenece a la pluma de cada uno de los dos colaboradores. El estilo no tiene personalidad; se mueve dentro de los tópicos y generalidades amaneradas usuales en la novelística de aluvión; es libresco, al par que ingenuo, y está cuajado de reminiscencias de lecturas.

Pasados los años, al referirse Rubén a ese fruto juvenil de su pluma tuvo para él estas desdeñosas palabras: "novela que firmé en gracias a la adorada bohemia, y de la cual no me quiero acordar".

También en la citada edición de Afrodisio Aguado se reproducen los cuatro únicos capítulos conocidos de *El hombre de oro*. Había de tener esta novela por escenario y ambiente la Roma imperial de Tiberio César. ¿Por qué —se preguntan algunos— no la continuó Rubén Darío, habiéndola comenzado con tanto vigor...?

Se ha sostenido que renunció a seguirla por haberle desanimado el éxito, "inmerecido pero grande", que por aquellos finales del siglo XIX alcanzaba en todas partes la novela *Quo Vadis?*, del polaco Sienkiewicz. También se ha atribuido el hecho al viaje que en 1898 emprendió el poeta a España.

Hemos aludido a los cuentos de Rubén, calificándolos de "admirables". Lo son algunos de ellos. Treinta y seis es el número de los conocidos hasta la fecha; "hasta la fecha", decimos, porque cabe la posibilidad de que aún haya más de uno ignorado de los recopiladores.

En el libro *Azul* se publicaron, como ya dijimos, doce. Son los más celebrados del autor, elogiados por don Juan Valera y después por otros críticos. Más adelante, Rubén dio a los periódicos los veintitantos cuentos que, con los doce mencionados, forman su producción de cuentista.

PROSAS VARIAS

ODERNAMENTE, superando las tentativas similares hechas con anterioridad, ha sido la Editorial de Afrodisio Aguado la que nos ha dado en España una buena edición de "obras completas" de Rubén Darío. Figuran éstas en cinco tomos: los cuatro primeros, de prosa; el último, de verso. Fechado el de verso en 1953, sigue, con algunas mutilaciones censurables, la recopilación del señor Méndez Plancarte, pero faltan las composiciones por éste agregadas con posterioridad a dicho año.

En los cuatro tomos de prosa, que totalizan más de 4.600 páginas, se recogen todos los libros publicados en vida de Rubén y un gran número de trabajos sueltos, que los editores distribuyen bajo los trece títulos siguientes: *Páginas de arte, Impresiones y sensaciones, El mundo de los sueños, Crónica literaria, Semblanzas, Cabezas, Cuentos, Poemas en prosa, Mundo adelante, Mensajes, Juicios, Crónicas* y *Crónica política.*

¿Figura en los citados volúmenes *toda* la obra en prosa escrita por Rubén Darío? Claro es que no. De lo ya publicado en tomo, falta ahí, desde luego, el *Episto-*

lario. Ciertamente que, en el rigor del término, *una carta,* por su carácter privado, no puede considerarse como *una obra.* Sólo las cartas que un escritor destina al público y hace públicas se evaden de tal carácter y entran de lleno en la producción literaria de su autor.

El *Epistolario* de Rubén Darío, con todo lo que hay en él de poco interesante, presenta rasgos de interés evidente. Más que para el público, sirve hoy para el biógrafo y crítico del maestro, por las noticias que transmite. Si su firmante resucitara, ¿aprobaría el hecho de que se hayan sacado a la luz de las gentes lo que él no escribió con tal finalidad, y sí solamente para determinadas personas? Lo estrictamente personal, privado, incluso íntimo, de un hombre conocido ¿hay derecho a darlo a la publicidad, para satisfacer curiosidades no siempre limpias?... Bien puede asegurarse que muchísimos escritores, de haber sabido que palabras de su intimidad se sacarían de esa cerrada zona, para entregarlas al público, se hubieran abstenido prudentemente de llevarlas al papel... (*).

(*) Numerosas cartas de Rubén se recogen en varios de los libros a él dedicados. Citemos estos: *El archivo de Rubén Darío,* por Alberto Ghiraldo; *Cartas de Rubén Darío,* por Dictino Alvarez; *Este otro Rubén Darío,* por Antonio Oliver Belmás, y *Acompañando a Francisca Sánchez,* por Carmen Conde. También en el Epistolario del poeta, publicado en 1920, con prólogo de Ventura García Calderón.

PALABRAS FINALES

L cumplirse el centenario del nacimiento de Rubén Darío, ya pasado el medio siglo de su muerte, ¿puede realizarse un estudio a fondo y cabal de la personalidad literaria de ese famoso maestro, sin que enturbien el análisis, y mucho menos el juicio que de él llegue a desprenderse, ni la parcialidad admirativa ni el apasionamiento adverso, peor aún, en nuestra opinión, para toda labor que seriamente pretenda valorar una obra artística?

Es obra, la de Rubén, a la cual se adhiere todavía una cierta retórica impregnada de sentido apologético que, naturalmente, no nos sirve hoy sino en modesta escala. Por otro lado, tampoco la vemos ya desprovista de las salpicaduras de aquellas diatribas que padeció en su tiempo.

Toda labor humana que entra en los campos del arte con aliento revolucionario, con el propósito de desprestigiar, hasta destruir, los modelos vigentes y consagrados, sustituyéndolos por nuevas formas de expresión, renovando conceptos, estilos, dicciones, ha de recibir necesariamente la ofensiva de cuanto se ve combatido, menospreciado y desdeñado por la recién llegada acometividad del artista renovador. La ofensiva, hemos dicho. Mejor será decir "la defensiva". Porque, en realidad, la ofensiva es la que parte de la posición nueva, de la nueva actitud artística, no de aquella usual y dominante que se ve de pronto en las encrucijadas del peligro. Esta, lo que hace es defenderse.

Creemos que el estudio de la personalidad literaria de Rubén Darío puede avanzar considerablemente en nuestros días, aprovechando para ello, no sólo el tiempo transcurrido desde la desaparición del poeta, muertos ya todos los que por su mismo tiempo juzgaron su obra, sino también el aluvión de pareceres que ya esa obra ha levantado en la zona, no muy frondosa por cierto, de nuestra crítica estética.

¿Qué impresiones recibe hoy, leyendo los versos y las prosas de Rubén —los versos, sobre todo—, un inteligente y sensible lector? ¿Qué puede pensar de esa obra? ¿Qué le hará sentir ella, habituado tal lector a la poesía que en estos momentos de crisis se escribe y circula, rodeada en muchos casos de ditirambos desatados?

Huelga afirmar que, para muchos de nuestros actuales poetas, la producción poética de Rubén ya está "pasada", y aun harto pasada, poniendo en esta calificación un poco disimulado desprecio.

Pero nosotros, sin dejarnos sugestionar por las sirenas de la moda (¡y cuánta moda hay en las letras!), y haciendo lo posible por mantener ecuánime nuestra manera de enjuiciar, forzosamente deberemos reconocer la altura de una poesía que, con todos sus defectos, nunca por nosotros ocultados, se nos impone; en primer lugar, por sus modulaciones de verbal armonía; luego, por sus rasgos de originalidad; después, por sus audacias y gracias de dicción, y finalmente, por la sinceridad que de toda ella brota, fresca y jugosa.

Muchas de las composiciones de este gran poeta ni-

caragüense están afeadas por distintos vicios: galicismos, faltas de concordancia, oscuridades, puerilidades y,
si bien en menor suma, ripios. Acaso pueda decirse, de
sus mejores poesías, de las más famosas y celebradas,
que ni una sola se halla totalmente exenta de defectos.
Pero siempre se ha sostenido en la crítica —y podemos
admitirlo casi como artículo de fe— que las deficiencias
de forma en una obra "lograda", en una obra de concepción feliz y ejecución poderosa, no pasan de ser "lunares"; en ocasiones, lunares graciosos, y en ocasiones, no
deslucidores de la belleza del conjunto que admiramos.
En algunos casos, dentro de la producción de Darío, la
corrección de tales deficiencias sería sumamente fácil, y
aun aconsejable, con todos los respetos debidos a la integridad de los originales.

La poesía de Rubén Darío, ni nace libre de influencias, ni se desarrolla después al margen de ellas. Maestros españoles y franceses son los que ejercen los dichos
influjos. Los segundos, principalmente, en la aplicación
de ciertos metros, algunos de los cuales, como el eneasílabo, carecen de tradición y de ejemplos salientes en la
poesía castellana. Recordemos que Rubén fue muy aficionado al eneasílabo.

Leyendo con orden —nosotros lo hemos hecho— toda
la labor versificada del poeta, se nota claramente que la
diversidad es una de sus características más acentuadas.
Son, en efecto, muy ricas en Darío la temática, la expresión, la frase, la música. No es él, desde luego, ni poeta
monocorde, ni poeta estancado, ni poeta amanerado.
Siempre parece querer ir, cuando versifica, algo más allá
de lo que tiene ya conseguido. Se le ve buscar, cambiar,
variar, enriquecerse en "motivos" y enriquecer su vocabulario.

Sus lecturas predilectas —las de autores franceses y

españoles, como hemos indicado— pasan por su espíritu sin dejarlo prisionero de la imitación servil. Las dichas lecturas quedan en él saboreadas, asimiladas; no ahogan nunca lo que en su voz existe de personal y propio.

Rubén es escritor de los que (como hoy se dice) tienen "mensaje" que comunicar a sus lectores, y nos lo muestra lozano, pujante y certero.

De su vida, tan intensa, ajetreada, dinámica, apasionada, en la cual nunca estuvieron mudos ni el dolor ni el placer, ni la inquietud ni la esperanza, sacó el poeta mucha de su poesía. Fue de los que, atentos al *si vis me fiere dolendum* horaciano, no extraen las raíces de su obra sino del fondo mismo de su sentimiento.

Numerosos amigos tuvo, y quienes le trataron con intimidad coincidieron en asegurarnos que jamás vieron en él, pese a ciertas engañosas apariencias, ni *pose* preparada, ni artificio preconcebido, ni intencionado deseo de "atraer al público" con bien calculadas extravagancias. Su poesía fue, pues, en su vida, antes que oficio, manera natural de manifestarse ante los hombres. Muy niño, empieza ya a hacer versos. Nunca abandona, al correr de los años, ese quehacer gustoso. Sus primeros versos de adolescente no declaran nada nuevo; imitan modelos prestigiosos; se deslizan, con espontaneidad, por los cauces acostumbrados en aquellos finales del pasado siglo; no tratan de innovar ni de solicitar la atención con originalidades llamativas. Los cuatro poetas españoles más seguidos y celebrados por aquel tiempo —Zorrilla, Campoamor, Bécquer y Núñez de Arce— son precisamente quienes guían los pasos del mozo centroamericano. Esas imitaciones e influencias son luego abandonadas del todo. La poesía francesa de la época, conocida por el joven bardo y en seguida buscada, gustada, enriquece con nuevas modalidades de forma el juvenil mun-

do poético que en tierras de América se alza a grandes
destinos. Llega seguidamente "lo afrancesado" en su manera de expresarse, y de esta conjunción de lo hispánico
con lo francés nace el modo personal, original, "muy
suyo", del ya famoso Rubén Darío.

La fama le ronda a éste muy pronto. Apenas salido
de sus veinte años, ve él cómo las gentes repiten y elogian
sus composiciones. A los treinta años, es ya escritor al
que se le promete rápida celebridad. A los cuarenta, dis-
fruta de ella, ancha, ferviente. Tiene lectores, admiradores, imitadores y continuadores. Tiene también —mejor,
para hacer mayor el radio de su fama— adversarios, detractores, críticos que le difaman y autores jocosos que
parodian sus "modernismos" con buenas dosis de burla.
Sus libros, de tiradas cortas y de parvas utilidades para
quienes los editan —y de precarias o nulas "ganancias"
para el autor—, alcanzan, sin embargo, extensa difusión,
sonora nombradía y una verdadera selva de comentarios.
No se "colocan" de tales libros cuantiosos ejemplares, pero ya está visto que "los que salen" van a parar a
manos de comentaristas, de adeptos, de propagadores de
sus excelencias.

Contribuyó mucho, claro es, a la divulgación de la
obra de Rubén Darío la sólida posición que, dentro del
periodismo, tenía el poeta. Escribía éste con asiduidad
en uno de los mejores y más leídos diarios de Sudamérica. Su colaboración en *La Nación*, que le duró casi todo
el curso de su "actividad literaria" —más de veinte años;
en ellos se circunscribe la casi totalidad de su producción—, le valió considerablemente para su nombre
—¿cómo dudarlo?—, así como también para su economía particular. Sin los pesos del diario argentino, ¿hasta
dónde habría caído muchas veces la buena vida que el

escritor, con todo derecho, quería darse? Esa vida holgada y rumbosa se le quebró con demasiada frecuencia,
por la imposibilidad de mantenerla sin otro fruto que el
de una pluma. Acaso en otros géneros literarios —el teatro, la novela— habría podido conseguir Rubén la brillante posición económica que su trabajo de cronista y su
labor de liróforo no podían, por supuesto, proporcionarle.

Pudo también haber medrado con la política, aprovechando su vasto renombre para "dorar" con su brillo
un ventajoso pedestal político (¡y qué magnífico campo
el de la política, para ese medro, en nuestra América!);
pero él —ya se vio— no era hombre que supiera aco-
modarse a tan dorados manejos. Y no tuvo la suerte de
hallar un gobernante americano que quisiera "dorar" su
actuación incorporando a ella, con abundancia crematís-
tica, a aquel "Rubén Darío" que tanto sonaba por los
ámbitos de la española lengua.

Un matrimonio de conveniencia, esto es, una esposa
millonaria, también hubiera sido una "solución" para cortar definitivamente las amargas incertidumbres de quien
nunca se veía, en ese terreno, seguro, y siempre temía
naufragar, y frecuentemente se vio en el borde mismo
de la total ruina. Y el caso es que (nuestra biografía lo
recoge) Rubén Darío llegó, en efecto, a pensar con insistencia, ya bien cumplidos sus cuarenta años, en la in-
dicada "solución"; pero todo quedó en proyectos, planes
e imaginaciones. Sus mujeres fueron tres; las dos esposas, centroamericanas como él, no ricas, y la amante, española, pobrísima. Lo que las esposas no pudieron hacer,
la amante lo hizo: cuidarle el mal estado de su salud,
soportarle lo difícil de su carácter, asistirle como enfer-
mera en los accesos malos a que le conducía su incurable
pasión por el alcohol.

¿Fue la de Rubén, pues, una existencia malograda?

No lo creemos, admitiendo, claro está, que pudo haber sido más brillante y venturosa. No se malogra el artista que acierta a dar y a dejarnos el fruto madurecido de su genio. Rubén llegó a darlo. No se malogró, pues.

Tampoco, en realidad, murió muy joven. En cuanto al proceso de su obra, lo escrito durante el último quinquenio de sus días nos permite decir que acaso empezara ya a "agotarse" el frescor y el brío de su numen. Puede afirmarse, porque es verdad, que sus mejores prosas y sus mejores versos no son los que pertenecen a sus cinco años postreros; son los que datan de los corridos entre sus veintiocho y sus cuarenta y cuatro. ¿Habría ganado su producción con mayor número de años en su vida? Cuantitativamente, claro es que sí; en calidad, lo dudamos mucho. Sus últimos versos autorizan nuestra duda.

En fin, el poeta Rubén Darío vivió intensamente; no puso freno a sus deseos ni a sus apetencias; se entregó, tenazmente ilusionado, a cuanto le atraía: los viajes, los placeres del amor, las charlas con los amigos, las copiosas libaciones, los espectáculos, las lecturas... y el gran placer, inmenso, aun con sus espinas dolorosas, de crear; el goce de extraer de su espíritu ese raudal de ideas y palabras que dentro de él se estremecía.

Nos lo ha dejado, como un mensaje limpio y puro de su alma. Lo tenemos entre nosotros, para nuestro largo deleite...

A MANERA DE EPILOGO

Como ya vimos en este libro, Rubén Darío salió de España a fines de octubre de 1914, rumbo a América, donde murió. En su casa de Barcelona, en poder de Francisca Sánchez, quedaron sus libros, periódicos y papeles diversos. Con todo ello, viéndose sin medios para sostener la modesta "torre" barcelonesa en que el poeta la había dejado, Francisca se vino, pocos meses después, a Madrid, y aquí recibió la noticia de la muerte de su amante. Cumpliéronse, pues, sus tristes presentimientos.

Rubén, que ya había testado dos veces en París (febrero de 1906 y enero de 1912) y una en Barcelona (mayo del 14), formuló su último testamento días antes de morir, instituyendo "único y universal heredero de todos sus derechos y acciones, incluso de los correspondientes a la publicación de sus obras", al hijo que tuvo con Francisca, Rubén Darío Sánchez, niño de ocho años y residente en Madrid, al lado de su madre.

Pasaron para Francisca años inquietos y amargos. Dura se le presentaba la vida, pese a la herencia que en su hijo había recaído, por espontánea voluntad del padre. Las obras de éste "no cuajaban" en lo que puede llamarse "un negocio". Sin positivas ayudas de nadie, luego de

intentar establecerse en la corte con una casa de huéspedes, acabó la pobre mujer por marcharse a su tierra natal,
y aguardar en su aldea de Navalsáuz, al pie de la sierra
de Gredos, la llegada de mejores días.

En 1921 se casó con un viudo: José Villacastín, hon-
rado artesano de su misma tierra abulense. Con él tuvo
dos hijos: José, fallecido muy tempranamente, y Carmen.
En 1923 hizo un viaje a Nicaragua, acompañada de su
hijo Rubén y de su marido; éste, ocultando a los nicaragüenses su condición de tal, por motivos fáciles de comprender.

No mucho tiempo después —proximidades del 1930—
Rubén Darío Sánchez volvió al país de su padre. Allí se
casó con Cecilia Salgado, de distinguida familia de Managua. No regresó a España. Tuvo tres hijos y murió, tu-
berculoso, en Méjico, en 1948. Dos años antes había fallecido Villacastín.

Francisca Sánchez del Pozo llegaba a sus setenta años
recluida en Navalsáuz, sola ya y olvidada. Habían muerto
los seres que más estrechamente se ligaron a su vida:
su madre, Rubén Darío, su hermana María, su marido,
su hijo Rubén... Le quedaba únicamente su hija Carmen,
casada con Angel Martín.

Y le quedaba, además —cuidadosamente guardado,
venturosamente salvado de los trasiegos, vicisitudes y penurias de su existencia—, aquel voluminoso montón de
papel en el que se unían originales y borradores de Darío
con cartas, retratos, autógrafos, periódicos y libros: cuanto Rubén le había dejado en su hogar barcelonés, roto y
desamparado por culpa del infausto viaje que le condujo
a la muerte. La anciana seguía siendo, por tanto, la fiel
y celosa poseedora de aquel verdadero "archivo" relacionado con la vida y la obra del famoso escritor.

Algunos estudiosos de la personalidad de Darío se habían acercado ya a Francisca, pidiéndole acceso a él; quien lo manejó durante más tiempo —en realidad, el único que entró en él a fondo— fue el argentino Alberto Ghiraldo, hombre que trató al poeta y que al poeta dedicó varios trabajos; razones harto suficientes para no negarle lo que pretendía. Consultó lo guardado por Francisca después del viaje de ésta a Nicaragua —en 1925—, cuando junto a ella vivían su hijo y su esposo. Ninguno de los tres pudo sospechar que Ghiraldo se apoderase indebidamente de ciertos valiosos documentos, pero nos dicen que, con todo, la fea acción se produjo, mermándose así el volumen de lo recogido y hasta entonces bien vigilado por la compañera del vate. Un grueso libro que, con el título de *El archivo de Rubén Darío,* publicó Ghiraldo en Buenos Aires, en 1943, reveló las sustracciones, según afirman quienes, al hacer posteriormente consultas en ese ya ordenado montón de papeles, han podido notar lo que le falta.

Sabido esto, y algo más de esto, no es extraño que cuando, en 1955, Francisca recibió en Navalsáuz la visita de unos universitarios noble y desinteresadamente deseosos de saber el paradero de tal archivo, empezara por negar su existencia. Oigamos la palabra de un testigo: "Estaba aquella señora bastante triste, por las numerosas "incursiones" periodísticas, de distintas nacionalidades, a su personal tesoro; le habían incluso desaparecido originales, fotografías, revistas... En otros casos, ella misma los había prestado, sin obtener su devolución..."

Pero los visitantes insistieron, siempre con la idea felicísima de obtener para nuestro país aquello que se buscaba, antes de que pudiera extraviarse, desmembrarse o salir de España.

Al frente de tan plausible idea colocóse, desde el primer momento, el escritor y catedrático de literatura don

Antonio Oliver Belmás, y a sus gestiones, secundadas con
entusiasmo por su esposa, la escritora Carmen Conde, y
por otros amantes de las letras hispánicas, debemos hoy
la obtención de ese interesantísimo arsenal de papeles. Su
propietaria, puesta ante quienes le pedían que, tras haberlo conservado tenaz y amorosamente, lo cediera, en gesto
patriótico, al Estado español, resolvió cederlo con gusto y
sin pretensión desmedida. En justa correspondencia, el
Gobierno concedió a Francisca Sánchez una modesta pensión vitalicia y, de acuerdo con sus deseos, claramente
manifestados, una vivienda en Madrid.

El 25 de octubre de 1956, precisamente el mismo día
en que se cumplían los treinta y ocho años de la salida
de Rubén de Barcelona, y el mismo también— singular
coincidencia— en que se otorgaba el Premio Nobel al
poeta español Juan Ramón Jiménez, el archivo de que
hablamos, en numerosos paquetes lacrados, salía del pueblecillo de Navalsáuz y llegaba a Madrid en un auto particular, siempre bajo la custodia del señor Oliver.

Quedó depositado entonces en un piso de la casa número 93 de la calle de Alcalá, en el que funcionaba una
dependencia del Ministerio de Educación Nacional, y allí
permaneció un tiempo, a la espera de que pudiese llevarse
al lugar que se le tenía destinado.

"Allí —nos dice Carmen Conde— hicimos la clasifi-
cación ordenada de los documentos (en tan ardua tarea
colaboró con su pericia María Dolores Enríquez), y allí
empezó su proyección al mundo hispanoamericano. Porque fueron muchos los estudiantes, profesores, doctoran-
dos que de Hispanoamérica vinieron a estudiar los documentos hasta entonces desconocidos... Ninguna nación
ni embajada había ofrecido su apoyo para que saliera a
luz pública lo que a todas luces constituiría un magnífico
complemento para el estudio de la obra del vate. Cuando

ya estábamos a punto de recibir el legado, sí surgió alguien que ofrecía mucho dinero por su adquisición. Pero la dueña era española... y prefería que fuera en su patria en donde cobrara vida operante externa el archivo."

Trasladado después el archivo a su destino —el seminario de literatura hispanoamericana de nuestra Facultad de Filosofía y Letras, en la Ciudad Universitaria—, se habilitó para su contenido parte de un local no muy espacioso, pero capaz y grato, sobriamente decorado con retratos y banderas. El organismo lleva el nombre de "Seminario-Archivo Rubén Darío" y funciona eficazmente, dirigido por su fundador, don Antonio Oliver Belmás, y atendido por su secretaria, María del Rosario Martín Villacastín, nieta de Francisca Sánchez. Todos los años da su director en él un curso monográfico. Desde 1959 publica ese Seminario un Boletín lujosamente presentado. Van ya aparecidos diez números.

Los documentos catalogados hasta ahora suman 4.797; se clasifican por países y se encierran en setenta y nueve carpetas. Quedan aún muchos por catalogar. Las carpetas se guardan, con libros, periódicos, álbumes y otros objetos, en tres armarios. Además de varios cuadros, hay en la sala cinco retratos de Rubén; tres de ellos, bustos en escultura; son los otros dos, el óleo del pintor mejicano Juan Téllez y una reproducción del muy conocido dibujo de Vázquez Díaz.

Pronto comenzó el archivo a dar sus frutos. Véase el interesante libro de don Antonio Oliver *Este otro Rubén Darío,* premiado con el premio de biografías "Aedos" y publicado en Barcelona en 1960. Numerosas noticias de ese libro tienen por fuente el manejo del archivo rubeniano. Son, pues, los reunidos ahí, no sólo datos "nuevos", sino también de innegable autenticidad.

Con datos igualmente de primera mano —unos sacados del archivo y otros tomados de la propia voz de Francisca—, Carmen Conde publicó, cuatro años después de aparecido el citado volumen de su esposo, un libro que lleva este título: *Acompañando a Francisca Sánchez.*

De la consulta de ambos libros deberán partir, en lo sucesivo, quienes pretendan conocer a fondo la vida azarosa y la obra multiforme del célebre poeta de Nicaragua.

* * *

Francisca Sánchez del Pozo murió, de un cáncer en la cara, el 6 de agosto de 1963, en el Hospital madrileño de San Juan de Dios, al que, meses antes, se la había trasladado desde su pisito de la plaza de Coimbra.

En la casita de Navalsáuz, donde permaneciera el archivo, tanto tiempo, guardado, olvidado, casi ignorado, se puso, en vida de Francisca y delante de ella, una lápida de mármol que dice así: "Fue aquí donde Francisca Sánchez guardó durante cuarenta años el archivo de Rubén Darío."

BIBLIOGRAFIA

Cartas americanas, por Don Juan Valera. (Primera serie.) Biblioteca de Autores célebres. Madrid. 1889. (Las dos "cartas" dedicadas "a Don Rubén Darío" van fechadas el 22 y el 29 de octubre de 1888 y se publicaron en "El Imparcial", de Madrid.)

Rubén Darío. Su personalidad literaria. Su última obra, por José Enrique Rodó. Número 2 de su serie de folletos "La vida nueva". Montevideo. 1899.

La obra de Rubén Darío, por Ricardo Rojas. En su libro "El alma española". F. Sempere y Compañía. Valencia. 1907.

Los grandes maestros: Salvador Rueda y Rubén Darío. Estudio crítico de la poesía española en los últimos tiempos, por Andrés González Blanco. Madrid. 1908.

Laurel solariego. Crónicas de la visita de Rubén Darío a Nicaragua, en 1907, por J. B. Prado. Tipografía Internacional. Managua. 1909.

Estudio preliminar, por Andrés González Blanco. Tomo I de las "Obras escogidas" de Rubén Darío. Sucesores de Hernando. Madrid. 1910.

Ante el cadáver de Rubén Darío. Discurso del doctor Luis H. Debayle. León (Nicaragua). 1916.

Leyes que se refieren al culto a Rubén Darío, por el Ministerio de Educación Pública de Nicaragua. Managua. Febrero. 1916.

Consideraciones sobre el cerebro y la personalidad de Rubén Darío, por Juan José Martínez. Tipografía de Heuberger. Managua. 1916.

Homenaje de Nicaragua a Rubén Darío, por Darío Zúñiga Pallais. León (Nicaragua). 1916.

Rubén Darío. El hombre y el poeta, por Tulio M. Cestero. Folleto. La Habana. 1916.

La ofrenda de España a Rubén Darío, por Juan González Olmedilla. (Recopilación de trabajos en prosa y verso sobre el poeta.) Editorial América. Madrid. 1916.

Rubén Darío, por Medardo Vitier. En el semanario "Patria". La Habana. 1916.

Rubén Darío. Recuerdos íntimos, por Luis Orrego Luco. En "Sucesos". Santiago de Chile. Febrero y marzo de 1916.

Rubén Darío. Al margen de su vida y de su muerte, por Eduardo de Ory. "Editorial España y América". Cádiz. 1918.

Rubén Darío, por J. M. Vargas Vila. Madrid. 1918. (Segunda edición, en la Editorial Sopena.) Barcelona. 1935.

Rodó y Rubén Darío, por Max Henríquez Ureña. "Sociedad Editorial Cuba Contemporánea. La Habana. 1918.

Rubén Darío, por Leopoldo Lugones. Folleto. "Ediciones Selectas América". Buenos Aires. 1919.

Rubén Darío en Costa Rica, por Teodoro Picado. Dos tomos. "Ediciones Sarmiento". San José de Costa Rica. 1920.

Rubén Darío. Epistolario. Estudio preliminar de Ventura García Calderón. "Agencia General de Librería". París. 1920.

La juventud de Rubén Darío (1890-1893), por Gustavo Alemán Bolaños. Guatemala. 1923.

Ultimos días de Rubén Darío, por Francisco Huezo. Tip. Renacimiento. Managua. 1925.

Martí en Darío, por Regino E. Boti. Folleto. "Imprenta El Siglo XX". La Habana. 1925.

Revelaciones íntimas de Rubén Darío, por Máximo Soto Hall. "El Ateneo". Buenos Aires. 1925.

L'influence française dans l'oeuvre de Rubén Darío, por Erwin K. Mapes. "Librairie Honoré Champion." París. 1925.

Rubén Darío, por Guillermo Díaz Plaja. Número 11 de "Figuras de la Raza". Madrid. 1927.

Rubén Darío en Chile, por E. Rodríguez Mendoza. En su libro "Remansos del tiempo". Madrid. 1929.

Rubén Darío. Su vida y su obra, por Francisco Contreras. "Agencia Mundial de Librería." Barcelona. 1930.

Rubén Darío. La vida. La obra. Notas críticas, por Guillermo

Díaz Plaja. "Sociedad General de Publicaciones." Barcelona. 1930.

Casticismo y americanismo en la obra de Rubén Darío, por Arturo Torres Rioseco. Harvard University Press. Cambridge. Massachusetts. 1931.

Rubén. El más grande de los poetas que América ha dado al mundo, por Manuel Rosales. Folleto. Managua. 1933.

El verso que no cultivó Rubén Darío, por Julio Saavedra Molina. Santiago de Chile. 1933.

Obras desconocidas de Rubén Darío escritas en Chile y no recopiladas en ninguno de sus libros, por Raúl Silva Castro. "Prensas de la Universidad de Chile." Santiago. 1934.

Rubén Darío y su creación poética, por Arturo Marasso Roca. "Biblioteca de Humanidades." La Plata. (República Argentina.) 1934.

Llama y el Rubén poseído por el Deus, por Rafael Arévalo. Editorial y Librería Renacimiento. Guatemala. 1934.

Bibliography of Ruben Dario, por Henry Doyle Grattan. Harvard University Press. 1934.

Los exámetros castellanos y en particular los de Rubén Darío, por Julio Saavedra Molina. Prensas de la Universidad de Chile. Santiago. 1935.

Rubén Darío y la poesía argentina, por Arturo Berenguer Carisomo. Buenos Aires. 1936.

Escritos inéditos de Rubén Darío, por Erwin K. Mapes. Instituto de las Españas. Nueva York. 1938.

Poesías y prosas raras [de Rubén Darío], compiladas y anotadas por Julio Saavedra Molina. Prensas de la Universidad de Chile. Santiago. 1938.

De Díaz Mirón a Rubén Darío, por Roberto Meza. (Un curso en la Universidad de Chile, sobre la evolución de la poesía hispanoamericana.) Editorial Nascimento. Santiago. 1940.

Poesía y prosa de Rubén Darío, por Leonardo Montalbán. Tipográfica Atenea. Managua. ¿1940?

El adiós a Rubén Darío, por Alfonso Teja Zabre. Folleto. Cuadernos de Letras. Méjico. 1941.

Rubén Darío y Sarah Bernhardt, por Julio Saavedra Molina. Prensas de la Universidad de Chile. Santiago. 1941.

Rubén Darío. (Radiocharlas para el pueblo), por José Francisco Borgen. Folleto. Managua. 1941.

Homenaje de Nicaragua a Rubén Darío. Trabajos relacionados con la celebración del 25 aniversario de la muerte del poeta. Talleres Nacionales. Managua. Febrero de 1941.

Homenaje a Rubén Darío, por Eugenio Orrego Vicuña. Con trabajos de varios autores. Anales de la Universidad de Chile. Santiago. ¿1942?

Lo morboso en Rubén Darío, por Diego Carbonell. Editorial Cecilio Acosta. Caracas. 1943.

Rubén Darío, por Pedro Joaquín Cuadra. Granada (Nicaragua). 1943.

El archivo de Rubén Darío, por Alberto Ghiraldo. Editorial Losada. Buenos Aires. 1943.

Rubén Darío. (Un poeta y una vida), por Juan Antonio Cabezas. Ediciones Morata. Madrid. 1944. (Segunda edición, en la Colección Austral. Buenos Aires. 1954.)

Vida y poesía de Rubén Darío, por Arturo Torres Rioseco. Emece Editores. Buenos Aires. 1944.

La poesía de Rubén Darío, por Pedro Salinas. Editorial Losada. Buenos Aires, 1945.

Rubén Darío criollo, por Diego Manuel Sequeira. Editorial Kraft. Buenos Aires. 1945.

Una antología poética de Rubén Darío planeada por él mismo, por Julio Saavedra Molina. Prensas de la Universidad de Chile. Santiago. 1945.

Rubén Darío. Un bardo rei, por Arturo Capdevila. Colección Austral. Buenos Aires. 1946.

Bibliografía de Rubén Darío, por Julio Saavedra Molina. En la "Revista Chilena de Historia y Geografía". Santiago de Chile. 1946.

Nicaragua y su Rubén Darío en la República Dominicana, por Justino Sansón Valladares. Folleto. Editorial Stella. Ciudad Trujillo. 1946.

Rubén Darío y las mujeres, por Ildo Sol. Editorial "La Estrella de Nicaragua". Managua. 1947.

Rubén Darío y sus amigos dominicanos, por Emilio Rodríguez Demorizi. Ediciones Espiral. Bogotá. 1948.

Darío y Montalvo, por Ernesto Mejía Sánchez. En la "Nueva Revista de Filología Hispánica". "El Colegio de México." 1948.

Rosario Murillo, por Luis Macías. Imprenta Nacional. Guayaquil. 1949.

Apreciaciones y anécdotas sobre Rubén Darío, por Octavio Quintana. León (Nicaragua). 1950.

Rubén Darío, por Marcelo Jover. Editorial del Ministerio de Educación Pública. Guatemala. 1950.

Los primeros cuentos de Rubén Darío, por Ernesto Mejía Sánchez. Ediciones Studium. Méjico. 1951.

Rubén Darío y José Enrique Rodó, por "Lauxar" (Osvaldo Crispo Acosta). Editorial Mosca Hermanos. Montevideo. 1954.

Rubén Darío a los veinte años, por Raúl Silva Castro. Editorial Gredos. Madrid. 1956.

La dramática vida de Rubén Darío, por Edelberto Torres. Editorial Grijalbo. Segunda edición. Méjico. 1956.

Génesis del Azul de Rubén Darío, por Raúl Silva Castro. Academia Nicaragüense de la Lengua. Nicaragua. 1958.

Psicología y tendencia poética en la obra de Rubén Darío, por Santos Flores López. Managua. 1959.

Rubén Darío bajo el divino imperio de la música, por Erika Lorenz. Traducción del alemán, Academia Nicaragüense de la Lengua. Managua. 1960.

Este otro Rubén Darío, por Antonio Oliver Belmás. Editorial Aedos. Barcelona. 1960.

Vida de Rubén Darío, por Valentín de Pedro. Compañía General Fabril Editora. Buenos Aires. 1961.

Lección de Rubén Darío, por Ramón de Garciasol. Taurus Ediciones. Madrid. 1961.

Nacimiento y primera infancia de Rubén Darío, por Juan de Dios Vanegas y Alfonso Valle. Biblioteca Popular de autores nicaragüenses. Managua. 1962.

Cartas de Rubén Darío. (Epistolario inédito del poeta con sus amigos españoles), por Dictino Alvarez Hernández, S. J. Taurus Ediciones. Madrid. 1963.

Acompañando a Francisca Sánchez. (Resumen de una vida junto a Rubén Darío), por Carmen Conde. Editorial Unión. Managua. 1964.

Los nocturnos de Rubén Darío y otros ensayos, por Julio Icaza Tigerino. Editorial Cultura Hispánica. Madrid. 1964.

Rubén Darío, periodista. Ediciones del Ministerio de Educación Pública. Managua. Febrero de 1964.

Genio y figura de Rubén Darío, por Roberto Ledesma. Editorial Universitaria. Buenos Aires. 1964.

Rubén Darío. Breve biografía, por Luis Alberto Cabrales. Folleto. Publicaciones de la Secretaría de la Presidencia de la República. Managua. 1965.

*Rubén Darío (Azul, El salmo de la pluma, Cantos de vida y es-
peranza y Otros poemas)*, por Antonio Oliver Belmás. Editorial Porrúa. Méjico. 1965.

Provincialismo contra Rubén Darío, por Luis Alberto Cabrales, Ministerio de Educación Pública. Managua. 1966.

Rubén Darío en Oxford, por C. M. Bowra, Arturo Torres Rioseco,
Luis Cernuda y Ernesto María Sánchez. Academia Nicaragüense de la Lengua. Managua. 1966.

*En el cincuentenario de su muerte. Rubén Darío y los nicara-
güenses.* Número extraordinario de la "Revista Conservadora
del Pensamiento centroamericano". Managua. 1966.

Seminario-Archivo Rubén Darío. Boletín del organismo. Iniciada
su publicación en 1959, el último número publicado —el 10—
corresponde al año 1965.

INDICE

ESTE LIBRO

TITULADO

LA VIDA Y EL VERBO

DE RUBEN DARIO

ESCRITO POR

BERNARDINO DE PANTORBA

Y EDITADO POR LA

COMPAÑIA BIBLIOGRAFICA ESPAÑOLA, S. A.

HA SIDO IMPRESO EN LOS

TALLERES DE GRAFICAS HALAR, S. L.,

MADRID

ENERO DE 1967

CENTENARIO DEL NACIMIENTO

DE RUBEN DARIO

Printed in Spain